Présentation de la Collection Objectif Bac

Pour réussir votre enseignement et faire progresser vos élèves

Nouveau

À DÉCOUVRIR DANS CE DOCUMENT

Pour une bonne prise en main de la collection, c'est par ici

hachette TECHNIQUE

Le mot des enseignants-auteurs

À l'origine de cette nouvelle collection, il y a un travail collaboratif entre Hachette Technique et des professeurs de terrain.
Nous avions tous la volonté de vous accompagner lors de l'exercice de votre métier et tout au long de votre année.
Ensemble, nous avons repensé, testé, affiné notre travail afin de vous proposer aujourd'hui un véritable panel d'outils au service de votre pratique.

Vous allez découvrir des ouvrages attractifs, au fond et à la forme variés, réfléchis pour développer progressivement les capacités de vos élèves.

Mais c'est sans conteste le livre du professeur qui a été entièrement repensé pour vous :

- Nouvelles rubriques
- Progression pédagogique
- Évaluations corrigées inédites
- Accompagnement tout au long de l'année…

Tous ces outils ont été pensés et formalisés pour que cette collection devienne la vôtre.
Enseigner est un métier, et cette collection a l'ambition de vous aider à vous concentrer sur le plus important : vos élèves.

Merci à tous les auteurs et à Hachette Technique d'avoir permis la réalisation de ce beau projet.

Belle découverte à vous.

Brice DREZET
Sciences de gestion et numérique
Académie Reims

« Ce qui m'a motivé dans l'écriture de ce manuel ? Permettre aux élèves de monter en compétences et de gagner en confiance. »

Delphine LAHAYE
Sciences de gestion et numérique
Académie Reims

Bérangère DUCHANGE
Économie – Académie Versailles

Vincent ROCHERY
Économie – Académie Versailles

« Le fait d'écrire ce manuel m'a conduit à approfondir ma pratique pour les élèves mais aussi pour mes pairs. »

Caroline NKOU
Management – Académie Caen

« L'écriture de cet ouvrage constitue pour moi une nouvelle expérience à laquelle je n'avais jamais été confrontée et qui aura été très enrichissante d'un point de vue professionnel. »

Rochdi BADEREDDINE
Économie – Académie Dijon

Glwadys HELIE GARDIN
Management – Académie Rouen

Joan LEFEVRE
Management – Académie Reims

« Ce qui m'a plu dans l'écriture de ce manuel, c'est de pouvoir laisser libre cours à ma créativité et d'aborder mon métier de façon différente. »

Laurent CORBELLINI
Management – Académie Versailles

Clément MARZULLO
Économie – Académie Reims

Céline MACANDA
Sciences de gestion et numérique
Académie Rennes

« Dotée d'une forte appétence pour la transmission, j'ai été ravie de mettre à disposition des élèves l'ensemble de mes compétences et expériences, pour les accompagner dans leurs apprentissages. »

Jean FEREY
Management – Académie Rouen

Véronique MANENTI
Management – Académie Paris

Alban LUCAS
Droit – Académie Rouen

Un grand merci à tous les enseignants-auteurs de la collection

Gaëtan MEURET
Économie – Académie Reims

Teddy FAGNIÈRES
Sciences de gestion et numérique
Académie Reims

« La rédaction de ce manuel a été un excellent exercice pour développer des compétences transversales comme la créativité, l'esprit d'entreprise et, bien sûr, le travail en équipe ! »

LAURIE CHALVET
Sciences de gestion et numérique
Académie Versailles

Raphaël ARHAN
Sciences de gestion et numérique
Académie Versailles

« Cette expérience d'auteur chez Hachette m'a permis d'échanger avec des personnes lumineuses et d'améliorer ma pratique grâce à de nouveaux regards. »

Corinne LAIRD
Droit – Académie Rouen

Claire LHEUREUX
Droit – Académie Rouen

« Écrire ce manuel c'est pour moi permettre aux collègues d'aborder plus sereinement leur année. »

Des ouvrages détachables en version papier ou numérique

PAPIER ou **NUMÉRIQUE**

Dans chaque ouvrage, retrouvez :

Pour l'enseignant, des outils concrets

PAGES 6-7

Un livre du professeur enrichi, imprimé et en couleur.

** Offert en cas de prescription*

Nouveau

Animer la classe

- Focus sur les organisations
- Alternatives didactiques, transversalités, idées pédagogiques

Nouveau

Évaluer les élèves

- Évaluation corrigée par chapitre avec barème
- Conseils de mise en œuvre pour une approche ludique : websérie, quiz interactifs

Des bonus pour vous accompagner

Nouveau

Actubox, une banque de ressources actualisée 3 fois par an

- Portraits d'organisations
- Ressources ETLV
- Activités supplémentaires

Nouveau

Des webinaires de partage d'expérience 3 fois par an sur des thèmes variés :

- Problématisation réussie pour donner du sens au thème
- Mener à bien l'étude de gestion
- Accompagner les élèves dans leur choix d'orientation

** Demande à effectuer sur enseignants.hachette-education.com*

Les fonctionnalités des manuels numériques

- Vidéoprojection en classe
- Zoom des documents
- Affichage des corrigés pour l'enseignant
- Affichage DYS
- Saisie et enregistrement des réponses des élèves
- Échanges professeurs-élèves
- Utilisation hors connexion possible
- Téléchargement clé USB

+ Pour l'élève, des outils innovants

PAGE 8

Des outils pour réussir

- **Dossier pour donner confiance** « Bienvenue en STMG »

- 16 fiches de **méthodologie**

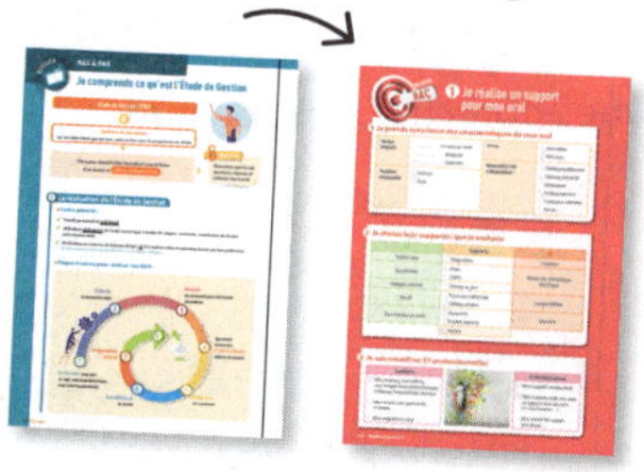

- **Exercices d'autoévaluation** pour préparer la synthèse et réviser

Vers la synthèse
JE ME TESTE
Je révise l'essentiel

- **Livret de révisions** détachable

en + des pages de révisions de chaque chapitre

+ Pour tous, des ressources numériques attractives

PAGE 9

Les exclusivités

- Websérie Charlie & Gus

- Podcasts du cours
- Quiz interactifs

KYUSHI

+ de 100 ressources

hachette-clic.fr/22eco

Les incontournables

- Liens audio
- Liens vidéo
- Fichiers de travail (word, excel...)

Pour l'enseignant, des outils concrets

Un livre du professeur enrichi, imprimé et en couleur

Sommaire du livre du professeur d'Économie

Offert en cas de prescription

Économie 1re STMG

Pour l'enseignant, des outils concrets

Des bonus pour vous accompagner

Webinaires de partage d'expérience

Inédit

3 FOIS PAR AN
AVEC NOS AUTEURS

Pour favoriser les échanges et permettre le partage d'expérience

Sur des sujets précis !

- **Problématisation réussie** pour donner du sens au thème
- **Trouver sa place en ETLV**
- **Enseigner par monographie**
- **Préparer au Grand Oral**

- **Mener à bien** l'étude de gestion dans le cadre du contrôle continu

- **Accompagner les élèves** dans leur choix d'orientation

Banque de ressources Actubox

ACTUALISÉE 3 FOIS PAR AN

L'Actubox pour faire vivre votre manuel !
et l'enrichir tout au long de l'année

Inédit

Une banque de ressources, avec des contenus supplémentaires, livrée avec le manuel numérique enseignant offert sur prescription.

Actubox vous permet de rechercher les contenus dont vous avez besoin pour animer votre classe et enrichir vos propres séquences pédagogiques.

> Portraits d'organisations et d'entrepreneurs
> Activités supplémentaires :

- ETLV
- Articles
- Situations juridiques
- Travaux de recherche
- Ressources pédagogiques

Pour l'élève, des outils innovants

Des outils pour réussir

Dossier Bienvenue en STMG

Inédit

Pour donner confiance aux élèves et tout savoir sur la filière STMG

Quiz de rentrée, présentation des filières et des matières de 1re et Tle, zoom sur l'orientation post-bac, immersion dans la vie professionnelle avec des vidéos métiers, pages dédiées à la réflexion de l'élève et au bilan en fin de 1re.

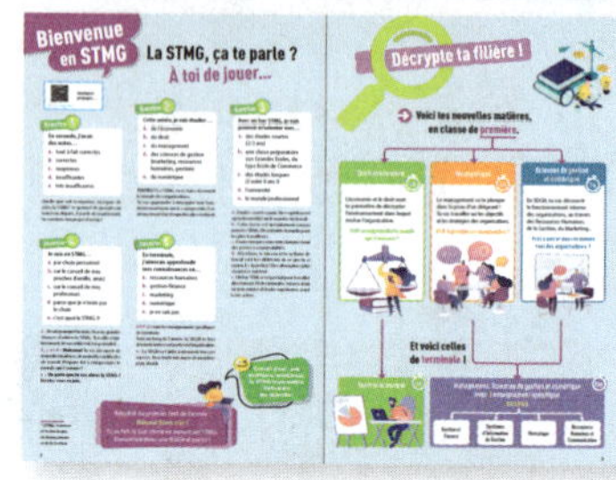

Un livret de révisions détachable

Inédit

Tout pour réussir son Bac

Un outil supplémentaire de **16 pages** pour comprendre les questions d'Économie abordées dans le manuel. Révisions, vocabulaire, challenge, cas d'entreprises, orientation…

3 fiches méthodologiques

Inédit

Une méthodologie pas à pas sur des compétences transversales

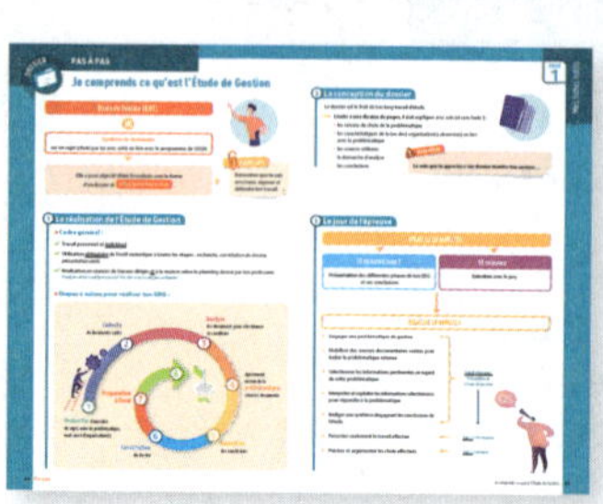

3 fiches pour maîtriser des compétences transversales.

13 fiches Objectif Bac

Inédit

En route vers le Bac !

1 fiche par chapitre pour préparer les compétences nécessaires au Bac.

Pour tous, des ressources numériques

+ de 100 ressources disponibles

À flasher sur le manuel papier ou en un clic depuis le manuel numérique !

Exclusivité

Kyushi

13 quiz Kyushi interactifs
Kyushi vous permet de proposer à vos élèves des quiz ludiques et chronométrés prêts à l'emploi ou à composer !
À réaliser en fin de chapitre ou de thème collectivement en classe, pour travailler **la mémorisation et réactiver les acquis.**

La websérie Charlie & Gus
5 épisodes en BD animée

Idéal pour **les lancements de séances**, ces épisodes permettent de mettre en tension les enjeux du thème, d'ouvrir la discussion avec vos élèves ou de réaliser des évaluations diagnostiques.

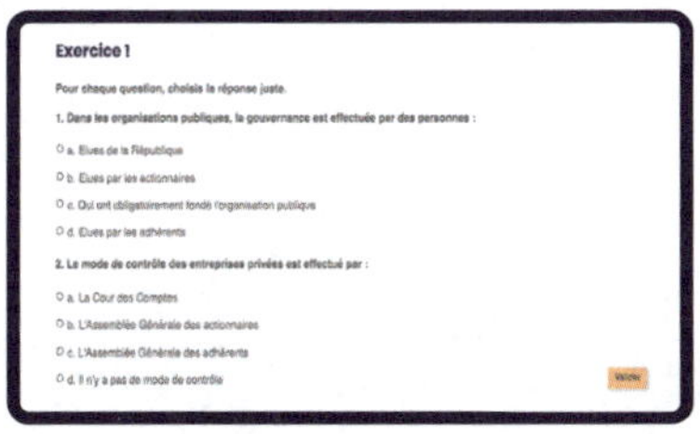

Plus de 60 exercices d'autoévaluation
pour faire le point et renforcer le travail en autonomie des élèves

13 podcasts de cours
pour s'adapter aux différents types de mémorisation des élèves

+

Et bien sûr les ressources incontournables

- Liens audio
- Liens vidéo
- Fichiers de travail

2 Les corrigés enrichis

DUBAI

6 La mesure de la production et de ses prolongements

En immersion à *Dubaï*

Nos intentions pédagogiques

Ce chapitre introduit les bases de la macroéconomie et jette les bases pour l'étude des politiques économiques en terminale (thème 6). Il ouvre également la voie à la critique de notre système économique et à la nécessité de trouver d'autres modèles de croissance. Ce sujet sera approfondi en terminale dans le thème 9.

Les thèmes étudiés dans la troisième partie pourront être repris dans le sujet de grand oral en terminale pour des élèves concernés par les problématiques actuelles relatives aux catastrophes climatiques, aux montées des inégalités...

Ce chapitre permet d'aborder la croissance économique et d'apprendre à analyser les évolutions de la croissance.

La valeur ajoutée, centrale dans ce thème est ici introduite dans ce chapitre, en parallèle des sciences de gestion et du numérique (thème 3). Elle est traitée sous l'aspect économique et non comptable.

DUBAI

On vous parle de Dubaï

Les Émirats arabes unis sont un État fédéral composé de 7 émirats : Abou Dabi, Ajman, Charjah, Dubaï, Fujaïrah, Ras el Khaïmah et Oumm al Qaïwaïn.
La capitale fédérale est la ville d'Abou Dhabi. Les Émirats arabes unis comptent parmi les plus importants producteurs et exportateurs de pétrole.
Avec un PIB de près de 106Mds USD en 2017, Dubaï est la 2e économie de la Fédération. Son modèle économique repose sur une grande diversité de secteurs.
Les activités marchandes et de transport représentent près de 39 % du PIB en 2017 grâce à d'excellentes infrastructures portuaires et aéroportuaires. Le port de Jebel Ali est l'un des dix premiers ports mondiaux à conteneurs. Le transport aérien symbolise la croissance de Dubaï.
L'aéroport international de Dubaï est le premier « hub » au monde avec 88,2 millions de passagers en 2017. La compagnie Emirates Airlines est mondialement connue. Le tourisme représente près de 5 % du PIB de Dubaï et ne cesse de croître. Dubaï est la 4e ville la plus visitée au monde.
Par ailleurs Dubaï est une place financière régionale car elle accueille la majorité des sièges régionaux des sociétés internationales présentes au Moyen-Orient (les activités banque et assurance représentent 10,4 % du PIB de Dubaï) et cherche à développer son industrie (aérospatial, maritime, médicaments, bien de consommation etc.).

D'après la Direction générale du Trésor.

Site de Dubaï :
https://www.visitdubai.com/fr/

Les corrigés enrichis (suite)

Ouverture p.83

Questions possibles

1. Sur une échelle de 1 à 10, quelle est votre envie de travailler à Dubaï ?

Votre échange doit tendre vers...

Il s'agit de susciter de la discussion autour de Dubaï. Certains voudront peut-être juste y passer quelques jours et d'autres y travailler. Voici le salaire moyen dubaïote de 2021 pour nourrir la discussion : 10,879.66 AED, soit 2 438,35 €.

Idée pédagogique

On peut identifier avec les élèves les secteurs qui recrutent le plus aux Émirats arabes unis en 2021 : l'informatique, les professions médicales, les métiers financiers et bien sûr tous les métiers de l'hôtellerie, de la restauration et du tourisme, l'informatique, les hautes technologies, la fintech et le luxe.
Plus d'informations sur : https://business-cool.com

2. Comment Dubaï s'est-elle enrichie ?

Grâce au tourisme et aux investisseurs.

3. Que signifie que Dubaï est une cité riche ?

Cela signifie que le niveau de production des entreprises basées à Dubaï est élevé.

Votre échange doit tendre vers...
Les élèves doivent réactiver ce qui a été vu en introduction du thème.

Sitographie

Emirats :
la fin de l'Eldorado ? | ARTE Reportage
https://www.youtube.com/watch?v=6L4X9tOOKrA

1 Comment mesurer la production p.84

A. Mesurer la production à l'échelle du producteur : la valeur ajoutée

1. Calculez le coût des fournitures du modèle de Jannarelly Design 1.

31050.

2. À l'aide de la vidéo du Doc 2, complétez le tableau ci-dessous.

Définition de la valeur ajoutée (VA)	Indicateur économique permettant de mesurer la richesse créée par une entreprise.
Formule de la VA :	Valeur de la production (CA)-CI
Définition des consommations intermédiaires (CI)	Sommes dépensées par une entreprise pour produire un bien ou un service.
Exemple de consommation intermédiaire	Achat de matières premières.

3. En reprenant l'exemple de Jannarelly, indiquez le montant de la valeur ajoutée de l'entreprise si elle vendait 20 modèles au cours de l'année.

135 000 – 31 050 = 103 950
Montant : 103 950 x 20 = 2 079 000 euros.

B. Mesurer la production à l'échelle d'un pays : le PIB

4. Soulignez la définition du PIB dans le post-it.

Richesse créée au cours de l'année dans un pays.

Les corrigés enrichis (suite)

5. Retrouvez la formule de calcul du PIB.

Somme des valeurs ajoutées.

6. Vrai ou faux ?

PIB et patrimoine mesurent la même chose.	Vrai	☒ Faux
Le PIB de Dubaï intègre la production de Jannarelly implantée aux États-Unis.	Vrai	☒ Faux
Le PIB de Dubaï intègre la production de Carrefour, entreprise française implantée dans la ville de Dubaï.	☒ Vrai	Faux

7. Quel lien faites-vous entre la valeur ajoutée et le PIB ?

Le PIB mesure la richesse créée sur un territoire donné par chacun des producteurs laquelle est mesurée par la valeur ajoutée. Le PIB est la somme des valeurs ajoutée.

À savoir

La valeur ajoutée ne peut pas mesurer la production des services non marchands.

En effet, il n'y a pas de base de calcul car il n'y a généralement pas de chiffres d'affaires, et s'il y en a le prix est inférieur aux consommations intermédiaires, ce chiffre d'affaires ne peut donc pas servir à mesurer la richesse créée.

En revanche, on dispose des salaires versés aux employés, fonctionnaires, du coût des chaises, électricité, matériel informatique, locaux… Bref tous les coûts de fonctionnement. Par convention, la comptabilité nationale mesure la production du secteur non marchand en additionnant les coûts de fonctionnement (salaires, consommations intermédiaires.)

Idée pédagogique

Questions possibles sur la mesure de la production non marchande

Prenez le service non marchand qui n'a presque plus de secret pour vous : l'enseignement.

Comment évaluer la valeur ajoutée, la richesse créée par votre enseignant d'économie ? Des dépenses certes mais pas de chiffre d'affaires car vous ne payez rien directement au lycée, l'Éducation nationale n'étant financée que par l'impôt…

1. Pourquoi est-ce impossible de reprendre le calcul de la valeur ajoutée applicable aux entreprises ?

Il n'y a pas de chiffre d'affaires et s'il y en a un, le prix est inférieur aux consommations intermédiaires donc il ne peut servir à mesurer la richesse créée.

2. De quels chiffres pouvez-vous disposer quant au service rendu par votre enseignant ?

Montant de son traitement (salaire), coût des chaises, tables, électricité, matériel informatique, locaux… Bref, tous les coûts de fonctionnement.

3. En déduire la méthode utilisée par les statisticiens pour évaluer la richesse créée par le secteur non marchand.

La comptabilité nationale, par convention, mesure la production du secteur non marchand en additionnant leurs coûts de production (salaires, consommations intermédiaires).

Les corrigés enrichis (suite)

Aller plus loin

Le calcul exact du PIB

Dire que le PIB est la somme des valeurs ajoutées n'est pas tout à fait exact... En effet, l'institution en charge de la comptabilité nationale calcule le PIB au prix du marché c'est-à-dire au prix auquel vous payez le bien. La valeur ajoutée, elle, est calculée au prix hors taxe.
Quand vous payez un bien ou un service, vous payez en plus du bien la TVA, et si le produit est importé, des droits de douane.
L'État permet parfois aux entreprises de vendre moins cher leur bien en versant des subventions. Elles ne perdront en effet pas d'argent puisque la subvention compensera la différence.
Donc le PIB = somme des valeurs ajoutées + impôts (TVA + droits et taxes sur les importations) - subventions sur les produits.

Aller plus loin

La comptabilité nationale

La comptabilité nationale date de l'après-guerre. Il était devenu nécessaire de rendre compte et de chiffrer les dégâts économiques puis d'évaluer l'efficacité des politiques interventionnistes pour rétablir la croissance.
Dans le cadre du système monétaire européen (SME), les systèmes de comptes nationaux ont été harmonisés autour de normes communes, et les États européens utilisent le même plan comptable : le SEC (système européen de comptabilité).

BILAN

Déterminez si l'entreprise française de Sacha sera intégrée dans le PIB des Émirats arabes unis ou celui de la France.

? Dans celui des Émirats arabes unis puisque la production est réalisée sur le sol dubaïote même si l'entreprise est française.

Fin de l'extrait du point 2.
Les corrigés enrichis

4 Une évaluation, son corrigé et son barème

Chapitre 6

Évaluation sur 20 points (1h env.)

CONSIGNES

À l'aide de vos connaissances et des annexes, répondez aux questions suivantes :

1. Que signifie, dans le doc 1, que le taux de croissance de la Chine est de 6,6 % en 2018 ?
2. Que mesure le PIB chinois ?
3. Peut-on dire que le doc 1 montre que le PIB baisse depuis 2010 ?
4. Montrez, toujours avec le doc 1, que la Chine est en croissance économique depuis 1980.
5. Quelles limites du PIB le doc 2 met-il en avant ?
6. Quel lien faites-vous entre cette entreprise et le PIB chinois ? Justifiez à l'aide de la notion de valeur ajoutée.

DOC 1 Le taux de croissance du PIB réel de la Chine depuis 1980

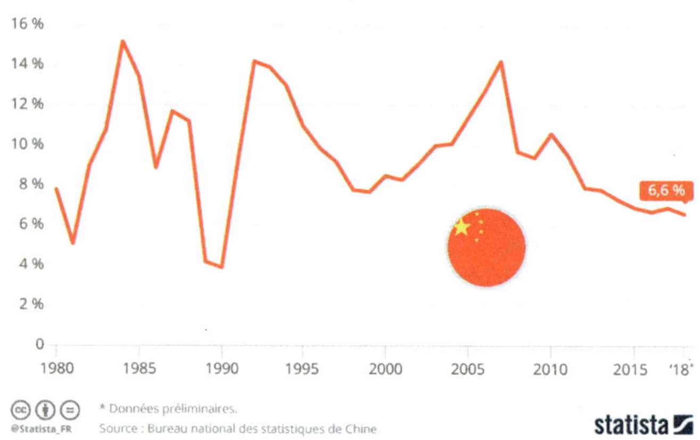

2019

DOC 2 High-tech : les développeurs chinois dénoncent leurs conditions de travail

Les développeurs chinois s'organisent. Depuis quelques semaines, ils dénoncent leurs conditions de travail sur GitHub, le site de partage de code informatique, et l'une des rares plates-formes étrangères non censurées en Chine. Sur GitHub, les programmeurs chinois dénoncent le rythme « 996 » qu'on leur impose : travailler de 9 heures à 21 heures, 6 jours sur 7. Soit des semaines à 72 heures, quand la loi chinoise impose qu'au-delà de 40 heures par semaine, les heures supplémentaires soient volontaires, compensées, et ne dépassent pas un certain seuil.

En janvier, c'est le patron d'une plate-forme de commerce en ligne, Youzan, qui a lancé le débat en appelant ses employés à adopter la culture du « 996 ». « Si vous ne vous sentez pas sous pression dans votre entreprise, vous feriez mieux de partir, parce que cela veut dire que votre employeur est en train de mourir », écrivait-il sur le réseau social WeChat. Sur GitHub, la plate-forme des développeurs, une page « 996 ICU » a été créée, parce qu'à travailler 12 heures par jour, 6 jours sur 7, vous risquez de finir en intensive care unit (« unité de soins intensifs »). […] Chez JD. com, les salariés du service client ont reçu un avertissement, d'après un e-mail interne publié sur un réseau social chinois. Il mettait en garde les employés qui « ne se battaient pas pour en faire plus, quels que soient leurs performances, leur poste, leur santé ou leur situation familiale ». Mi-février, l'entreprise avait annoncé le licenciement de 10 % des cadres, et voulait supprimer la partie fixe du salaire de ses livreurs.

Simon Leplâtre, lemonde.fr, le 13 avril 2019

Corrigé et barème de l'évaluation

Chapitre 6

Évaluation sur 20 points (1h env.)

À l'aide de vos connaissances et des annexes, répondez aux questions suivantes :

1. Que signifie, dans le doc 1, que le taux de croissance de la Chine est de 6,6 % en 2018 ?

Le PIB de la Chine a augmenté de 6,6 %.

COMPÉTENCE	POINTS
Comprendre le terme de croissance	1 pt
Interpréter le taux en tant que taux d'évolution	1 pt

2. Que mesure le PIB chinois ?

Il mesure la création de richesse des entreprises implantées en Chine.

COMPÉTENCE	POINTS
Restituer ses connaissances	1 pt

3. Peut-on dire que le doc 1 montre que le PIB baisse depuis 2010 ?

Non, car le taux d'évolution reste au-dessus de 0 %, il ralentit car le taux reste supérieur à 0 %.

COMPÉTENCE	POINTS
Faire le lien entre baisse du PIB et taux négatif	1 pt
Parler de ralentissement ou de décroissance	1 pt

4. Montrez, toujours avec le doc 1 que la Chine est en croissance économique depuis 1980.

Le PIB de la Chine augmente depuis 1980. Le PIB reste au-dessus de 0 et est supérieur d'une année sur l'autre.

COMPÉTENCE	POINTS
Faire le lien entre augmentation et taux positif	1 pt
Distinguer croissance et décroissance (taux supérieur d'une année sur l'autre)	1 pt

5. Quelle limite du PIB met en avant le doc 2 ?

Le texte met en avant les conditions de travail inhumaines pour produire en Chine.
Cela montre que le PIB ne prend pas en compte les aspects qualitatifs de la croissance.

COMPÉTENCE	POINTS
Identifier la limite	1 pt
Faire le lien avec les limites du PIB vues en classe	1 pt

6. Quel lien faites-vous entre cette entreprise et le PIB chinois ? Justifiez à l'aide de la notion de valeur ajoutée.

La valeur ajoutée de cette entreprise vient s'ajouter à toutes les autres pour former le PIB.

COMPÉTENCE	POINTS
Exploiter ses connaissances	1 pt

Fin de l'extrait du point 4.
Une évaluation, son corrigé et son barème

Économie

1re STMG

Nous remercions chaleureusement nos auteurs...

Sous la direction de Gaëtan Meuret
Professeur d'économie-gestion
Lycée Chrestien de Troyes, Troyes

Rochdi Badereddine
Professeur d'économie-gestion
Lycée Le Castel, Dijon

Bérengère Duchange
Professeure d'économie-gestion
Lycée Jacques Prévert, Longjumeau

Clément Marzullo
Professeur d'économie-gestion
Lycée Marie de Champagne, Troyes

Vincent Rochery
Professeur d'économie-gestion
Lycée Guy Môquet - Étienne Lenoir, Châteaubriant

Nous remercions également
Azdine Zraezae pour sa relecture pédagogique.

hachette
TECHNIQUE

Les ouvrages sont-ils disponibles en **version numérique** ?

OUI

Ils existent en version papier ou en **version numérique**.
La version digitale est enrichie de **contenus interactifs**.

Vos élèves sont **équipés de la version numérique**

Avec l'application éducadhoc

PROFITEZ DES NOMBREUSES FONCTIONNALITÉS DISPONIBLES

Pour l'enseignant :

- Vidéoprojection en classe
- Affichage des corrigés
- Échanges professeurs-élèves
- Personnalisation du manuel

Pour l'élève

- Affichage DYS
- Saisie et enregistrement des réponses
- Accès smartphone

Pour tous

- Navigation simple
- Utilisation possible hors connexion
- Téléchargement clé USB
- Accès multisupport : PC, Mac, smartphones, tablettes

Testez gratuitement nos manuels numériques sur jeteste.fr/hachette

Spécial enseignants

L'Académie éducadhoc, votre nouvel espace de formation

éducadhoc

DES FORMATIONS ÉCLAIR EN 2 MINUTES CHRONO !

Maîtrisez les fonctionnalités essentielles de l'application en vous formant à votre rythme grâce à nos tutoriels dédiés et des explications étape par étape.

Les formations disponibles :

- Créer une classe sur éducadhoc
- Utiliser l'enregistrement audio
- Naviguer dans mon manuel
- Télécharger mon manuel
- Exporter mon manuel sur clé USB

DES WEBINAIRES POUR APPROFONDIR

Découvrez nos astuces et nos conseils pour aller plus loin dans votre utilisation.

De nombreuses formations sont disponibles tout au long de l'année.
Restez connectés !

Retrouvez l'ensemble des vidéos sur educadhoc.fr

Y a-t-il des ressources numériques accessibles à tous ?

OUI, des ressources exclusives créées par notre équipe

+ de 60 exercices d'autoévaluation pour faire le point

Websérie Charlie & Gus : 5 épisodes en **BD animée** pour aborder les thèmes du programme en lancement de séances.

KYUSHI

Quiz Kyushi : 13 quiz ludiques et chronométrés à utiliser en classe ou à composer.

13 podcasts du cours pour s'adapter aux différents types de mémorisation des élèves.

Et bien sûr les incontournables liens audio, liens vidéo…

À flasher sur le manuel papier (hachette-clic.fr/22eco) ou en un clic depuis le manuel numérique

Y a-t-il des ressources réservées aux enseignants ?

OUI, pour vous accompagner tout au long de l'année

Le livre du professeur enrichi, imprimé et en couleur* : évaluation corrigée par chapitre avec barème, conseils de mise en oeuvre pour une approche ludique, focus sur les organisations, alternatives didactiques…

Des webinaires de partage d'expérience 3 fois par an sur des thèmes variés : problématisation réussie pour donner du sens au thème, accompagner les élèves dans leur choix d'orientation…

Actubox : banque de ressources actualisée 3 fois par an livrée avec le manuel numérique enseignant offert sur prescription.

- Portraits d'organisations
- Ressources ETLV
- Activités supplémentaires

Retrouvez plus d'informations sur hachette-clic.fr/objectif-bac-stmg

Y a-t-il des outils spécialement conçus pour les élèves ?

OUI, des outils accessibles et innovants en papier et en numérique

Livret de révisions détachable
Tout pour réussir son Bac

Dossier « Bienvenue en STMG » Pour donner confiance aux élèves et tout savoir sur la filière STMG

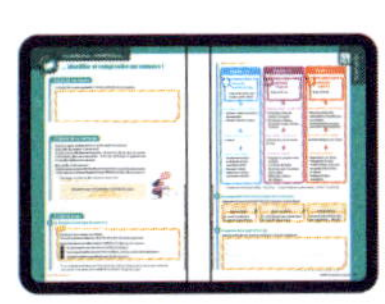

Fiches méthodologiques :
Une méthodologie pas à pas sur des compétences transversales

* Offert en cas de prescription

Édition : Juliette Beau, Nathalie Brousse, Nicolas Waszak
Maquette de couverture : Adeline Calame
Maquette intérieure : Anne-Danielle Naname
Mise en page : STDI
Iconographie : Lorena Martini, Élise Paillоncy
Fabrication : Yoann Le Berre

www.hachette-education.com
© Hachette Livre 2022
58, rue Jean-Bleuzen - 92178 Vanves Cedex
ISBN : 978-2-01-628018-8

Hachette Éducation s'engage pour la préservation de l'environnement

Depuis plusieurs années, nous mettons en place **des solutions innovantes et écoresponsables**, en concertation avec nos fournisseurs, pour **limiter notre empreinte carbone et diminuer l'utilisation du plastique**, en suivant **5 grands objectifs** :

1. **Optimiser les formats** des ouvrages
2. **Utiliser du papier certifié**
3. **Réduire** autant que possible **le grammage du papier**
4. **Supprimer** peu à peu **le pelliculage plastique** de nos couvertures
5. **Imprimer** nos ouvrages **en France ou en Europe.**

PAPIER CERTIFIÉ

hachette s'engage pour l'environnement en réduisant l'empreinte carbone de ses livres. Celle de cet exemplaire est de :
2,000 kg éq. CO_2
Rendez-vous sur www.hachette-durable.fr

Chers et chères élèves

Bienvenue dans cette filière enrichissante, foisonnante, dynamique, concrète qu'est la STMG !

Durant deux ans, vous allez découvrir le monde passionnant des organisations au travers de cette collection Objectif Bac, qui a la particularité d'avoir été longuement pensée et créée pour vous.

- Vous allez découvrir avec clarté (et un brin d'humour) le fonctionnement des organisations et leur environnement.
- Pour vous faire progresser dans la compréhension de textes, dans la maîtrise de calculs (simples, pas d'inquiétude !), dans la formulation de vos réponses…
- Pour vous faire acquérir des connaissances mais aussi des capacités plus techniques et des savoir-être indispensables à votre future vie professionnelle (outils numériques, compétences à l'oral).
- Pour vous aider aussi et surtout à vous projeter dans l'avenir, votre avenir, progressivement et avec sérénité.

Les professeurs qui ont écrit votre pochette l'ont fait dans ce seul objectif : vous aider. C'est ainsi que vous allez découvrir des chapitres certes, mais aussi des dossiers de fin d'ouvrage variés, riches de conseils personnalisés.
À vous de vous approprier cet ouvrage pour en faire un véritable outil au service de votre réussite.

PRÊTS À SATISFAIRE VOTRE CURIOSITÉ ?

La collection « **Objectif Bac** » vous guidera pas à pas durant les deux ans de votre cursus terminal.

À votre réussite !
L'équipe de professeur(e)s et d'auteur(e)s « Objectif Bac ».

Sommaire

Sommaire

THÈME 5 Les marchés des biens et services sont-ils concurrentiels ?

DOSSIER Ma méthode BAC

L'économie pas à pas

Aujourd'hui, j'apprends à...

Se préparer à l'épreuve

Des ressources numériques en accès libre pour tous !

Flashez le QR-Code avec votre smartphone ou saisissez le mini-lien dans votre navigateur

VIDÉO
hachette-clic.fr/22eco024
Le circuit économique (4'46)

Vers la synthèse
JE ME TESTE
hachette-clic.fr/22eco003

• Des vidéos et des sites à consulter.
• Des exercices autocorrigés.

JE RÉVISE
hachette-clic.fr/22eco008
• Le podcast du cours
• La synthèse en 1 clic
• Je manipule les notions

• Un module de révision clé en main : le podcast du cours pour mémoriser, la synthèse à compléter, les notions et définitions à relier.

• La Websérie Charlie et Gus : des BD animées pour découvrir les thèmes du programme.

• Des quiz ludiques et chronométrés à réaliser en classe.
hachette-clic.fr/kyushi

Bienvenue en STMG

La STMG, ça te parle ? À toi de jouer…

VIDÉO
hachette-clic.fr/22ecostmg01
Quelques préjugés…

Question 1

En seconde, j'avais des notes…

a. tout à fait correctes
b. correctes
c. moyennes
d. insuffisantes
e. très insuffisantes

Quelle que soit ta réponse, tu repars de zéro, la STMG* te permet de prendre un nouveau départ. À partir de maintenant, tu construis ton projet d'avenir !

Question 2

Cette année, je vais étudier …

a. de l'économie
b. du droit
c. du management
d. des sciences de gestion (marketing, ressources humaines, gestion)
e. du numérique

TOUTES ! La STMG va te faire découvrir le monde des organisations.
Tu vas apprendre à décrypter leur fonctionnement mais aussi à comprendre l'environnement dans lesquelles elles évoluent.

Question 3

Avec un bac STMG, je vais pouvoir m'orienter vers…

a. des études courtes (2/3 ans)
b. une classe préparatoire aux Grandes Ecoles, du type Ecole de Commerce
c. des études longues (5 voire 8 ans !)
d. l'université
e. le monde professionnel

a. Études courtes pour être rapidement opérationnel(le) sur le marché du travail.
b. Cette classe est spécialement conçue pour les STMG. Un véritable tremplin pour les plus travailleurs.
c. Études longues voire extra longues pour des postes à responsabilités.
d. Attention, le niveau et le rythme de travail sont très différents de ce que tu as connu. Es-tu prêt(e) ? Des alternatives plus sécurisées existent.
e. Un bac STMG n'est pas fait pour travailler directement. Professionnalise-toi avec deux ou trois années d'études supérieures avant la vie active.

Question 4

Je suis en STMG…

a. par choix personnel
b. sur le conseil de mes proches (famille, amis)
c. sur le conseil de mes professeurs
d. parce que je n'avais pas le choix
e. c'est quoi la STMG ?!

a : Tu sais pourquoi tu viens, tu as de grandes chances d'adorer la STMG. Travaille régulièrement, tu vas enfin voir ton potentiel…
b, c et d : Welcome! Tu vas découvrir de nouvelles matières, de nouvelles méthodes de travail. Prépare-toi à comprendre le monde qui t'entoure !
e : On parie que tu vas aimer la STMG ? Rendez-vous en juin.

Question 5

En terminale, j'aimerais approfondir mes connaissances en…

a. ressources humaines
b. gestion-finance
c. marketing
d. numérique
e. je ne sais pas

a à d : Ce sont des enseignements spécifiques de terminale.
Tout au long de l'année, la SDGN te fera découvrir toutes ces facettes de l'organisation.
e : La SDGN va t'aider à découvrir tous ces aspects. Tu as toute ton année de première pour choisir.

Conseil d'ami : sois ambitieux/ambitieuse, la STMG te permettra d'atteindre tes objectifs !

Résultat du premier test de l'année :
Réussi bien sûr !
Tu as fait le bon choix en venant en STMG. Bienvenue dans une filière d'avenir !

* **STMG :** Sciences et Technologies du Management et de la Gestion

Décrypte ta filière !

Voici tes nouvelles matières, en classe de première.

Droit et économie — 4 h

L'économie et le droit vont te permettre de décrypter l'environnement dans lequel évolue l'organisation.

Prêt à comprendre le monde qui t'entoure ?

Management — 4 h

Le management va te plonger dans la peau d'un dirigeant ! Tu vas travailler sur les objectifs et les stratégies des organisations.

Prêt à prendre les commandes ?

Sciences de gestion et numérique — 7 h

En SDGN, tu vas découvrir le fonctionnement interne des organisations, au travers des Ressources Humaines, de la Gestion, du Marketing...

Prêt à entrer dans le monde réel des organisations ?

Et voici celles de terminale !

Droit et économie — 6 h

Management, Sciences de gestion et numérique avec 1 enseignement spécifique au choix — 10 h

- Gestion et Finance
- Systèmes d'Information de Gestion
- Mercatique
- Ressources Humaines et Communication

Mon orientation, ma réflexion

Je mène l'enquête !

Tout au long de l'année, je note ici mes idées d'orientation pour la Terminale mais aussi le post-bac (il n'est jamais trop tôt).

Je ne me censure pas !

QUIZ

hachette-clic.fr/22ecostmg02

5 min pour me comprendre

MA TO-DO LIST

- ☐ Je rencontre des professionnels
- ☐ Je regarde des vidéos
- ☐ Je prends RDV avec la Psy-EN de mon établissement
- ☐ Je discute avec mes parents
- ☐ Je demande conseil à mes professeurs
- ☐ Je réfléchis à qui je suis, ce que j'aime...

Je construis mon avenir

Trois fois dans l'année, je trace mon parcours d'orientation idéal de la Terminale à… ce que je veux.

Légende → Choix de la couleur :

Septembre : ○————○

Décembre / Janvier : ○————○

Mai : ○————○

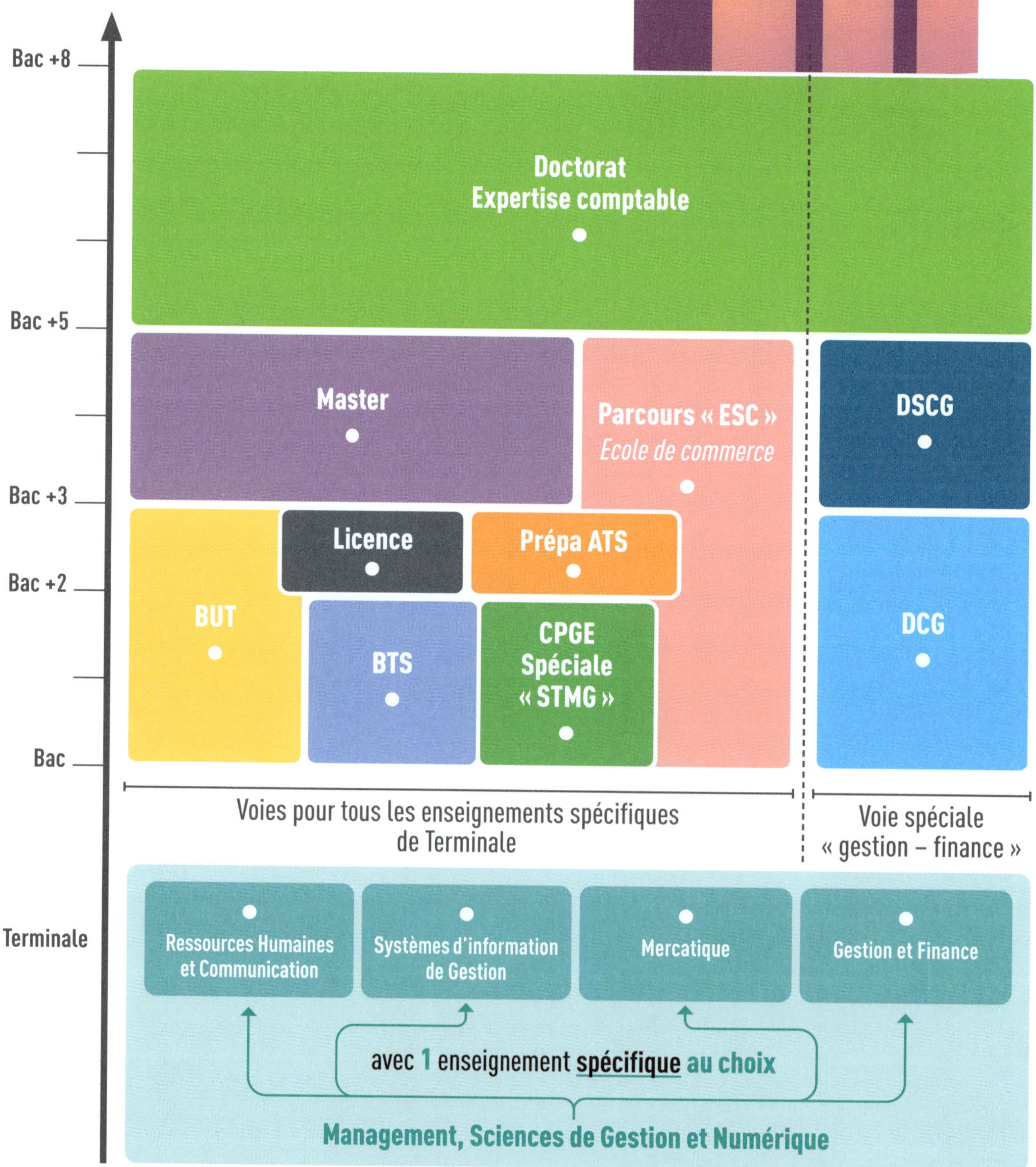

Des métiers pour tous les goûts avec JE VIENS BOSSER CHEZ VOUS

Il est temps d'explorer le monde du travail !

Le moment est venu de t'éclaircir les idées à propos de ton futur professionnel. Explore la multitude de possibilités qui s'ouvre à toi après un Bac STMG en découvrant les ficelles de métiers passionnants et accessibles.

Pour lequel de ces métiers es-tu fait ?

Les métiers qui misent sur l'humain

responsable du bonheur
auditeur social
chasseur de tête
chargé de recrutement

Thierry, DRH chez Sixt.

Marquer les esprits avec la mercatique !

directeur commercial
marchandiseur
responsable de communication
analyste marketing
chargé des relations publiques

Romain, chargé de marketing chez Ets Lucien.

Marion, conseillère aux particuliers à la Banque Populaire du Grand Ouest.

Pas de postes bancals dans les métiers de la banque !

courtier
agent d'assurance
analyste de crédit
responsable de banque en ligne
conseiller en gestion de patrimoine

Le métier d'ingénieur développeur web chez SII France.

Des possibilités infinies dans le numérique !

architecte de cybersécurité
administrateur de réseaux
développeur d'applications mobiles
consultant digital

VIDÉOS

Retrouvez les vidéos de cette page ici.

hachette-clic.fr/22ecostmg03

Bilan de ma première année en STMG

Voilà un an que tu es en STMG. C'est l'heure du bilan !

Je mets une croix dans la colonne du smiley qui correspond à mon ressenti.

	Non	Moyen	Oui
J'apprécie les matières technologiques *(SDGN, Droit, Économie, Management)*			
J'ai un bon niveau général			
J'ai un bon niveau dans les matières technologiques			
J'ai confiance en moi			
J'ai confiance en ma capacité à réussir			
Je suis autonome, je sais m'organiser			
Je peux choisir sereinement mon enseignement spécifique			
J'ai des idées pour ma formation post-bac			
J'ai hâte de poursuivre en Terminale			

Je relie les croix entre elles.

Je suis plutôt rouge ? orange ? vert ? mixte ?

COMMENT LIRE TON BILAN

ROUGE : Que s'est-il passé cette année ?
Si tu as des difficultés, tes professeurs seront là pour t'épauler l'an prochain.
Si l'avenir est encore flou, tu as encore une année pour te décider !
Garde confiance !

ORANGE : La progression est en cours… La STMG te réussit, tes efforts vont payer ! Bravo !

VERT : La STMG est vraiment faite pour toi. Tu vas faire des étincelles l'an prochain, garde le cap !

MIXTE : Certains points progressent vite, pour d'autres il te faut plus de temps !
Encore un an pour passer au vert, garde confiance !

Bonnes vacances !
À l'année prochaine.

THÈME 1

Quelles sont les grandes questions économiques et leurs enjeux actuels ?

Charlie & Gus
La websérie STMG

1. Mentionnez les arguments que Gus met en avant pour acheter le vélo.
2. Relevez le choix que Charlie et Gus ont dû faire pour s'acheter ces 2 vélos.
3. Êtes-vous d'accord avec la dernière affirmation de Charlie ?

VIDÉO
hachette-clic.fr/22ecocg1
Épisode #1
Gus déraille !

L'enjeu principal de l'économie est de résoudre le **dilemme économique** : comment répondre à des **besoins illimités** en utilisant des **ressources rares et limitées** ? Pour y répondre, les individus prendront en compte **leurs contraintes** pour choisir les besoins à satisfaire en priorité.

Pour répondre à leurs besoins, les individus se **spécialisent** dans de grandes fonctions : les **agents économiques** apparaissent. La réponse aux besoins par la **production** de biens et de services se fait sous **contraintes** et nécessite des **arbitrages**.

CHAPITRE 1
L'économie, c'est pas sorcier !

Les agents économiques ont chacun des **préférences individuelles** qui permettront de remplir leurs objectifs selon leurs contraintes propres : c'est la notion de **rationalité des agents économiques**.

CHAPITRE 2
Les décisions du consommateur

CHAPITRE 3
Les décisions du producteur

Le **consommateur** cherche à **maximiser sa satisfaction**

De son côté le **producteur** cherche à **maximiser son profit**.

Les choix rationnels des **consommateurs** entraînent une **spécialisation des producteurs** dans les activités où ils disposent des plus grands avantages. Cela nécessite des **échanges** entre eux sur un marché. On appelle ces échanges le **circuit économique**. La **monnaie** sera un **instrument essentiel** pour faciliter ces échanges.

CHAPITRE 4
Les échanges économiques à la loupe

1

CAPACITÉS

- Identifier les acteurs économiques et leurs fonctions
- Distinguer la nature des biens et des services
- Définir les contraintes économiques
- Comprendre la spécialisation des activités face aux choix économiques

NOTIONS

- Les différents agents économiques et leur fonction principale
- Les différents types de biens et de services
- Les contraintes économiques
- L'arbitrage entre les différentes activités et les choix économiques

L'économie, c'est pas sorcier !

FICHE D'IDENTITÉ

➔ **Regardez la vidéo de présentation de l'application Too Good To Go et complétez la fiche.**

Le chiffre-clé du gaspillage alimentaire : chaque année, 29 kilos...... d'aliments sont jetés par personne.

Les grandes ambitions affichées par l'entreprise :

- faire le relais entre les restaurateurs, les hôteliers, les boulangers et les consommateurs ;
- lutter contre le gaspillage alimentaire.

Quel est l'intérêt de passer par l'application :

- pour les commerçants ?

écouler les invendus et les valoriser au lieu de les jeter ; gagner en visibilité à travers l'application

- pour les consommateurs ?

acheter des produits frais chez des commerçants locaux à prix réduits ; découvrir de nouveaux commerces et de nouveaux produits tout en faisant un geste pour la planète.

VIDÉO
hachette-clic.fr/22eco002
L'application Too Good To Go (2 min)

SITUATION

Léna et Yasmine, deux étudiantes de BTS Support à l'action managériale (SAM), vivent en colocation à Marseille. Elles aiment écouter de la musique, naviguer sur les réseaux sociaux, et par-dessus tout, elles adorent déguster de bons plats. Elles évitent de faire des dépenses inutiles et de gaspiller la nourriture, mais malgré tout, leurs comptes bancaires passent parfois dans le rouge à la fin du mois ! En discutant avec un ami, elles apprennent l'existence de l'application mobile Too Good To Go, qui pourrait bien leur être utile…

1 Quel est le point de départ de l'économie ?

Léna et Yasmine décident de lister leurs dépenses mensuelles. Outre les frais de nourriture et les dépenses réalisées *via* l'application Too Good To Go, elles paient leur part de loyer, des tickets de transport en commun, l'électricité et leurs frais de scolarité. Elles règlent également des abonnements divers : salle de sport, fournisseur d'accès Internet et de téléphonie mobile, comptes Deezer et Netflix, auxquels s'ajoutent ponctuellement l'achat de vêtements.

A Des besoins multiples à satisfaire…

DOC 1 La notion de besoin en économie

En économie, un **besoin** est un sentiment de manque que l'individu cherche à combler. Nous avons tous de multiples besoins, qu'ils soient matériels ou non ; les besoins vitaux sont les plus pressants. Dans notre société de consommation, nos besoins sont de plus en plus nombreux au fur et à mesure que nous avons accès à de nouveaux produits qui facilitent nos vies.

Les auteurs

NOTIONS

- **Besoins primaires**
Besoins dont la satisfaction est indispensable à la survie de l'individu. Par exemple, manger, dormir, boire et respirer.

- **Besoins secondaires**
Besoins dont la satisfaction n'est pas vitale, et qui ne se font sentir qu'une fois les besoins primaires comblés. Par exemple, voyager.

1 **Reliez chaque poste de dépenses de Léna et Yasmine au besoin qu'il satisfait.**

Poste de dépense	Besoin
Alimentation	Se divertir
Loyer	Chauffer/éclairer son logement
Transport en commun	Se vêtir
Électricité	Se loger
Frais de scolarité	Se nourrir
Abonnement salle de sport	Se déplacer
Abonnements mobiles et Internet	Se former/s'instruire
Services de streaming	Prendre soin de sa forme physique
Vêtements	Communiquer

2 **Repérez les besoins primaires de Léna et Yasmine parmi la liste fournie ci-dessus en les entourant.**

3 **D'après les informations du ▶ Doc. 1, pourquoi peut-on affirmer que « nos besoins sont illimités » ?**

À chaque fois qu'un besoin est comblé, l'intensité du sentiment de manque diminue, et un autre besoin prend le dessus. L'individu se crée continuellement des besoins, et notre société de consommation l'encourage en proposant de nouveaux objets de désir (par exemple, un nouveau modèle d'iPhone sort chaque année).

Après avoir fait leurs comptes pour le mois, Léna et Yasmine respirent : il leur reste de l'argent pour une séance de cinéma ce soir ! Elles commandent donc un panier Too Good To Go avec une bouteille d'eau et un *poke bowl* pour le dîner, et se préparent à prendre le bus pour sortir.

B … mais des ressources rares !

DOC 2 La classification des biens et des services

Tout individu cherchera à assouvir un besoin par la consommation de **biens** (matériels) et de **services** (immatériels).

L'air que nous respirons est un **bien libre** ; il est disponible de manière illimitée, sans intervention humaine. Mais dans un contexte où de nombreuses ressources sont **rares**, et nos besoins nombreux, la plupart des biens sont disponibles en quantités limitées. On se procure ces biens, dits **économiques**, contre le paiement d'un prix, et ils nécessitent un travail humain pour être produits.

Certains biens peuvent être utilisés de manière répétée sur une longue période, on les qualifie alors de **durables** (un ordinateur). S'ils sont « détruits » dès leur première utilisation, on parlera de **biens non durables** (les aliments ou des matières premières). Les services seront **marchands** (économiques) ou **non marchands** (gratuits ou quasi gratuits).

Les auteurs

DOC 3 Les biens et les services consommés par Léna et Yasmine

Too Good To Go

application

lumière du soleil

bus de ville

poke bowl

casque

4 Entourez les biens sur le ▶ Doc. 3.

5 Parmi les biens du ▶ Doc. 3 :

- lesquels sont durables ? le casque ;
- lesquels sont libres ? la lumière du soleil.

6 L'eau contenue dans la bouteille livrée avec le panier Too Good To Go est-elle un bien libre ? Justifiez votre réponse. ▶ Doc. 4

Non, il a fallu une intervention humaine pour la mise en bouteille. L'eau potable est un produit plus ou moins rare en fonction des régions.

DOC 4 L'eau potable, une ressource rare ?

Volume d'eau liquide sur Terre

Volume d'eau potable

USGS

Bilan

Expliquez la fonction de l'économie en complétant le texte ci-dessous.

L'économie a une fonction précise : permettre aux individus de satisfaire leurs besoins malgré la rareté des ressources. Par essence, les besoins des individus sont illimités. Pour y répondre, ils vont donc consommer des biens et des services.

Vers la synthèse

JE ME TESTE

hachette-clic.fr/22eco003

Je révise l'essentiel p. 28-29

2 Comment arbitrer entre différents moyens pour satisfaire nos besoins ?

Du fait de leur budget serré, Léna et Yasmine préfèrent utiliser l'application Too Good To Go pour acheter des repas à prix réduit. Et lorsqu'elles font leurs courses, le dilemme « prix-temps » se pose : doivent-elles aller dans la supérette du quartier proche de chez elles (2 minutes à pied), quitte à payer plus ? Ou à l'hypermarché, en prenant le bus (35 minutes de trajet), pour profiter de prix plus bas ?

A Des choix sous contraintes

DOC 5 L'asymétrie d'informations

Yuka

VIDÉO
hachette-clic.fr/22eco004
Connaisez-vous Yuka ?
(1 min 17)

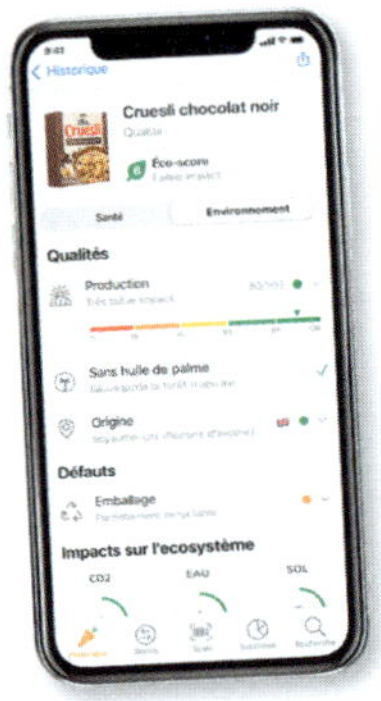

Finies les étiquettes indéchiffrables sur les aliments que nous achetons ! Pour rendre tout cela plus intelligible, Julie Chapon, entrepreneuse, a créé l'application Yuka. Cette application a pour principal objectif d'aider les consommateurs à acheter des aliments bons pour la santé et bons pour l'environnement.

France Info, 2018

1 **Listez les trois contraintes principales qui vont influencer nos deux amies, Léna et Yasmine, dans leurs achats d'alimentation.**

1. Leur budget, et donc le prix des aliments, va les guider dans leur acte d'achat.
2. Le fait d'avoir du temps ou pas (et se rendre alors dans la supérette ou au supermarché).
3. Leur localisation : toutes les enseignes ne sont pas présentes dans leur espace géographique proche.

2 **Expliquez pourquoi le fait de détenir des informations plus précises sur les produits influence nos comportements d'achat.** ▶ Doc. 5

L'application Yuka nous fournit des informations qui ne sont pas clairement indiquées sur les étiquettes des produits : notre choix sera d'autant plus libre, éclairé et pertinent. Ces informations conforteront peut-être notre choix, ou au contraire nous pousseront vers un produit plus respectueux de notre santé, de notre environnement, du bien-être animal, etc.

Léna et Yasmine souhaitent assister à un concert de leur groupe de K-pop favori au Dôme de Marseille, qui aura lieu dans six mois. Les places qu'elles désirent coûtent 133,50 € chacune. C'est un gros budget pour elles : renonceront-elles à certains plaisirs, comme le cinéma ? Ou décideront-elles d'effectuer des soirées de baby-sitting en sacrifiant leurs entraînements de handball ?

B Réaliser des arbitrages

DOC 6 L'économie, science des choix

Face à des besoins illimités, comment utiliser des ressources qui sont par essence limitées ? C'est là tout le dilemme auquel l'économie tente de répondre.
Et choisir (« faire un arbitrage »), c'est renoncer : aussi, lorsque nous faisons un choix (de consommation, de production, etc.), nous renonçons à plein d'alternatives pour garder celle qui nous fournira, selon nos contraintes du moment, la plus grande satisfaction.

Les auteurs

3 Expliquez le dilemme auquel les deux amies sont confrontées avec le concert de K-pop. ▶ Doc. 6

Léna et Yasmine ne peuvent pas maintenir leur train de vie tout en achetant les billets de concert : elles doivent donc faire un choix, par exemple travailler davantage ou réduire leurs dépenses. Leur satisfaction sera momentanément amoindrie, mais elles assisteront ainsi à un concert qui leur procurera beaucoup de plaisir.

DOC 7 Les arbitrages des entreprises de la restauration

Les entreprises de la restauration choisissent leurs matières premières selon différents critères : bio ou non, coût, provenance, etc. Les produits labellisés (bio, Label Rouge, Indication géographique protégée, etc.) tout comme le recours à des filières de petits producteurs locaux coûtent globalement plus cher.

Les auteurs

AB AGRICULTURE BIOLOGIQUE — Label Rouge — Indication géographique protégée

4 Expliquez l'enjeu, pour une entreprise de la restauration, de faire appel ou non à des produits labellisés. En quoi leur situation est-elle comparable à celle de Léna et de Yasmine ? ▶ Doc. 7

En achetant des produits labellisés, l'entreprise peut attirer de nouveaux clients. Mais le risque est aussi d'en perdre à cause de prix trop élevés. Faut-il miser sur la qualité, ou sur des prix bas ? Tout comme Léna et Yasmine, les chefs d'entreprise doivent effectuer des choix sous contrainte en vue d'avoir le plus de satisfaction possible.

Bilan

Léna, en sortant du lycée à 17 h 30, décide de récupérer un repas grâce à l'application Too Good To Go avant d'assurer un baby-sitting à 19 h. Elle ne veut pas dépenser plus de 5 €, et ne peut pas effectuer un trajet de plus de 500 mètres car elle risque sinon d'arriver en retard chez ses clients.

Indiquez à Lena quel choix effectuer en employant les termes suivants : *contrainte géographique, contrainte de temps, contrainte de revenu.*

Dans cette situation, pour Léna, il est judicieux de choisir la première option : le panier entre dans son budget de 5 € (contrainte de revenu), la boulangerie se trouve à moins de 500 mètres (contrainte géographique) et elle peut récupérer son panier avant 19 heures (contrainte de temps).

Vers la synthèse
JE ME TESTE
hachette-clic.fr/22eco005
Je révise l'essentiel p. 28-29

3 Comment la société s'organise-t-elle pour répondre aux besoins ?

Aujourd'hui, Yasmine va récupérer son passeport auprès de sa mairie en vue d'un voyage au Japon. En attendant le bus, elle retire 20 euros au distributeur d'une banque. Une fois le passeport récupéré, elle poste un *selfie* sur son profil Instagram. Ses copains du club de handball ne manquent pas de commenter la photo ! Ce soir, Yasmine fêtera son prochain départ avec Léna. Quoi de mieux, pour le dîner, qu'un bon panier commandé *via* l'appli Too Good To Go ?

A La spécialisation par agents économiques

DOC 8 Les principales catégories d'agents

Pour répondre à leurs besoins, les individus en société s'organisent. Une spécialisation dans des grandes fonctions se développe, la notion d'agent économique apparaît.

La comptabilité nationale regroupe les agents économiques en cinq catégories :

Agents économiques	Définitions/Fonctions	Exemples
Ménages	Ensemble des occupants d'un même logement, n'ayant pas nécessairement de liens familiaux. Ils consomment des biens et des services marchands et non marchands.	Une famille vivant sous le même toit.
Sociétés non financières	Production de biens et de services marchands non financiers.	Entreprises.
Sociétés financières	Financement de l'économie et production de services d'intermédiation financière.	Banques.
Administrations publiques	Production de services non marchands à destination des usagers et de la collectivité	Collectivités territoriales, organismes de sécurité sociale.
Institutions sans but lucratif au service des ménages	Organisation privée produisant des services non marchands aux ménages.	Associations, syndicats, partis politiques.

Elle distingue également le « reste du monde », une catégorie qui regroupe l'ensemble des agents économiques étrangers qui ont des relations économiques avec des agents économiques français.

1 **À l'aide d'une recherche sur Internet, retrouvez les noms des principales catégories d'agents économiques, et complétez la première colonne du tableau du** ▶ Doc. 8.

2 **Au cours de la journée, Yasmine a croisé de nombreux agents listés ci-dessous. Classez-les selon les catégories auxquelles ils appartiennent.**

Mairie/transports publics/banque/Instagram/club de handball/Too Good To Go

Sociétés non financières	Sociétés financières	Administrations publiques	Institutions sans but lucratif au service des ménages (ISBLSM)
Instagram	Banque	Mairie	Club de handball
Too Good To Go		Transports publics	

3 **Reliez chaque agent économique à la fonction qui lui correspond.**

Instagram •	• Produit un service non marchand de mobilité
Banque •	• Produit un service public à destination des usagers
Mairie •	• Produit un service non marchand pour ses adhérents
Club de handball •	• Produit des services financiers pour ses clients
Too Good To Go •	• Consomme différents services (marchands ou non)
Transports publics •	• Produit un service marchand de restauration
Yasmine •	• Produit un service marchand de partage de photos

B Les ressources financières des agents économiques

DOC 9 Un pêle-mêle d'agents et de ressources !

1 Le *business model* de Too Good To Go

La plupart des paniers sont vendus entre 4 et 5 € environ. Quel que soit le prix du panier vendu, l'entreprise gagne 1 €. Le fait de se rémunérer avec une commission est un principe très courant chez les nouvelles entreprises digitales qui proposent des services.

2 Extrait du bulletin d'adhésion 2021 du Club sportif Marseille Provence de handball

Les montants des cotisations sont les suivants :
- Loisirs : 130 €
- Baby Hand, -7 ans ; -9 ans et -11 ans : 185 €
- Enfants de -13 ans jusqu'à senior compétitif : 230 €

3 Salaire d'un *community manager* en France (données BDM, 2021)

29 394 € net
Salaire annuel moyen

4 Publicité pour un crédit auto sur 60 mois chez Cetelem

5 Feuille de déclaration des revenus

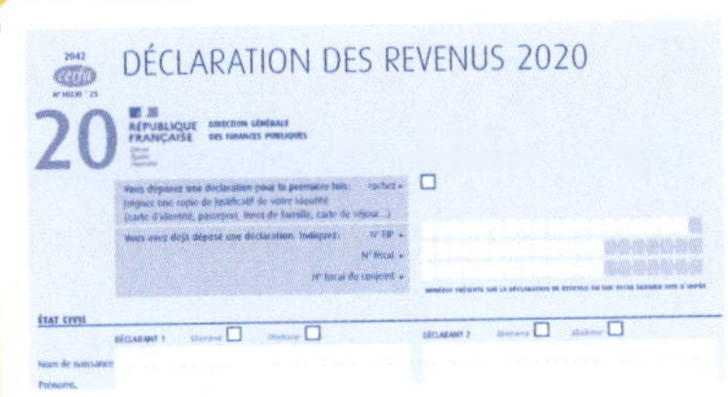

4 **Dans le tableau ci-dessous, faites apparaître pour chaque exemple le type d'agent économique concerné et la ressource financière citée.** ▶ Doc. 9

Exemple	Type d'agent	Ressources financières
1	Société non financière	Chiffre d'affaires, prêts
2	ISBLSM	Cotisations des adhérents, dons, subventions
3	Ménage	Salaires, prestations sociales, prêts
4	Société financière	Intérêts perçus
5	Administration publique	Impôts, prélèvements obligatoires

5 **Complétez les ressources des agents en plaçant ces termes au bon endroit dans le tableau.**
Dons, prestations sociales, subventions, prêts, prélèvements obligatoires.

Entre 2015 et 2021, Too Good To Go a permis de sauver plus de 33 millions de repas de la poubelle. Pour faire grandir le mouvement et réduire encore le gaspillage alimentaire, l'entreprise se développe : 30 postes sont à pourvoir dans toute la France.

C La réponse aux besoins des agents économiques

DOC 10 Entretien fictif avec une experte de la Food Tech

• *Quels profils intéressent les entreprises qui mettent les nouvelles technologies au service de l'alimentation ?*

Elles sont principalement à la recherche de salariés ayant des compétences en informatique et en marketing. Cela risque de poser problème à l'avenir, car d'après plusieurs études sur le marché de l'emploi, les entreprises françaises vont bientôt manquer de travailleurs dont les compétences correspondent à leurs besoins.

• *Cette pénurie affecte-t-elle leur développement ?*

Pour l'instant elles sont relativement épargnées par la pénurie de travailleurs qualifiés. Mais certains de leurs clients, en particulier les petits commerçants, souffrent d'autres types de pénuries : il n'y a tout simplement plus assez de produits disponibles, en raison notamment de mauvaises récoltes et d'une demande mondiale forte. Les fournisseurs ne peuvent plus répondre à la demande et les prix grimpent, ce qui affecte leur activité ! Bref, leur contrainte économique est forte, comme pour toutes les entreprises.

6 **Relevez les éléments susceptibles de freiner, en France, le développement des start-ups du domaine alimentaire telles que Too Good To Go, en les soulignant dans l'interview du ▶ Doc. 10.**

7 **Proposez une définition de la « contrainte économique » évoquée par l'experte. ▶ Doc. 10**

La contrainte économique désigne le fait que les ressources nécessaires pour produire un bien ou offrir un service ont un coût et une disponibilité limitée.

DOC 11 Hausse des prix en période de crise sanitaire

Le panier de courses pourrait-il bientôt coûter plus cher ? L'augmentation des prix est déjà visible sur les marchés « *sur tous les produits, patates, oignons, carottes, tomates* », selon un consommateur. […] Les commerçants, eux, constatent une hausse des prix chez leurs fournisseurs. À l'origine de cette flambée des prix, la demande mondiale qui explose, avec la reprise économique, et les aléas climatiques qui ont affecté les récoltes. Le prix des matières premières s'envole : le sucre a pris 45 %, et le blé 32 %, par exemple. Cela se répercute sur les produits transformés, ou sur les coûts de production des éleveurs.

France Info, 16/09/2021

VIDÉO

hachette-clic.fr/22eco006
La flambée des prix touche le secteur alimentaire
(2 min)

8 **Expliquez la relation qui existe entre la rareté des biens et le niveau de prix à travers l'exemple du prix des produits alimentaires. ▶ Doc. 11**

Plus les biens sont rares, plus leur coût sera élevé lorsque les consommateurs souhaiteront se les procurer. C'est le cas des aliments qui ont connu une hausse des prix fin 2021 : avec la reprise économique, la demande est devenue très importante sur une courte période, et les producteurs ont eu des difficultés à répondre à cette demande.

DOC 12 Des individus spéculent sur la PS5

La console star de Sony, la PlayStation 5, a été mise en vente aux alentours de 500 € en novembre 2020. Mais les nerfs des « gamers » ont été mis à rude épreuve : il leur est très difficile de mettre la main sur la console ! Certains en ont donc profité pour spéculer en la proposant au prix fort sur des sites de vente entre particuliers comme Le Bon coin.

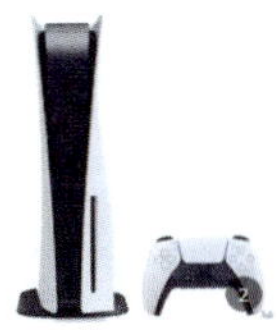

PlayStation 5
950 € • État neuf
Livraison possible

Type	Marque	Plateforme
Console	Sony	PS5

Paris 75001 • 26 fév. 12:27

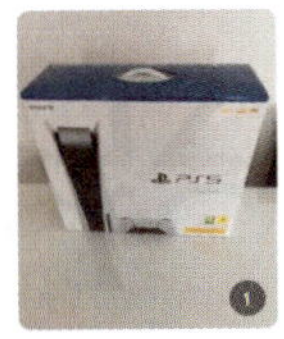

PlayStation 5
1 000 € • État neuf

Type	Marque	Plateforme
Console	Sony	PS5

Chambourcy 78240 • 02 déc. 22:09

NOTION

• **Spéculation**
Action d'acheter un bien en espérant le revendre plus cher ensuite, par anticipation d'une hausse des prix de ce même bien.

DOC 13 Sony et son plan pour contrer la pénurie de semi-conducteurs

Alors que la pénurie de semi-conducteurs perdure, rendant l'approvisionnement difficile et entraînant un surcoût pour l'industriel, Sony envisagerait de monter sa propre usine pour assurer la conception de ses PlayStation 5.

En effet, les détenteurs de la PS5 se seraient associés avec l'un des plus grands fabricants de puces au monde, TSMC (ou Taiwan Semi-Conductor Manufacturing Company), pour créer une usine de semi-conducteurs directement au Japon.

Le coût du projet est estimé à 7 milliards de dollars, et Sony devrait en être l'un des investisseurs principaux, bien que le gouvernement japonais va épauler la multinationale en donnant la moitié de l'argent nécessaire. Mais surtout, la marque devrait être le client privilégié de cette opération, utilisant la majorité des puces créées par l'usine pour ses propres produits, qu'il s'agisse des capteurs de ses appareils photo ou bien évidemment, de ses PS5.

Ecranlarge.com, 2021

9 **En s'appuyant sur l'exemple de Sony, listez les conséquences que peut avoir la pénurie de semi-conducteurs pour les entreprises, d'une part, et pour les consommateurs, d'autre part.** ▶ Doc. 12 et 13

Pour les entreprises : une hausse du coût des semi-conducteurs, un retard voire une baisse de la production. Pour les consommateurs : une hausse des tarifs, que ce soit en boutique ou dans la vente de particulier à particulier.

10 **Expliquez comment les agents économiques impliqués réagissent à la pénurie de console PS5 de Sony.** ▶ Doc. 12 et 13

La disponibilité des semi-conducteurs pèse comme une contrainte économique, ce qui amène les agents à faire des choix. Du côté des ménages, certains remettent leur achat à plus tard tandis que d'autres spéculent sur les consoles de jeux. L'entreprise Sony, quant à elle, essaie de réduire sa dépendance vis-à-vis des fournisseurs.

Bilan

Rédigez une courte synthèse qui explique pourquoi les agents économiques se spécialisent pour répondre aux besoins de la société.

Pour répondre aux besoins de la société, les individus se sont regroupés en agents économiques, chacun ayant une fonction. La fonction de production est commune à de nombreux agents : la production de biens et de services, marchands ou non marchands, offre aux ménages une réponse à leurs besoins. Mais ces choix de production se font aussi sous une contrainte de disponibilité des ressources, et sous une contrainte de coûts.

Vers la synthèse
JE ME TESTE
hachette-clic.fr/22eco007
Je révise l'essentiel p. 28-29

À moi de jouer

1 Jouez avec *Kyushi* !

Quiz interactifs pour réviser en classe !

hachette-clic.fr/kyushi

2 Testez vos connaissances avec ces mots croisés

En compétition avec un(e) de vos camarades, remplissez la grille dans le temps imparti par votre professeur(e) à l'aide des indices donnés ci-après. Une bonne réponse = un point. Celui ou celle qui a le plus de points remporte le challenge !

Horizontalement

3 L'air est un exemple de ce type de bien.

5 Fait d'effectuer un choix sous contrainte(s).

6 Situation contraire à la rareté.

8 Il faut le payer pour acquérir un bien économique.

9 Agent économique dont la fonction principale est de consommer.

10 Sentiment de manque qui nécessite d'être satisfait.

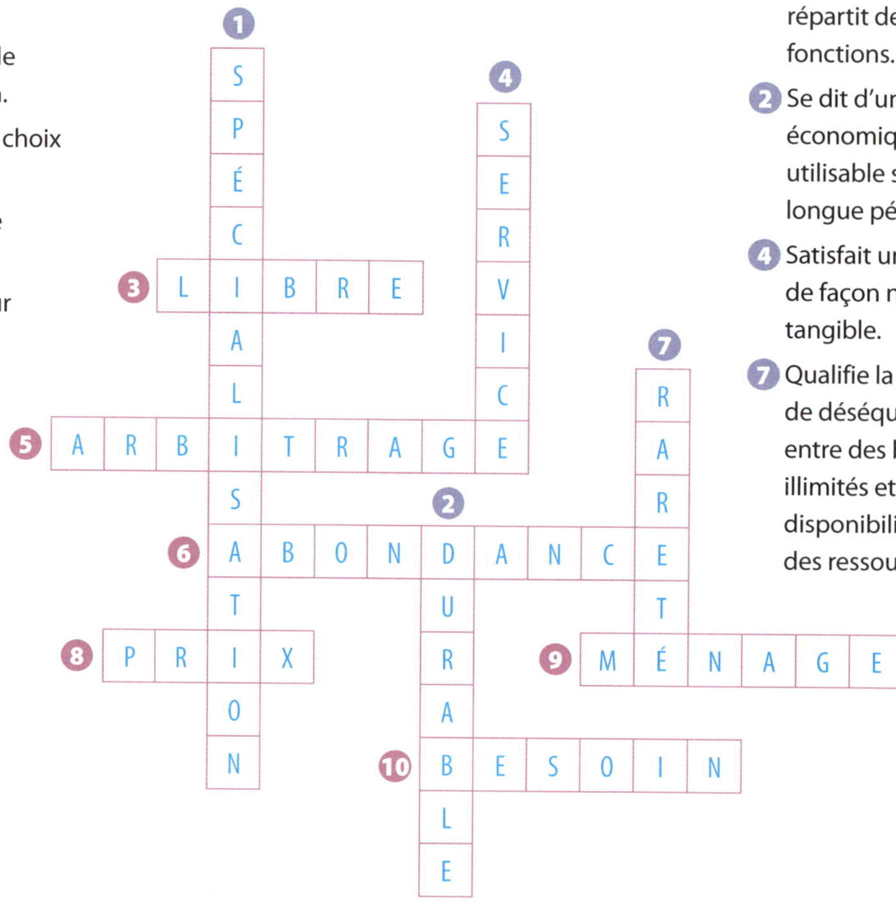

Verticalement

1 Organisation de la société qui se répartit des grandes fonctions.

2 Se dit d'un bien économique utilisable sur une longue période.

4 Satisfait un besoin de façon non tangible.

7 Qualifie la situation de déséquilibre entre des besoins illimités et une disponibilité réduite des ressources.

3 Distinguer les acteurs économiques et leurs fonctions

Menez l'enquête ! Dans un tableau que vous construirez *via* un outil numérique, listez cinq agents économiques que vous avez pu rencontrer au cours de la semaine précédente.

Vous ferez apparaître en chaque cas :
- le type d'agent ;
- sa fonction ;
- les ressources financières à sa disposition.

4 Définir les contraintes économiques

Depuis 2020 se tient chaque année, le 29 septembre, la Journée internationale de sensibilisation aux pertes et gaspillages de nourriture. En France, tous les ans, chacun de nous gaspille environ 29 kilos de nourriture en moyenne, soit l'équivalent d'un repas par semaine !
Dans un contexte marqué par la pandémie et par le changement climatique, la réduction de ce gaspillage devient de plus en plus urgente et nécessite des actions concrètes.

10 millions de tonnes de nourriture sont jetés chaque année en France

- **Par équipe de deux, à l'aide d'une recherche Internet, construisez un argumentaire dénonçant le gaspillage alimentaire et défendant la préservation des ressources. Vous utiliserez obligatoirement les termes suivants : *rareté, abondance, budget, espace géographique, arbitrage*.**
- **Vous présenterez à l'oral votre argumentation pour une consommation raisonnée des produits alimentaires, au cours d'un exposé de 5 minutes environ.**

Fiche méthode BAC
16 Gérer à l'oral, p. 202

5 Comprendre la spécialisation des activités face aux choix économiques

• Comerso : vos invendus ont de la valeur !
Lancée en 2013, l'entreprise Comerso lutte contre le gaspillage alimentaire dans la grande distribution. Elle est spécialisée en « logistique du don » comme l'explique son fondateur Pierre-Yves Pasquier, et récupère les invendus non périmés des enseignes de la grande distribution pour les confier ensuite aux associations.
Du côté du coût de l'opération, le service de Comerso est gratuit pour les associations. Pour les enseignes, la société se rémunère sur l'économie d'impôt réalisée en utilisant ce service responsable.

• Une saine compétition
« *Nous travaillons principalement avec les Restos du Cœur, le Secours populaire et la Banque alimentaire, mais il nous arrive de travailler avec plus petit au niveau régional* », explique Pierre-Yves Pasquier. Comerso propose aussi aux directeurs de magasins d'accéder à un tableau de bord. « *Ils peuvent voir ce qu'ils donnent, et se comparer à d'autres magasins, cela les incite à donner plus* », résume M. Pasquier.
Comerso, qui a réalisé une levée de fond de 2,2 millions d'euros en 2016 auprès d'Impact Partenaires, Aquiti Gestion et BPI France*, a pour ambition de se déployer à l'étranger.

D'après le magazine *Libre Service Actualités*, 2016

* **BPI France :** la Banque publique d'investissement appartient à la Caisse des dépôts dont le seul actionnaire est l'État français.

1. **Listez les différents agents économiques cités dans le texte en lien avec l'entreprise Comerso.**
2. **Montrez que chacun de ces agents économiques a une mission particulière à remplir dans la lutte contre le gaspillage alimentaire.**
3. **Précisez, en justifiant votre réponse, à quel type de bien (*libre/économique, durable/non durable*) correspondent les produits alimentaires. Pourquoi s'agit-il de ressources rares ?**
4. **Les ménages ont aussi un rôle à jouer ! Grâce à une recherche sur Internet, proposez cinq recommandations qu'ils peuvent suivre pour lutter contre le gaspillage alimentaire.**

L'essentiel

hachette-clic.fr/22eco008

JE RÉVISE
- Le podcast du cours
- La synthèse en 1 clic
- Je manipule les notions

NOTIONS

- **Agent économique :** individu ou groupe d'individus qui va s'organiser pour satisfaire ses besoins en prenant des décisions économiques de manière autonome.
- **Besoin :** sensation de manque que la consommation d'un bien ou d'un service peut permettre de combler et de satisfaire.
- **Biens :** produits matériels permettant de combler nos besoins. Ils peuvent être libres ou économiques.
- **Contraintes économiques :** ensemble des critères à prendre en compte par les agents économiques pour effectuer leurs choix et leurs arbitrages.
- **Services :** prestation économique intangible et non stockable ne nécessitant pas la transformation de produits matériels.

COURS

1 Quel est le point de départ de l'économie ?

- Les personnes ont toutes de multiples **besoins** qu'elles cherchent à satisfaire. Ces besoins peuvent être **primaires** (vitaux) ou **secondaires**. Les individus consomment des **biens** ou des **services** en vue de les satisfaire.
- Les besoins sont illimités, tandis que les ressources disponibles sont rares.

2 Comment arbitrer entre différents moyens pour satisfaire nos besoins ?

- Face à des désirs potentiellement **illimités**, les individus doivent **choisir** quels besoins satisfaire en priorité.
- Ils prennent donc en compte les **contraintes économiques** qui pèsent sur eux : leur revenu, l'information qu'ils ont à disposition, ainsi que les limites temporelles et géographiques.

3 Comment la société s'organise-t-elle pour répondre à nos besoins ?

- Pour répondre à leurs besoins, les individus en société **s'organisent**. Des individus se spécialisent dans de grandes fonctions économiques (consommer, produire, etc.), donnant ainsi naissance à la notion d'**agents économiques**.
- Les ressources nécessaires pour produire les biens et les services ont un **coût**, et leur **disponibilité** est limitée. Les agents économiques effectuent donc un **arbitrage**.

CHIFFRES clés

En France

• 2,8 %

Il s'agit du taux d'**inflation** sur un an en novembre 2021 : satisfaire ses besoins coûte donc plus cher qu'en novembre 2020.

• 301,4 milliards d'euros

Il s'agit des dépenses de **consommation des ménages** au troisième trimestre 2021 (+ 5 % par rapport au trimestre précédent).

CULTURE+

Le concept de « main invisible »

Selon le philosophe et économiste **Adam Smith** (1723-1790), la poursuite d'un intérêt individuel et égoïste de la part de chaque acteur économique garantit un fonctionnement efficace de l'économie. Le boulanger tâche de vendre son pain au meilleur rapport qualité-prix, non par amour de ses clients, mais parce qu'il cherche à accroître ses ventes face à ses concurrents en répondant le mieux possible aux besoins des consommateurs. Ainsi, pour Smith, une « main invisible » tirerait les ficelles de l'économie pour aboutir à l'intérêt général.

POUR RETENIR AUTREMENT

1 Quel est le point de départ de l'économie ?

Besoins primaires : besoins vitaux.

Les individus ont des besoins multiples

Besoins secondaires : besoins non vitaux.

Ces besoins sont satisfaits par la consommation de biens (tangibles et stockables) et de services (intangibles et non stockables).

On distingue différentes catégories de biens et de services :

Bien libre, disponible gratuitement, en quantité illimitée, et dont la production ne nécessite aucun travail.

Service non marchand (gratuit ou quasi gratuit).

Bien économique (fourni par l'homme en quantité limitée et payant).

Service marchand (payant).

2 Comment arbitrer entre différents moyens pour satisfaire nos besoins ?

Face à des besoins potentiellement illimités, l'individu fait des **choix.**

Des choix sous contraintes

- Revenu
- Temps
- Espace
- Information

3 Comment la société s'organise-t-elle pour répondre aux besoins ?

Agents économiques	Fonctions principales
Ménages	Consommation.
Sociétés non financières	Production de biens et de services marchands non financiers.
Sociétés financières	Financement de l'économie et intermédiation.
Administrations publiques	Production de services non marchands pour les usagers.
Institutions sans but lucratif au service des ménages	Production de services non marchands au bénéfice des ménages.

OBJECTIF BAC

1 Comprendre les consignes (1)

Pour bien répondre aux questions en économie, il est nécessaire de suivre les consignes. Celles-ci sont introduites par un verbe directeur qui oriente la lecture de la question et vous aidera à répondre. Plusieurs catégories de verbes d'action sont employées en fonction du niveau de compétence attendu.
Parlons du premier niveau de compétence : « la connaissance ».

1 « La connaissance » : de quoi parle-t-on ?

Caractéristiques	Repérer des informations et s'en souvenir. Connaître des événements, des dates, des lieux, des faits. Connaître de grandes idées, des règles, des lois, des formules.
Capacités	Mémoriser et restituer des connaissances et des informations dans des termes voisins de ceux appris.
Habiletés requises	Mémoire.
Verbes d'action	Citer – Décrire – Définir – Énumérer – Désigner – Nommer – Sélectionner – Identifier – etc.

2 À chaque verbe sa réponse !

Associez chaque verbe au type de réponse attendue.

- Énumérer
- Définir
- Citer
- Nommer

- Ma réponse va donner le nom de quelqu'un ou de quelque chose.
- Ma réponse va énoncer successivement les parties d'un ensemble, en donner le détail.
- Ma réponse contiendra un exposé de mes connaissances.
- Ma réponse va reprendre mot pour mot ce qui a été dit dans un texte ou par quelqu'un.

3 En situation

Tout le monde souhaiterait posséder une belle maison, deux ou trois voitures de luxe, et partir régulièrement en vacances. Mais peu de personnes peuvent s'offrir tout cela. Des choix s'imposent. Un revenu limité n'est pas la seule chose qui empêche les gens d'avoir tout ce qu'ils désirent. Le temps est également limité : il n'y a que 24 heures dans une journée. Et dans la mesure où notre temps est limité, choisir de consacrer du temps à une activité signifie également ne pas consacrer du temps à une autre.

Adapté de P. Krugman & R. Wells, *Microéconomie*, De Boeck

Identifiez les contraintes énoncées dans le document.

Le document fait référence à la contrainte économique (budget) ainsi qu'à la contrainte de temps.

CAPACITÉS

- Décrire les choix économiques à l'aide des concepts et principes fondamentaux du raisonnement économique
- Expliciter la notion d'utilité marginale
- Analyser ce que l'on entend par rationalité individuelle

NOTIONS

- Les préférences et choix économiques
- Les coûts d'opportunité
- Préférences individuelles
- La rationalité et l'utilité individuelles

2 Les décisions du consommateur

HOMER SIMPSON consommateur compulsif !

Regardez la vidéo d'introduction et répondez aux questions suivantes.

1. Identifiez le problème d'Homer Simpson qui provoque son insomnie.

Il souhaite avoir un tee-shirt.

2. Qualifiez la façon de prendre les décisions d'Homer Simpson.

☒ Impulsive : il suit toujours son instinct.
☐ Rationnelle : il pèse les solutions à sa disposition.

3. Quel conseil lui donne Marge pour améliorer sa prise de décision ?

Elle lui conseille d'écouter son cerveau !

VIDÉO

hachette-clic.fr/22eco009

C'est pour ça que je n'écoute jamais mon cerveau (1'43)

SITUATION

Si Homer Simpson ne fait confiance qu'à son instinct pour consommer, le consommateur réfléchit normalement davantage et ne se laisse pas si facilement déconcentrer… Cathy, par exemple, adore aussi manger, mais examine les solutions à sa disposition. Cette lycéenne en classe de 1re STMG à Dijon (21) ne souhaite pas manger tous les jours au self, sachant que les repas coûtent plus cher ailleurs et ne sont pas toujours meilleurs… Comment va-t-elle maximiser sa satisfaction ?

1 Qu'est-ce qu'un consommateur rationnel ?

Le midi, Cathy mange au self, mais elle voudrait avoir la liberté de varier le lieu de son déjeuner et de rester avec ses amis durant la pause. Or, les repas sont souvent plus chers ailleurs… Ses parents accepteraient-ils de lui accorder un budget déjeuner supérieur au prix de la cantine (4 €) qu'elle dépenserait à sa guise ? Afin de les convaincre, Cathy a préparé une présentation des solutions de repas dont elle dispose.

A Des choix sous contraintes

DOC 1 Les différentes solutions pour déjeuner

	Self	Menu Mc First	Menu Double Krunch	Menu étudiant boulangerie	Sandwich club Carrefour City

Composition	Une entrée Des légumes, féculents, et viande ou poisson Un dessert Un laitage	Un burger Une moyenne frite Une boisson	Un double Krunch Cheese Une moyenne frite Une boisson	Un sandwich Une pâtisserie Une boisson	Un sandwich club (pain de mie, crudités, œufs) Une boisson
Prix	4 €	4,95 €	4,95 €	4,90 €	2,50 €
Votre classement	4	1	2	3	5

1 Classez les différentes solutions pour déjeuner en fonction de vos préférences, puis comparez vos choix avec votre voisin. (▶ Doc. 1) Que constatez-vous ?

Chaque individu a ses propres préférences.

2 Identifiez la solution à choisir en premier si l'on prend en compte le prix du repas et si l'on privilégie un repas équilibré. Comparez ce résultat avec votre choix.

Le menu du self, qui contient des légumes, des protéines, un laitage pour un prix de 4 €, est la solution la plus pertinente aussi bien d'un point de vue nutritif qu'économique. Le choix ne repose pas toujours sur la meilleure solution : il va aussi reposer sur nos préférences, et donc ce qui va nous apporter le plus de satisfaction.

> **NOTION**
> • **Préférence individuelle**
> Jugement ou sentiment par lequel un individu place une personne ou une chose au-dessus des autres.

3 Cathy souhaite déjeuner avec ses amis qui vont prendre un menu à la boulangerie et s'installer au parc pour manger. Mais elle trouve que les sandwiches de la boulangerie ne sont pas très bons… Pourquoi accepterait-elle malgré tout de subir cette contrainte pour son déjeuner ?

En acceptant de prendre un menu à la boulangerie, Cathy peut ainsi rester avec ses amis. Elle fait donc un choix sous une contrainte sociale.

B Les préférences individuelles face à l'hypothèse de rationalité

NOTIONS

- Un **individu rationnel** cherche à atteindre ses objectifs de la meilleure manière en fonction des contraintes auxquelles il fait face. Pour cela, il va d'abord identifier les différentes possibilités à sa disposition, puis les classer. Ce classement traduit ses préférences. S'il choisit toujours de consommer le même bien alors qu'un autre est également accessible, cela signifie que le bien choisi est strictement préféré à l'autre…
- Au final, les préférences vont orienter le comportement du consommateur pour lui permettre de maximiser sa **satisfaction**.
- Le niveau de satisfaction, en économie, est mesuré par l'**utilité** (voir p. 35).

4 **Complétez le parcours suivi par un individu rationnel lorsqu'il souhaite remplir un objectif.** ▶ Notion

1. Classer les possibilités en fonction de ses préférences.
2. Identifier les différentes possibilités de consommation.
3. Choisir la solution qui maximise son utilité (sa satisfaction).

5 **Expliquez pourquoi deux agents rationnels ne feront pas les mêmes choix de consommation.**

Leurs préférences individuelles vont venir guider leur choix de consommation.

6 **Quel est l'objectif d'un consommateur face à un choix ?**

L'objectif du consommateur est de maximiser son utilité, c'est-à-dire de maximiser sa satisfaction.

DOC 2 Les agents économiques sont-ils toujours rationnels ?

L'hypothèse de rationalité des agents a quelque peu été malmenée par des économistes au cours des XXe et XXIe siècles…

VIDÉO
hachette-clic.fr/22eco010
Les agents économiques sont-ils rationnels ? (2 min)

7 **La rationalité peut se définir comme la capacité d'adapter les moyens aux fins poursuivies.** ▶ Doc. 2

☒ Vrai ☐ Faux

8 **Maximiser son utilité veut dire maximiser sa satisfaction.** ▶ Doc. 2

☒ Vrai ☐ Faux

9 **Pourquoi les consommateurs comme Cathy et Homer Simpson (voir p. 31) ne sont-ils pas toujours rationnels ?** ▶ Doc. 2

L'information dont disposent les consommateurs est imparfaite et ils ne disposent pas des capacités cognitives pour pouvoir traiter toutes les informations à leur disposition comme le ferait un ordinateur.

Bilan

Préparez une synthèse orale de moins de cinq minutes présentant les contraintes auxquelles Cathy doit faire face pour choisir son lieu de déjeuner. Vous utiliserez les termes suivants :

contrainte sociale/contrainte budgétaire/satisfaction/utilité

Vers la synthèse
JE ME TESTE
hachette-clic.fr/22eco011
Je révise l'essentiel p. 40-41

2 Comment le consommateur fait-il ses choix ?

Avec un nouveau budget quotidien de 5 €, Cathy peut maintenant choisir son lieu de déjeuner ! Elle aimerait à présent aller au lycée en tramway plutôt qu'à pied… Mais ses parents refusent de supporter ce coût supplémentaire et l'invitent à se débrouiller avec la même somme.

A La prise en compte du coût d'opportunité

DOC 3 Renoncer à un coût !

Le coût d'opportunité, également appelé coût de renonciation ou encore coût de renoncement, désigne la perte des biens auxquels on renonce lorsqu'on procède à un choix, autrement dit lorsqu'on affecte les ressources disponibles à un usage donné au détriment d'autres choix. C'est le coût d'une chose estimée en termes d'opportunités non réalisées, ou encore la valeur de la meilleure autre option non réalisée.

Article « Coût d'opportunité » de *Wikipédia* en français

1. **Soulignez la définition du coût d'opportunité dans le ▶ Doc. 3.**

2. **Racontez une situation où vous avez renoncé à un bien pour un autre.**

Accepter toute expérience qui présente la renonciation à un choix de consommation au profit d'un autre : par exemple choisir entre une sortie au restaurant ou au cinéma.

Si Cathy allait au lycée en tramway, elle réduirait son temps de trajet d'une demi-heure matin et soir, soit une heure par jour. Le billet de tramway coûte 1,40 €, et Cathy ne dispose que de son budget de 5 € pour financer ses trajets et déjeuner.

3. **Calculez le coût du transport et le budget restant de Cathy selon le nombre de trajets effectués en tramway.**

Nombre de trajets en tramway	0	1	2
Coût du transport	0 €	1,40 €	2,80 €
Budget restant pour déjeuner	5 – 0 = 5 €	5 – 1,40 = 3,60 €	5 – 2,80 = 2,20 €

4. **Cathy a-t-elle les moyens de déjeuner (voir les coûts des différents repas ▶ Doc. 1 p. 32) et de faire le trajet aller-retour au lycée en tramway ? Listez les différentes solutions à sa disposition, ainsi que leur coût.**

Cathy ne peut pas faire l'aller-retour au lycée en tramway et se payer un déjeuner. Elle va donc devoir faire un choix : soit renoncer à son déjeuner pour faire l'aller-retour en tramway (coût : 2,80 €), soit renoncer au tramway pour manger à la cantine ou un menu à emporter (de 4 à 4,95 €), soit faire un seul trajet en tramway et acheter un sandwich club à Carrefour City (3,90 €).

B Une estimation subjective de la satisfaction

NOTION

• En économie, l'**utilité** est une mesure du bien-être ou de la satisfaction obtenus par la consommation d'un bien ou d'un service pour un individu. Cette mesure permet d'expliquer pourquoi deux personnes feront des choix de consommation différents, même si elles disposent du même budget : l'utilité qu'elles accordent à ces choix n'est tout simplement pas la même.
L'utilité dépend également du contexte. Une boisson fraîche vous apportera plus d'utilité lors d'une chaude journée d'été que durant une journée d'hiver glaciale !

5 Répondez aux affirmations suivantes.

- En économie, l'utilité mesure : [X] le bien-être [ ] la quantité consommée d'un bien
- L'utilité est la même pour tous les individus. [ ] Vrai [X] Faux
- L'utilité varie en fonction de conditions externes au consommateur. [X] Vrai [ ] Faux

DOC 4 Quelles utilités de prendre le tramway et de déjeuner ?

Les jours où il pleut, Cathy est bien plus heureuse de prendre le tramway que par une belle journée ensoleillée !
Pour estimer l'utilité procurée par ce transport, on peut la chiffrer en unités de satisfaction. Ce chiffre est une donnée subjective ; il sera donc différent pour d'autres personnes ou pour un autre type de consommation.

Les auteurs

Voici différentes utilités estimées par Cathy :

	Unité
Trajet en tramway par beau temps	15
Trajet en tramway sous la pluie	60
Menu à emporter	50
Déjeuner au self	35
Sandwich club	10

6 Avec son budget de 5 €, si Cathy effectue un trajet en tramway, elle ne pourra s'offrir qu'un sandwich club au déjeuner. Calculez l'utilité totale des différentes solutions qui s'offrent à elle. ▶ Doc. 4

Solutions	Utilité par un jour de beau temps	Utilité par un jour de pluie
1 Un trajet en tramway + sandwich club	15 + 10 = 25	15 + 60 = 75
2 Pas de trajet en tramway + déjeuner au self	35	35
3 Pas de trajet en tramway + menu à emporter	50	50

7 Quelle est la solution qui maximise la satisfaction de Cathy par beau temps ? Même question pour un jour de pluie.

Par beau temps : solution 3.

Par temps de pluie : solution 1.

Bilan

Expliquez comment Cathy va faire son choix en complétant le texte ci-dessous.

Cathy ne peut pas prendre le tramway deux fois par jour et financer son déjeuner, elle va donc renoncer aux avantages que lui procurent l'un ou l'autre. C'est ce qu'on appelle le coût d'opportunité. Elle choisira la solution qui lui procure le plus d'utilité. Ce choix pourra changer en fonction des jours où elle a plus envie du confort du tramway que d'un repas complet.

Vers la synthèse
JE ME TESTE
hachette-clic.fr/22eco012
Je révise l'essentiel p. 40-41

3 Quelle valeur a un bien pour le consommateur ?

Cette semaine, Cathy et ses amis vont déjeuner tous les jours chez Burger King. Comme chaque année, l'enseigne lance une offre à durée limitée : un burger et une glace « mystères » pour 2 € chacun. C'est une opportunité dont ils veulent profiter, même s'ils ne savent pas si le burger et la glace servis seront leurs préférés !

A L'effet de la rareté

DOC 5 Une offre limitée dans les Burger King

En 2021, pour la cinquième année consécutive, Burger King lance son opération « Burger Mystère » : l'un des 10 burgers de la franchise est servi au hasard pour 2 € seulement. Une seconde offre accompagne les Burgers Mystères : l'enseigne propose également une « Glace Mystère » à un tarif de 2 €.
Ces offres seront valables du mardi 7 septembre jusqu'au 4 octobre dans toutes les enseignes en France.

Les auteurs

1 Identifiez la raison qui pousse Cathy et ses amis à accepter de déjeuner tous les jours chez Burger King.
▶ Doc. 5

L'offre n'est valable que peu de temps, elle est donc rare. Si l'offre était disponible en permanence, ils ne viendraient probablement pas tous les jours de la semaine.

2 Complétez la phrase avec les mots suivants : ***bien/consommateur/valeur/rare*.**

Plus un bien est rare, plus le consommateur lui accordera de la valeur.

3 Pourquoi Cathy et ses amis acceptent-ils de manger un burger et une glace qu'ils n'ont pas choisis ? À votre avis, comment réagiront-ils s'ils tombent sur un burger qu'ils n'aiment pas ?

En acceptant la contrainte de ne pas pouvoir choisir le contenu de leur déjeuner, ils obtiennent plus de satisfaction qu'avec leur déjeuner habituel. Mais s'ils tombent sur un burger qu'ils n'aiment pas, ils seront sûrement déçus, et leur satisfaction sera moindre.

4 Pensez-vous qu'après une semaine à manger des burgers, leur valeur sera toujours la même aux yeux de Cathy et de ses amis ?

Après une semaine de ce régime, leur valeur aura sûrement baissé. Cathy et ses amis auront envie de changer, et pourquoi pas de manger un repas moins lourd et plus équilibré !

Lundi, le premier Burger Mystère dégusté a procuré 40 unités de satisfaction à Cathy. Mardi, le second, à sa grande surprise, ne lui en a plus procuré que 30 ; et le suivant, mercredi, encore moins… Que se passe-t-il ?

B La notion d'utilité marginale

NOTION

• L'**utilité marginale** mesure la satisfaction qui résulte de la consommation d'une unité supplémentaire d'un bien ou d'un service pour un individu. En effet, l'utilité n'est pas absolue : plus vous consommez un bien, plus le plaisir que vous obtenez de cette consommation diminue. Votre premier verre d'eau fraîche par une chaude journée d'été vous apportera plus de plaisir que le quatrième verre d'eau que vous ne finirez peut-être pas !

5 Complétez le tableau ci-dessous en calculant l'utilité marginale des burgers mangés par Cathy pour 3, 4 et 5 Burgers Mystères consommés par semaine. ▶ Notion

L'utilité des Burgers Mystères

Nombre de repas par semaine	Utilité totale	Utilité marginale
0	0	0
1	40	40
2	70	30
3	90	20
4	100	10
5	105	5

L'utilité marginale pour deux repas avec burgers se calcule de la façon suivante :
70 (utilité totale de 2 repas)
– 40 (utilité totale pour 1 repas)
= 30

6 Commentez l'évolution de l'utilité totale et de l'utilité marginale avec le nombre de Burgers Mystères consommés.

L'utilité totale augmente après chaque nouveau Burger Mystère consommé, mais dans le même temps, son utilité marginale décroît.

7 Selon vous, si Cathy décidait de varier les solutions de déjeuner, obtiendrait-elle plus de satisfaction ? Justifiez votre réponse à l'aide du vocabulaire de l'économie.

Cathy obtiendrait plus de satisfaction en variant son choix de déjeuner. L'utilité marginale de chaque repas baisserait moins vite, et sa satisfaction se maintiendrait ainsi à un niveau plus élevé.

Bilan

Après avoir mangé au Burger King toute la semaine, Cathy n'a plus envie d'y retourner. Synthétisez la leçon à retenir en complétant le schéma suivant.

La valeur accordée à un bien dépend…
- de sa rareté. → *Plus le bien est rare, plus sa consommation apportera de satisfaction.*
- de son utilité marginale. → *Celle-ci décroît avec la quantité consommée de ce bien.*

Vers la synthèse
JE ME TESTE
hachette-clic.fr/22eco013
Je révise l'essentiel p. 40-41

À moi de jouer

1 Jouez avec *Kyushi* !

Quiz interactifs pour réviser en classe !

hachette-clic.fr/kyushi

2 Testez vos connaissances avec ces mots croisés

Retrouvez les mots correspondant aux définitions suivantes.

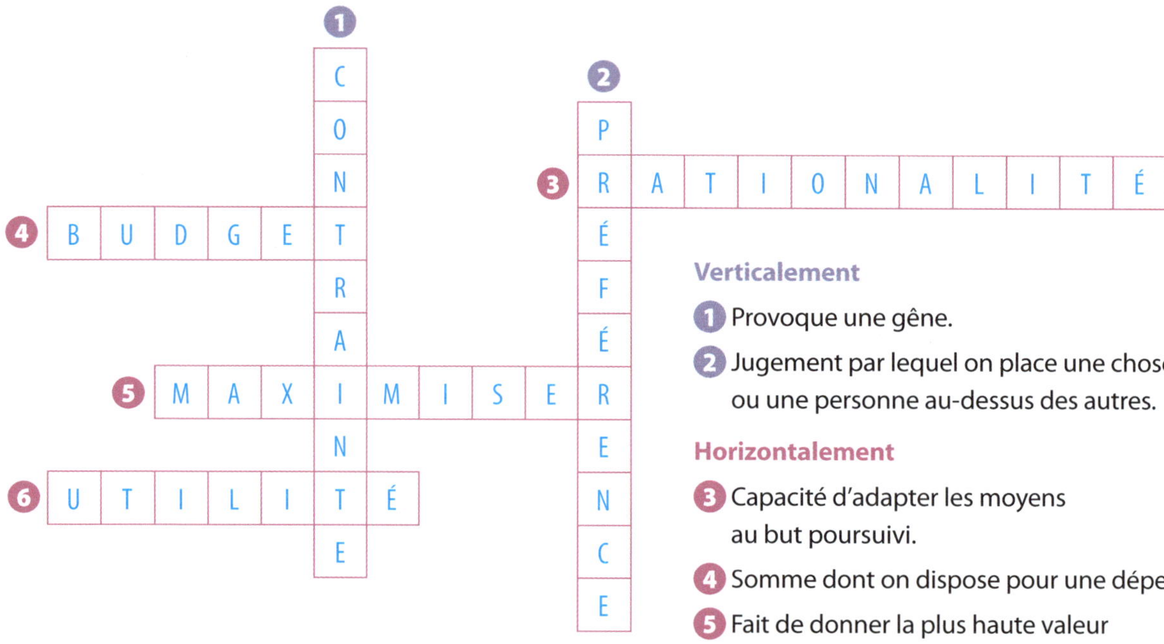

Verticalement

1. Provoque une gêne.
2. Jugement par lequel on place une chose ou une personne au-dessus des autres.

Horizontalement

3. Capacité d'adapter les moyens au but poursuivi.
4. Somme dont on dispose pour une dépense.
5. Fait de donner la plus haute valeur à quelque chose.
6. Désigne la satisfaction en économie.

3 Décrire les choix économiques

Vous avez travaillé les deux mois de vacances d'été pour économiser de l'argent. Ce job d'été vous a rapporté 2 600 euros net, ce qui va vous permettre de financer votre projet d'un coût d'environ 2 000 €.

Un de vos amis vous informe que vous pourriez passer votre permis pour 749 € chez Ornikar, une auto-école en ligne.

Vous décidez de vous informer sur toutes les solutions qui s'offrent à vous.

1. **Indiquez les étapes que vous allez suivre pour maximiser votre utilité.**
2. **Comment pouvez-vous procéder pour rendre votre choix le plus rationnel ?**
3. **Pour être en mesure de financer votre permis, vous avez abandonné votre projet de partir en vacances au bord de la mer. Comment, en économie, désigne-t-on ce choix ? Définissez-le.**

4 Expliciter la notion d'utilité marginale

Lorsqu'elle regarde une série, Imane adore enchaîner toute la saison en un seul visionnage (un comportement que l'on qualifie de *binge watching* !). Cependant, Imane s'aperçoit qu'à la fin de la soirée, elle ressent de moins en moins de plaisir à regarder un nouvel épisode.

1. Complétez le tableau en calculant l'utilité totale au fil des visionnages.

Nombre d'épisodes	Utilité totale	Utilité marginale
0	0	0
1	50	50
2	90	40
3	120	30
4	140	20
5	150	10
6	150	0

2. Expliquez à Imane les raisons de la baisse de son plaisir en utilisant des notions économiques.

5 Analyser ce que l'on entend par rationalité individuelle

Sommes-nous rationnels ?

Influençables, mauvais calculateurs et inconstants : voilà ce que nous serions, en dépit de la théorie du choix rationnel. Mais cela ne veut pas dire que nous faisons n'importe quoi. Depuis trois décennies, psychologues et économistes ont uni leurs efforts pour identifier quelques-unes de nos erreurs les plus constantes. Donc, les plus prévisibles.
Dans sa forme moderne, la théorie du choix rationnel suppose que l'agent économique est à la fois égoïste et calculateur.
Ainsi, l'un des accommodements les plus remarqués a été celui apporté par Herbert Alexander Simon, qui a introduit la notion de « rationalité limitée ». Herbert Simon a développé l'idée que les choix des acteurs dépendent de la quantité et de la qualité des informations qu'ils détiennent d'une part, et de leurs capacités de calcul d'autre part. Par exemple, pour acheter une voiture, la plupart des gens ne prennent pas le temps de comparer toutes les caractéristiques des automobiles (consommation, confort, espace) et sont incapables d'évaluer objectivement leur valeur relative, et de les comparer.
Cette information imparfaite peut aussi bien les amener à faire des choix qui ne sont pas les meilleurs ; ils sont plutôt « raisonnables » que strictement rationnels.

D'après N. Journet, « Sommes-nous rationnels ? », *Sciences humaines* n° 225, avril 2011.

À partir du texte fourni, expliquez pourquoi les agents économiques font des choix plutôt « raisonnables » que « rationnels ».

Objectif BAC
8 Lire un texte économique
p. 126

L'essentiel

JE RÉVISE

hachette-clic.fr/22eco014

- Le podcast du cours
- La synthèse en 1 clic
- Je manipule les notions

NOTIONS

• **Coûts d'opportunité :** perte des biens auxquels on renonce lorsqu'on procède à un choix.

• **Préférences individuelles :** jugement ou sentiment par lequel un individu place une personne ou une chose au-dessus des autres.

• **Rationalité :** capacité d'un individu à adapter les moyens aux fins poursuivies.

• **Utilité :** fonction de mesure du bien-être ou de la satisfaction obtenus par la consommation d'un bien ou d'un service.

COURS

1 Qu'est-ce qu'un consommateur rationnel ?

- Pour analyser les choix des individus, on considère que les agents sont **rationnels** dans leurs décisions. Ainsi, les individus feraient en sorte d'atteindre un objectif de la meilleure manière en fonction des contraintes économiques, sociales et environnementales auxquelles ils font face.
- Pour effectuer son choix, un agent économique rationnel va commencer par **identifier** les différentes possibilités, puis les **classer**. Ce classement traduit ses **préférences**.

2 Comment le consommateur fait-il ses choix ?

- Pour le consommateur, faire un choix, c'est parfois renoncer à autre chose, de manière à maximiser son utilité, c'est-à-dire sa satisfaction.
- La notion d'**utilité** permet d'expliquer pourquoi deux personnes feront des choix de consommation différents, même quand elles disposent du même budget.

3 Quelle valeur a un bien pour le consommateur ?

- Pour le consommateur, la **valeur** est une notion subjective qui va dépendre de différents facteurs comme le contexte. Si un diamant a usuellement plus de valeur qu'une bouteille d'eau, cette affirmation n'est plus aussi évidente au milieu du désert.
- L'**utilité marginale** mesure la satisfaction qui résulte de la consommation d'une unité supplémentaire d'un bien ou d'un service. Plus vous consommez un bien, plus le plaisir que vous en retirez diminue.

CULTURE+

L'Homo economicus (« homme économique », en latin) est une représentation théorique du comportement de l'être humain en économie. Grâce à sa rationalité supposée, l'homme économique maximise sa satisfaction en utilisant au mieux ses ressources.

Herbert Alexander Simon (1916 - 2001) est un économiste et sociologue américain ayant reçu le prix Nobel d'économie en 1978.

En 1947, il a développé le principe de rationalité limitée selon lequel les individus choisissent des solutions satisfaisantes plutôt qu'optimales, en raison d'un ensemble de contraintes comme le manque d'informations et l'incapacité humaine à traiter toutes les informations.

POUR RETENIR AUTREMENT

1 Qu'est-ce qu'un consommateur rationnel ?

fait des choix économiques en fonction de ses contraintes........... et de ses préférences...........

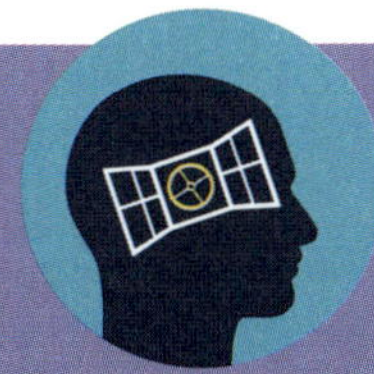

Le consommateur rationnel

fait des choix pour accroître sa satisfaction...........

Si un individu choisit toujours le même bien alors qu'un autre est également accessible, cela signifie que le bien choisi est strictement préféré................ à l'autre.

2 Comment le consommateur fait-il ses choix ?

La valeur qu'un consommateur attribue à un bien est subjective et dépend du contexte.

Sa mesure est l'utilité...................

Choisir un bien ou un service, c'est parfois renoncer à un autre bien ou un autre service.

Cette perte est le coût d'opportunité........

Le consommateur examine donc les utilités et les coûts des choix disponibles pour maximiser sa satisfaction.

3 Quelle valeur a un bien pour le consommateur ?

Plus vous consommez un même bien, plus l'utilité apportée par la consommation d'une unité supplémentaire, appelée utilité marginale......................., diminue.

La satisfaction..................... procurée par la consommation du bien baisse avec la quantité.

Le consommateur ne consommera une unité supplémentaire d'un bien que si l'utilité marginale attribuée à ce bien dépasse le coût pour y accéder.

OBJECTIF BAC

2 Comprendre les consignes (2)

Parlons du second niveau de compétence attendu lorsque vous répondez à des questions en économie : « la compréhension ».

1 « La compréhension » : de quoi parle-t-on ?

Caractéristiques	Saisir des significations. Traduire des connaissances dans un nouveau contexte. Interpréter des faits à partir d'un cadre donné.
Capacité	Traduire et interpréter de l'information en fonction de ce qui a été appris.
Habiletés requises	Connaissance.
Verbes d'action	Expliquer – Démontrer – Préciser – Interpréter – Résumer – Traduire – Illustrer – Discuter – etc.

2 À chaque verbe sa réponse !

Associez chaque verbe au type de réponse attendue.

- Expliquer •
- Préciser •
- Résumer •
- Illustrer •

- • Ma réponse va énoncer l'essentiel d'un texte ou d'un propos en condensant les idées qu'il contient.
- • Ma réponse va fournir des exemples.
- • Ma réponse présentera de façon plus claire l'idée développée.
- • Ma réponse va permettre de faire comprendre, éclairer le sens d'un texte, en développant les idées présentées.

3 En situation

Si les agents économiques sont rationnels, cela implique qu'ils prennent toujours les meilleures décisions. Mais dans la réalité, on constate que ce n'est pas toujours le cas. L'excès d'optimisme ou de confiance en soi, les erreurs de jugement et même les stéréotypes peuvent conduire les agents économiques à prendre des décisions que l'on peut qualifier « d'irrationnelles ». Sinon, comment expliquer la décision de manger une pizza quand on cherche à perdre du poids ?

Les auteurs

Résumez l'idée énoncée dans le document.

Le concept d'un agent économique entièrement rationnel ne se vérifie pas toujours dans les faits. De nombreux biais comme l'excès de confiance en soi peuvent conduire les agents à prendre des décisions irrationnelles.

3

CAPACITÉS

- Décrire les choix économiques du producteur à l'aide des concepts et principes fondamentaux du raisonnement économique
- Identifier la production, les ressources et les facteurs de production
- Appliquer un raisonnement à la marge pour maximiser son profit

NOTIONS

- La production, les ressources et les facteurs de production
- Égalisation entre coût marginal et recette marginale
- La maximisation et le raisonnement « à la marge »

Les décisions du producteur

HUMAIN OU ROBOT ?

VIDÉO
hachette-clic.fr/22eco015
Le premier robot pizzaïolo ! (2'12)

Regardez la vidéo d'introduction et répondez aux questions.

1. Qui prépare les pizzas dans chacun des cas ?

– Pizzeria traditionnelle : un pizzaïolo.

– Pizzeria « Pazzi » : un robot.

2. Listez trois arguments en faveur de la solution présentée par « Pazzi ».

- Le processus est autonome, il n'y a donc pas besoin d'un travailleur en permanence sur place.
- Le robot est plus rapide que l'humain, donc les clients patientent moins longtemps.
- Le robot commet moins d'erreurs et découpe la pizza en parts strictement égales !

SITUATION

Après des études de commerce, Adel a décidé de créer son activité. Constatant que peu de possibilités de se restaurer rapidement sont offertes dans son quartier de Nantes, il a eu l'idée d'investir dans un camion-cantine ambulant, ou *food truck*, avec lequel il passera d'un emplacement à l'autre. Côté cuisine, il travaille à de succulentes recettes de pizzas « faites maison ». L'étude de son budget l'amène à s'interroger sur l'utilisation de ses ressources, sur les coûts d'exploitation et sur les choix de production.

1 Qu'est-ce que la production en économie ?

De par son activité, Adel est en relation avec de nombreux partenaires. La Macif assure son *food truck* ; la mairie lui délivre une autorisation d'occupation temporaire pour stationner ; il paie ses taxes auprès de la Direction générale des Finances publiques ; il donne des pizzas aux Restos du Cœur et se fournit chez Biocoop ; Peugeot lui a livré son véhicule, etc.

A Une production assurée par des agents divers

DOC 1 Les différents partenaires d'Adel

Logo	Type	Production
PEUGEOT	Entreprise	Biens
pôle emploi	Administration	Services
MACIF	Entreprise	Services
Les Restaurants du Cœur – Les Relais du Cœur	Association	Services
biocoop – La bio nous rassemble	Entreprise	Biens
Ville de Nantes	Administration	Services
Direction générale des Finances publiques	Administration	Services

1 **Indiquez, sous chacun des logos du ▶ Doc. 1, s'il s'agit d'une entreprise, d'une administration ou d'une association ; puis si celles-ci produisent des biens ou des services.**

DOC 2 Distinction entre secteur public et secteur privé

Le **secteur public** comprend les administrations et entreprises publiques qui sont gérées par l'État. Il est financé par les impôts et les contributions publiques. Le **secteur privé**, quant à lui, regroupe toutes les organisations et entreprises qui ne sont pas gérées par l'État. Les entreprises privées, mais aussi les associations sans but lucratif, sont incluses dans cette catégorie.

Les auteurs

VIDÉO
hachette-clic.fr/22eco016
Secteur public, secteur privé : c'est quoi ? (3 min)

2 **Donnez la caractéristique principale d'une entreprise publique, et proposez un exemple. ▶ Doc. 2**

Une entreprise publique est une entreprise dont l'État possède plus de 50 % du capital, comme La Poste, EDF ou la SNCF.

3 **Parmi les acteurs en lien avec Adel, repérez ceux issus du secteur public en les entourant sur le ▶ Doc. 1.**

4 **Expliquez en quoi le secteur public et le secteur privé sont complémentaires.**

Le secteur public fournit des services publics non marchands qui sont nécessaires aux citoyens (justice, écoles, hôpitaux, routes, défense nationale, par exemple). Le secteur privé, quant à lui, participe à la création de richesse du pays ; il crée des emplois et paie une partie des impôts et contributions qui servent à financer les services publics.

Les pizzas margherita confectionnées par Adel sont très appréciées de ses clients ! Il les fabique avec soin dans son *food truck* en combinant les meilleurs ingrédients.

B L'utilisation des facteurs de production

DOC 3 Comment fabriquer une pizza margherita ?

Dans un batteur, mélangez la farine, l'eau, l'huile d'olive et la levure salée. Pétrissez la pâte jusqu'à l'obtention d'une boule souple. Laissez lever la pâte pendant 3 h 15 pour qu'elle double de volume.
Laissez la mozzarella perdre son eau au réfrigérateur au moins 1 heure. Divisez la pâte en portions de 300 g, et laissez-la reposer à nouveau 4 à 6 heures.
Farinez le plan de travail, étalez la pâte à la main en disques de 30 centimètres de diamètre. Déposez la sauce. Disposez la mozzarella, l'ail et les tomates. Enfournez la pizza 6 minutes. Rajoutez le basilic et servez.

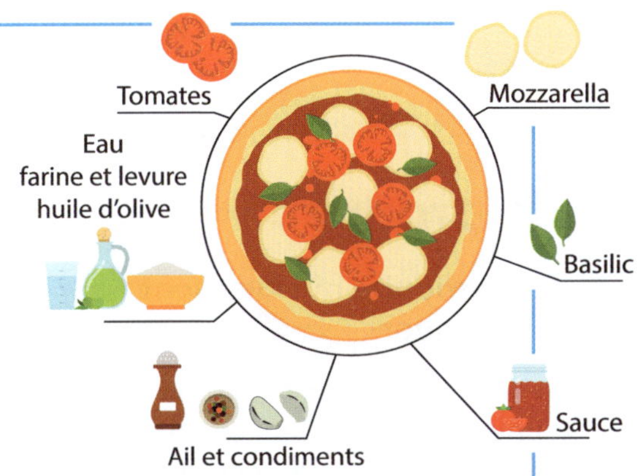

NOTIONS

On distingue traditionnellement trois **facteurs de production**.
- Le **travail** est l'activité humaine qui contribue à la production.
- Le **capital** est l'ensemble des biens et moyens techniques qui permettent de produire.
- La **terre** rassemble les ressources naturelles qui sont utilisées comme matières premières ou énergie, et transformées pour produire.

5 **Repérez dans le ▶ Doc. 3 les différents facteurs de production utilisés par Adel pour fabriquer ses pizzas, et classez-les en complétant le schéma ci-dessous.**

Facteur travail	Facteur capital	Facteur terre
- Mélange, pétrissage, division, étalage de la pâte.	- Batteur.	- Ingrédients : farine, eau, huile d'olive, levure salée, mozzarella, sauce, ail, tomates, basilic.
- Préparation de la sauce et de la garniture.	- Réfrigérateur.	- Énergie : électricité, gaz.
- Cuisson de la pizza.	- Four.	

Bilan

Expliquez qui sont les intervenants et quelles ressources sont utilisées lors de la production à l'échelle d'un pays en complétant le schéma ci-dessous.

Les différents producteurs :
- Entreprises
- Associations
- Administrations

sont issus du secteur
- privé.
- public.

Pour produire, ils utilisent trois facteurs de production principaux :
- Travail.
- Capital.
- Terre.

Vers la synthèse — JE ME TESTE
hachette-clic.fr/22eco017
Je révise l'essentiel p. 52-53

2 Que produire, et avec quelles ressources ?

Adel suit attentivement l'actualité. En effet, il craint des hausses de prix qui se répercuteraient sur sa production de pizzas : la farine de blé pour sa pâte, le gaz pour allumer son four… Adel s'interroge sur les choix qu'il va être amené à prendre.

A Disponibilité et coût des facteurs de production

DOC 4 Des produits qui viennent à manquer

La hausse des prix résulte avant tout d'une hausse fulgurante de l'énergie touchant gaz, pétrole et désormais électricité. Les raisons sont nombreuses : relance économique, tensions géopolitiques avec la Russie… D'autres matières premières sont aussi affectées, comme le blé tendre (servant à faire la farine) qui souffre des mauvaises récoltes de l'année. Soja, sucre et café sont aussi aspirés dans cette spirale haussière, d'autant que le transport maritime connaît un embouteillage inédit qui fait encore grimper les prix.

T. Leroy, BFM Business, 07/10/2021

DOC 5 L'évolution des prix du gaz

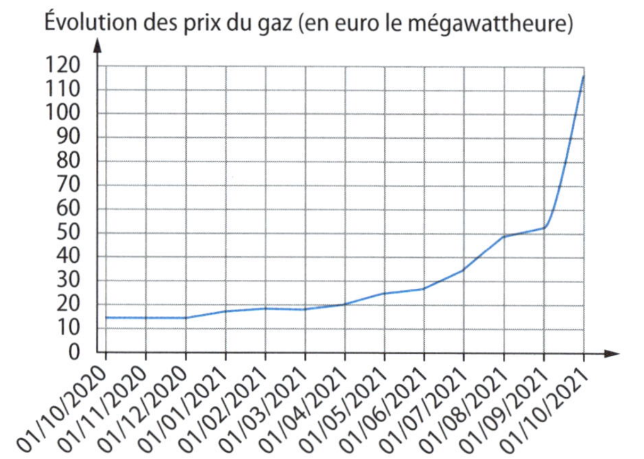

Dutch TTF Gas Futures

1. **Quelles pénuries sont annoncées dans l'article présenté ?** ▶ Doc. 4

Des pénuries de ressources : énergie, matières premières agricoles, transport.

2. **À quel type de facteur de production le gaz appartient-il ?**

☐ le travail ☐ le capital ☒ la terre

3. **Commentez et expliquez l'évolution observée sur le prix du gaz.** ▶ Doc. 5

Le prix du gaz se maintenait à moins de 20 € le mégawattheure en mai 2021. Il augmente ensuite de plus en plus vite jusqu'à atteindre près de 120 € le mégawattheure, soit une multiplication par six. Cette forte hausse s'explique par la relance économique qui a suivi la crise sanitaire : la demande a fortement augmenté. Par ailleurs, les tensions géopolitiques diminuent les échanges et tendent à faire augmenter le prix.

4. **Expliquez en quoi ces pénuries affecteront l'activité d'Adel. Quelles mesures pourra-t-il prendre ?**

Ces produits (gaz et blé tendre) étant plus rares, leur prix aura tendance à augmenter. Adel devra répercuter cette hausse sur le prix de vente final de ses pizzas, ou alors envisager des substituts pour faire des économies (par exemple, remplacer son four à gaz par un autre, plus économe).

Adel vend majoritairement des pizzas, mais plusieurs concurrents se mettent à élargir leur offre en proposant également des burgers. Il se demande s'il devrait suivre cette tendance, ou au contraire se focaliser sur sa production de pizzas.

B Les choix de production

DOC 6 Comparaison des produits proposés au menu par Adel

	Pizza	Burger
Profit réalisé par unité vendue	4,17 €	4,50 €
Temps de fabrication	5 min	7 min 30

5 **Quel produit rapporte le plus d'argent à Adel, d'après les données du ▶ Doc. 6 ?**

Le burger est le plus profitable : sa vente rapporte 0,33 € de plus que la pizza.

6 **Calculez le nombre de pizzas qu'Adel peut fabriquer en une heure. Quel profit réalise-t-il en les vendant ? ▶ Doc. 6**

En une heure, Adel peut produire 12 pizzas (60/5 = 12).

Il gagne alors 50,04 € (12 x 4,17 = 50,04).

7 **Même question dans le cas où Adel ne produit que des burgers. ▶ Doc. 6**

En une heure, Adel peut produire 8 burgers (60/7,5 = 8).

Il gagne alors 36,00 € (8 x 4,50 = 36,00).

8 **D'un point de vue purement économique, quelle production Adel doit-il privilégier ?**

Adel a intérêt à privilégier la production de pizzas, plus lucrative.

9 **Résumez la méthode à suivre par Adel pour comparer les deux possibilités et faire son choix.**

Adel vérifie d'abord combien d'unités il peut produire en fonction d'une ressource limitée (ici la durée de préparation, mais ce pourrait être le temps de cuisson ou les quantités limitées d'un ingrédient). Puis il calcule le profit qu'il retire de chaque situation. En comparant les résultats, il choisit la situation qui lui offrira le profit le plus élevé.

Bilan

Complétez le texte ci-dessous pour éclairer les choix faits par Adel.

L'activité de l'entreprise d'Adel est la restauration rapide. Pour fabriquer les burgers et les pizzas, elle utilise des ressources, ou facteurs de production. L'entrepreneur doit s'assurer que ces ressources sont disponibles et ont un coût acceptable. L'entrepreneur est un agent rationnel qui recherche le profit : il va donc comparer les coûts et bénéfices des différentes solutions à sa disposition afin de faire son choix.

Vers la synthèse
JE ME TESTE
hachette-clic.fr/22eco018
Je révise l'essentiel p. 52-53

3 Comment le producteur maximise-t-il son profit ?

Adel doit s'assurer que son activité génère suffisamment d'argent pour dégager un revenu, rembourser son emprunt et compléter son équipement. Quel profit peut-il espérer ? Et quelle est la quantité optimale de pizzas à produire pour le maximiser ?

A L'utilisation des facteurs de production

DOC 7 Les coûts des ingrédients d'une pizza margherita

Adel a évalué le coût des ingrédients nécessaires à la fabrication d'une pizza margherita.

	Quantité (kg)	Coût au kg (€)	Coût par pizza (€)
Farine	0,165	1,21	0,20
Tomates	0,3	2,50	0,75
Mozzarella	0,2	10,15	2,03
Condiments	0,1	18,00	1,80
Total			4,78

DOC 8 Les coûts de main-d'œuvre et de cuisson d'une pizza margherita

Adel passe 5 minutes à préparer chaque pizza, qui requiert ensuite 6 minutes de cuisson.

	Quantité (heure)	Coût à l'heure (€)	Coût (€)
Énergie (électricité et gaz)	6/60	2,80	0,28
Main-d'œuvre	5/60	20,00	1,67
Total			1,95

NOTION
- Le profit (ou bénéfice) se calcule par la formule : **Recettes – Coûts = Profit.**

1. **Calculez les coûts de production d'une pizza margherita en complétant les tableaux des ▶ Doc. 7 et 8.**

2. **Quel est le coût total de fabrication d'une pizza margherita ? Déterminez le profit réalisé à la vente, sachant qu'Adel vend chaque pizza 10,90 €. ▶ Doc. 7 et 8**

Le coût total est de 6,73 € (4,78 + 1,95 = 6,73). Adel réalise un profit de 4,17 € par pizza (10,90 – 6,73 = 4,17).

3. **Adel a fait un emprunt pour payer son véhicule et il paie des taxes pour le garer. Ces coûts fixes s'élèvent à 65 € par jour. Calculez combien de pizzas Adel doit vendre chaque jour pour payer ces charges.**

Adel doit vendre au minimum 16 pizzas par jour (65/4,17 = 15,6).

4. **Expliquez dans quelle mesure le prix de la pizza est déterminé par le marché, ou choisi par Adel.**

Adel choisit librement le prix de la pizza. Il doit la vendre assez cher pour dégager un bénéfice… en restant raisonnable, sinon les clients se tourneront vers des pizzerias concurrentes ou vers des produits alternatifs.

B La maximisation du profit par analyse à la marge

DOC 9 Jusqu'où faut-il augmenter sa production ?

Pour optimiser la production et maximiser son profit, le producteur analyse ce que va lui coûter à produire chaque unité supplémentaire, et ce qu'elle va lui rapporter. Tant que cette unité lui rapporte plus qu'elle ne lui coûte, il a intérêt à la produire. Ces unités supplémentaires sont dites « marginales ». Le producteur poursuivra ce raisonnement jusqu'à ce que le coût marginal de la dernière unité produite soit égal à la recette marginale. C'est ce qu'on appelle le « raisonnement à la marge » en microéconomie.

Les auteurs

DOC 10 L'évolution du coût marginal selon la quantité produite

Adel a relevé le détail des coûts et de ses recettes selon le nombre de pizzas qu'il fabrique et vend dans la soirée.

Nombre de pizzas	Recette totale	Recette marginale	Coût total	Coût marginal	Profit total
1	10,90	10,90	5,05	**5,05**	5,85
2	21,80	10,90	**9,80**	**4,75**	12,00
3	32,70	10,90	14,50	4,70	18,20
4	43,60	10,90	19,00	4,50	24,60
5	54,50	10,90	26,00	7,00	28,50
6	65,40	10,90	33,10	7,10	32,30
7	76,30	10,90	40,60	7,50	35,70
8	87,20	10,90	51,50	10,90	35,70
9	98,10	10,90	62,50	11,00	35,60
10	109,00	10,90	73,70	11,20	35,30

Le *coût marginal* d'un bien est égal au coût total – le coût total pour l'unité précédente.
Ici **9,80** – **5,05** = **4,75** €

5 **Interprétez le chiffre de coût marginal donné pour six pizzas dans le ▶ Doc. 10.**

Ce coût marginal est de 7,10 €. La sixième pizza coûte donc 7,10 € à fabriquer.

6 **Renseignez les cases vides du tableau pour chaque niveau de production. ▶ Doc. 10**

7 **Identifiez le niveau de production optimal pour l'activité d'Adel. ▶ Doc. 9 et 10**

Le profit total est au plus haut à la septième et huitième unité ; il baisse par la suite. Il ne faut donc pas dépasser ce seuil de huit pizzas produites par soirée ; c'est le niveau optimal de production.

Bilan

Synthétisez le principe du raisonnement à la marge en expliquant à Adel comment déterminer la quantité optimale de pizzas à produire.

Adel doit calculer, pour chaque nouvelle unité produite, le coût supplémentaire que cette unité lui occasionne. Il compare alors ce coût à la recette que cette unité supplémentaire va lui rapporter. Tant que la fabrication d'une unité supplémentaire lui procure une recette supérieure au coût marginal, Adel a intérêt à produire plus.

Vers la synthèse
JE ME TESTE
hachette-clic.fr/22eco019
Je révise l'essentiel p. 52-53

À moi de jouer

1 Jouez avec *Kyushi* !

Quiz interactifs pour réviser en classe !

hachette-clic.fr/kyushi

2 Testez vos connaissances avec ces mots croisés

En compétition avec un(e) de vos camarades, remplissez la grille dans le temps imparti par votre professeur(e) à l'aide des indices donnés ci-après. Une bonne réponse = un point. Celui ou celle de vous deux qui a le plus de points remporte le challenge !

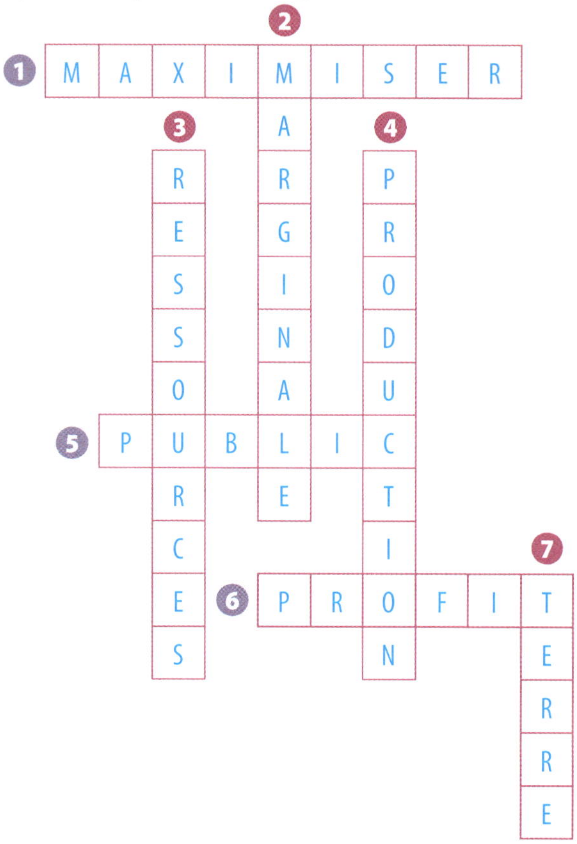

Horizontalement

1 Trouver le maximum.

5 Qualifie le secteur administré par l'État.

6 Ce qu'il reste en soustrayant les dépenses des recettes.

Verticalement

2 Qualifie une unité supplémentaire d'un bien.

3 Éléments que les organisations utilisent pour produire.

4 Fabrication de biens ou de services.

7 Facteur de production comprenant les matières premières transformées pour produire.

3 Comparer les facteurs de production entre pays

Emma, jeune entrepreneuse, examine l'idée de s'implanter et d'exercer son activité en Croatie ou au Luxembourg, pays où se situent ses principaux concurrents. Elle souhaite, dans un futur proche, recruter de nouveaux collaborateurs pour se développer.

Coût horaire moyen du travail en 2018*

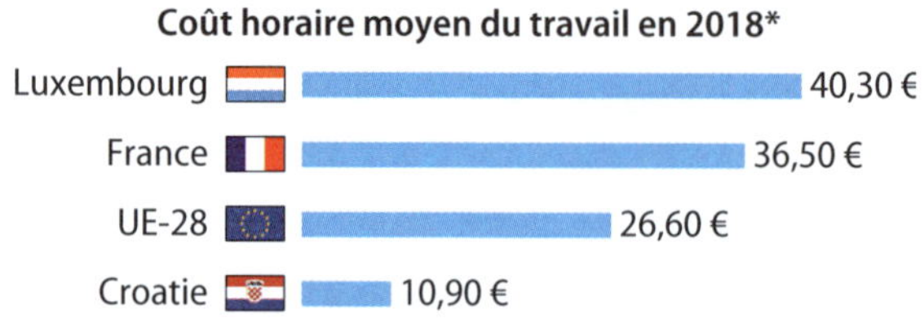

*Dans les secteurs privés manufacturiers et les services.

Office allemand de la statistique

1. **Quel est le critère retenu pour classer les pays dans le document ci-dessus ?**
2. **Calculez l'écart de coût pour ce facteur entre la France et les pays où travaillent les concurrents d'Emma.**
3. **Expliquez l'impact de ces écarts sur les prix que peuvent proposer ses concurrents.**
4. **Listez d'autres critères qu'Emma devra prendre en compte pour faire son choix.**

4 Décrire les choix économiques du producteur

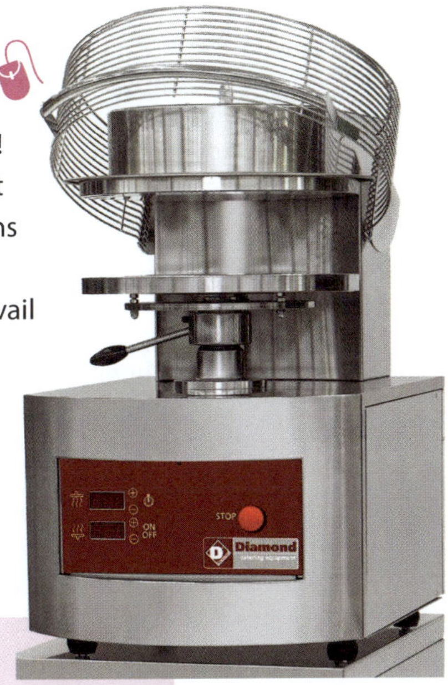

Adel se frotte les mains : son chiffre d'affaires est en forte augmentation ! Il étudie donc des possibilités d'investissement pour gagner du temps et produire plus. Il hésite entre plusieurs possibilités pour façonner ses pâtons en pâtes à pizza « prêtes à garnir » :

- à la main : c'est la situation actuelle, qui représente 30 heures de travail par mois ;
- avec un laminoir : pour un coût mensuel de 50 €, et une économie de 4 heures de travail par mois ;
- avec une presse (comme celle ci-contre) : pour un coût mensuel de 250 €, et une économie de 16 heures de travail par mois.

Le coût du travail est de 20 € par heure.

1. **Dans un tableau, calculez et indiquez le coût du travail, le coût du capital et le coût total pour les trois solutions : à la main, avec un laminoir et avec une presse.**

2. **Quelle solution retenir du point de vue financier ? Justifiez votre réponse.**

3. **Quelle conséquence aurait ce choix sur le facteur travail ? Discutez des conséquences potentielles de cette évolution en matière d'emploi.**

5 Appliquer un raisonnement « à la marge » pour maximiser son profit

Hervé produit des planches de surf. Il a calculé ses coûts hebdomadaires et fixé son prix de vente.
Les coûts fixes sont des coûts de production qui, par définition, ne dépendent pas du niveau de production, contrairement aux coûts variables.

Nombre de planches	Coût fixe	Coût variable	Coût total	Coût marginal	Recette	Recette marginale	Résultat	Résultat marginal
0	100	0	100	100	80	80	−20	−20
1	100	25	125	25	160	80	35	55
2	100	50	150	25	240	80	90	55
3	100	75	175	25	320	80	145	55
4	100	100	200	25	400	80	200	55
5	100	125	225	25	480	80	255	55
6	100	150	250	25	560	80	310	55
7	100	230	330	80	640	80	310	0
8	100	315	415	85	720	80	305	−5
9	100	400	500	85	800	80	300	−5

1. **Rappelez la définition du coût marginal, puis complétez le tableau.**

2. **Interprétez le chiffre entouré dans la colonne de droite.**

3. **Démontrez que pour maximiser son profit, Hervé n'a pas intérêt à produire trop de planches chaque semaine. Quel est le niveau optimal de production ?**

L'essentiel

JE RÉVISE

hachette-clic.fr/22eco020

- Le podcast du cours
- La synthèse en 1 clic
- Je manipule les notions

NOTIONS

- **Coût marginal :** coût de la dernière unité produite.
- **Facteurs de production :** éléments que les organisations utilisent pour produire.
- **Production :** ensemble des activités transformant des matières premières et composants en produits qui seront vendus aux clients.
- **Profit :** différence entre les recettes et les coûts.
- **Recette marginale :** recette correspondant à la dernière unité produite.

CHIFFRES clés

- En 2019, il existe **4,1 millions** d'entreprises en France.
- **19,7 millions** de personnes sont employées dans le secteur privé, et **5,8 millions** dans le secteur public. L'**emploi** non salarié atteint **3 millions**.

COURS

1 Qu'est-ce que la production en économie ?

- Pour satisfaire leurs besoins, les individus consomment des biens ou services. Ces derniers leur sont proposés par des **producteurs** appartenant au secteur **privé** ou au secteur **public**.
- Les producteurs sont principalement des entreprises, mais aussi des administrations et des associations.

2 Que produire, et avec quelles ressources ?

- Tout producteur doit déterminer quels biens il produit, en quelle quantité, et à quel prix il les vendra.
- Pour décider, le producteur compare les coûts et bénéfices des choix alternatifs. Il considère notamment le **coût** des **ressources** (les **facteurs de production**) et leur **disponibilité**.
- On distingue usuellement trois facteurs de production : le **travail**, qui est l'activité humaine qui contribue à la production ; le **capital**, qui est l'ensemble des biens et moyens techniques qui permettent de produire ; et la **terre**, qui rassemble les ressources naturelles servant de matières premières ou fournissant de l'énergie, et transformées pour produire.

3 Comment le producteur maximise-t-il son profit ?

- L'utilité du producteur, c'est le **profit**. Tout producteur va donc chercher à tirer le profit maximal de son activité.
- Tant que le coût de la dernière unité produite (**coût marginal**) est inférieur à la recette associée (**recette marginale**), le producteur a intérêt à continuer de produire, car son profit augmentera. C'est ce qu'on appelle un **raisonnement à la marge**.
- Le profit du producteur est donc maximal quand le coût marginal d'une unité supplémentaire est égal à la recette marginale.

CULTURE+

Le **marginalisme** stipule que l'utilité marginale d'un bien en donne la valeur économique. Autrement dit, la valeur d'un bien est d'autant plus forte que son utilité marginale est grande. Cette théorie a été développée de façon indépendante dans la seconde moitié du XIXe siècle par le Français L. Walras (ci-contre), l'Autrichien C. Menger et le Britannique W.S. Jevons. L'économie néoclassique, une école de pensée économique libérale moderne, est l'héritière du marginalisme.

POUR RETENIR AUTREMENT

1 Qu'est-ce que la production en économie ?

La production est effectuée

- par des producteurs divers (entreprises ...., administrations et associations).
- appartenant aux secteurs public................ ou privé.................

Pour cela, les producteurs se servent de différents **facteurs de production** :

........Travail........	........Capital........	........Terre........
Activité humaine de production	Biens et moyens techniques employés	Ressources naturelles transformées pour produire

2 Que produire, et avec quelles ressources ?

Le producteur

- Compare les coûts et bénéfices des choix alternatifs pour déterminer quels biens................ produire et en quelle quantité..............
- Effectue son choix selon le prix............ du bien vendu, la disponibilité des ressources.......... dont il a besoin et leur prix..............

Le producteur est un agent rationnel............ qui cherche à maximiser.......... son profit.

Recette = quantité vendue × prix de vente

Profit = recette – coûts

3 Comment le producteur maximise-t-il son profit ?

Raisonnement à la marge :

Le producteur cherche à atteindre l'optimum........... de production. Pour cela, il calcule la quantité à produire pour que la recette marginale.............. soit égale au coût marginal...................

Recette marginale = recette totale – recette totale pour l'unité précédente

Coût marginal = coût total – coût total pour l'unité précédente

OBJECTIF BAC

3 Comprendre les consignes (3)

Parlons du troisième niveau de compétence attendu lorsque vous répondez à des questions en économie : « l'application ».

1 « L'application » : de quoi parle-t-on ?

Caractéristiques	Réinvestir des méthodes, des concepts et des théories dans de nouvelles situations. Résoudre des problèmes en mobilisant les compétences et connaissances requises.
Capacités	Sélectionner et transférer des données pour réaliser une tâche ou résoudre un problème.
Habiletés requises	Compréhension.
Verbes d'action	Appliquer – Adapter – Résoudre.

2 À chaque verbe sa réponse !

Associez chaque verbe au type de réponse attendue.

Adapter	Ma réponse va fournir une solution à un problème ou à une question.
Appliquer	Ma réponse va ajuster un concept ou une théorie à une situation différente.
Résoudre	Ma réponse va mettre en pratique, sur un cas concret, ce qui a été défini de façon générale.

3 En situation

M. Martin dirige une entreprise qui fabrique des pizzas. Il se demande combien de pizzas il va devoir fabriquer pour obtenir le bénéfice le plus élevé. Il vous a communiqué des données chiffrées concernant son activité, dont le coût total de fabrication en fonction du nombre de pizzas fabriquées. Par ailleurs, vous avez à disposition la recette totale pour chaque unité vendue.

Résolvez le problème de M. Martin en lui présentant le raisonnement à suivre.

Pour maximiser le bénéfice de M. Martin, il faut trouver la quantité de pizzas pour laquelle le coût marginal est égal à la recette marginale. Dès que le coût marginal sera supérieur à la recette marginale, M. Martin n'aura plus intérêt à produire, car cela affecterait négativement son bénéfice.

4

CAPACITÉS

- Expliquer la spécialisation des producteurs et des pays
- Construire un circuit économique élémentaire
- Définir les différentes fonctions de la monnaie

NOTIONS

- La spécialisation des producteurs et des pays, les échanges
- Les différentes fonctions de la monnaie
- Circuit économique élémentaire

Les échanges économiques à la loupe

VIDÉO
hachette-clic.fr/22eco021
L'économie du football (3'33)

LES CHIFFRES-CLÉS DE L'ÉCONOMIE DU FOOTBALL

Regardez la vidéo sur l'économie du football et reliez chaque nombre à sa signification.

748 millions	Salaire mensuel de Kylian Mbappé
30 %	Part des recettes des clubs provenant du sponsoring et marketing
1,1 milliard	Montant en euros des droits par saison en Ligue 1
60 %	Nombre de téléspectateurs de la finale de la Coupe du monde 2002
2,25 millions	Part des recettes des clubs provenant des droits TV

SITUATION

Carolane et Aurelia, originaires de Troyes, soutiennent le club de foot de leur ville, l'Estac (Espérance sportive Troyes Aube Champagne). Les deux copines espèrent beaucoup de la nouvelle saison de Ligue 1, car le club a récemment été racheté par le City Football Group, propriétaire notamment de Manchester City, club de foot anglais. Quelle place occupera l'Estac en championnat ? L'argent apporté par le nouvel investisseur propulsera-t-il le club dans une autre dimension ?

1 Comment s'effectuent les échanges entre les producteurs ?

C'est le premier match de la saison (l'Estac face au PSG) ! Carolane et Aurelia rejoignent un couple de supporters, Anthony et Sama, au stade. Ils discutent ensemble de la place que l'Estac pourrait occuper dans le Championnat de France cette année. Concurrencer le PSG semble difficile. Pour autant, s'appuyer sur de jeunes talents pourrait s'avérer payant…

A La spécialisation des pays et des producteurs

DOC 1 À chacun ses activités !

Très tôt, les pays comme les producteurs se sont spécialisés dans certains types de production. En effet, les pays ne peuvent subvenir à tous leurs besoins et être autosuffisants. Dès lors, ils ont intérêt à se spécialiser dans les activités où ils possèdent des avantages (main d'œuvre qualifiée, capacité à produire rapidement, etc.) ou des coûts d'opportunité moindres.

Ils doivent alors échanger avec d'autres pays les biens et les services qu'ils ne produisent pas. Par exemple, produire des bananes en Norvège serait très coûteux, car le climat n'y est pas approprié : il lui faut donc les acheter à d'autres pays. En revanche, grâce à 21 000 kilomètres de côtes, la Norvège exporte de nombreux saumons d'élevage.

Les auteurs

DOC 2 L'origine des joueurs de foot professionnels expatriés à travers le monde

Pays	Nombre
Brésil	1287
France	946
Argentine	780
Angleterre	494
Allemagne	442
Serbie	440
Espagne	432
Nigéria	394
Colombie	379
Croatie	375

Observatoire du football CIES, mai 2021

DOC 3 Pourquoi la France a-t-elle les meilleurs jeunes joueurs du monde ?

Terre d'immigration, la France pioche dans un vivier d'une richesse et d'une variété incomparables. Le système de détection et de formation laisse aussi peu de place au hasard. « *Mais ce qui fait la différence, c'est la qualité du diplôme des formateurs français* », explique Landry Chauvin, ancien directeur du centre de formation du Stade Rennais.

Reste un dernier atout : la Ligue 1 et son modèle économique. Pour survivre, la majorité des clubs français, moins dotés financièrement que leurs homologues anglais ou espagnols, ont fait du *trading* de jeunes joueurs leur principale source de revenus. Il leur faut donc former et exposer leurs meilleurs éléments très tôt pour en tirer le meilleur prix possible. « *Le joueur français bénéficie d'un contexte favorable, les clubs étant obligés de les faire jouer* », remarque Landry Chauvin.

D'après M. Mosnier pour *Eurosport*, mai 2020

1 Interprétez la signification du nombre « 946 » entouré dans le ▶ Doc. 2.

Parmi tous les joueurs de foot évoluant dans un championnat autre que celui de leur pays d'origine, on retrouve 946 joueurs français expatriés. La France est ainsi au deuxième rang mondial pour l'expatriation de ses joueurs après le Brésil.

2 Illustrez la notion de spécialisation grâce à l'exemple du foot français.

Le foot français est spécialisé dans la formation des joueurs. Les clubs français s'assurent ainsi d'avoir des joueurs compétitifs et d'engranger de futurs revenus grâce aux transferts de leurs jeunes joueurs vers des clubs étrangers, souvent plus riches. Cela s'explique notamment par la variété de profils des joueurs, et la qualité des entraîneurs et de la formation.

Pour l'anniversaire de Carolane, ses amis lui ont offert le nouveau maillot de l'Estac. Carolane adore cette tunique, la Third, de l'équipementier français Le Coq sportif. Si Carolane savait le périple qu'a connu ce maillot avant d'arriver entre ses mains…

B L'exemple du commerce international

DOC 4 Le long périple du maillot de l'Estac

Le design des maillots est d'abord pensé et prototypé à l'usine historique du Coq sportif basée à Romilly-sur-Seine, à 38 kilomètres du stade de l'Aube, le stade de l'Estac, à Troyes.
Le coton nécessaire à la fabrication des maillots provient principalement d'Égypte. Ce coton est tricoté chez Aube Tricotage à Sainte-Savine, ville distante de 10 kilomètres du stade de l'Aube. Puis les grands rouleaux de tissu ainsi confectionnés sont teintés chez France Teinture (une des dernières teintureries de France) à Troyes, à 3 kilomètres du stade. Les maillots sont ensuite confectionnés au Maroc chez un sous-traitant, pour être enfin vendus dans la boutique officielle du club, au stade, ou chez les distributeurs partenaires.

Les auteurs

NOTION

• Le **commerce international** correspond à l'ensemble des échanges de biens et de services marchands opérés entre des agents économiques (entreprises, États, ménages) de pays différents.

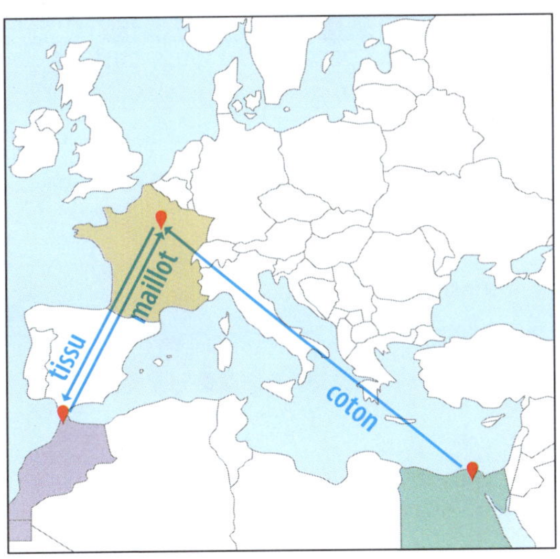

3 Justifiez l'intérêt, pour le Coq sportif, d'avoir recours au commerce international. ▶ Doc. 4

Ce choix permet un échange de produits peu ou pas disponibles sur le territoire métropolitain : l'Égypte est historiquement un pays producteur de coton. De même, le choix du Maroc pour la confection des maillots permet d'accéder à une main d'œuvre moins chère.

4 Illustrez la notion de commerce international en schématisant sur la carte ci-contre le parcours de fabrication d'un maillot de l'Estac.

Bilan

Montrez que le commerce international est une réponse à la spécialisation des producteurs à travers l'exemple du maillot de l'Estac.

L'exemple du maillot de l'Estac montre que chaque pays intervenant dans le processus de fabrication s'est spécialisé : la France dans les activités de services à haute valeur ajoutée, comme le design des maillots ; l'Égypte dans la production agricole par une main d'œuvre nombreuse et peu coûteuse, comme la production de coton ; le Maroc dans l'industrie textile grâce à son savoir-faire, en confectionnant les maillots.

Vers la synthèse
JE ME TESTE
hachette-clic.fr/22eco022
Je révise l'essentiel p. 64-65

2 Où et comment s'effectuent les échanges économiques ?

Les périodes de *mercato* (« marché » en italien) sont l'occasion pour les clubs de réaliser des transferts. Carolane se demande bien à quoi correspond ce marché ! Elle imagine que les joueurs sont présentés à des clubs dans une grande salle de vente aux enchères.

A Le marché, un lieu d'échanges

NOTION

• En économie, un **marché** est le lieu de rencontre, réel ou fictif, entre une offre (faite par les vendeurs) et une demande (émanant des acheteurs). Par la loi de l'offre et de la demande, cette rencontre aboutit à la fixation d'un prix d'équilibre et d'une quantité d'équilibre. Après accord sur un **prix de vente** entre le vendeur et l'acheteur, ces derniers échangeront une quantité donnée.

DOC 5 L'explosion du prix des joueurs sur le marché des transferts

Des prix à trois chiffres devenus presque la norme, des tarifs qui semblent énormes pour de mauvais joueurs… Les sommes qui circulent dans le milieu du ballon rond ont explosé depuis quelques années. À tel point que les sommes semblent indécentes du point de vue même du joueur !

BFM avec *RMC Sport* et Statista, 2018

Valeur totale des joueurs des ligues de football
(milliard d'euros)

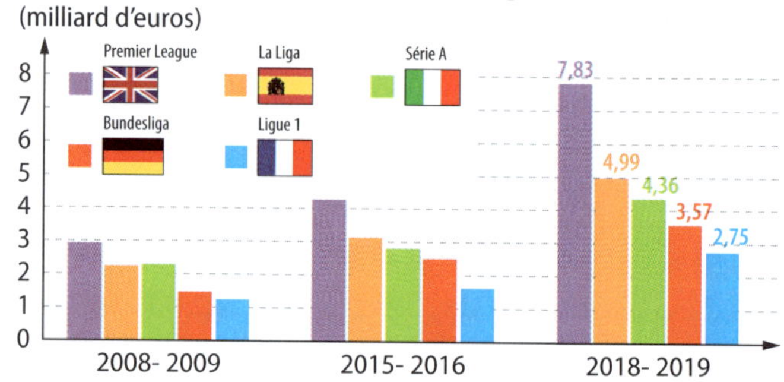

1 Synthétisez la définition du marché donnée dans ▶ **Notion** en complétant le schéma ci-dessous avec les termes suivants : *offre/demande/marché/prix de vente*.

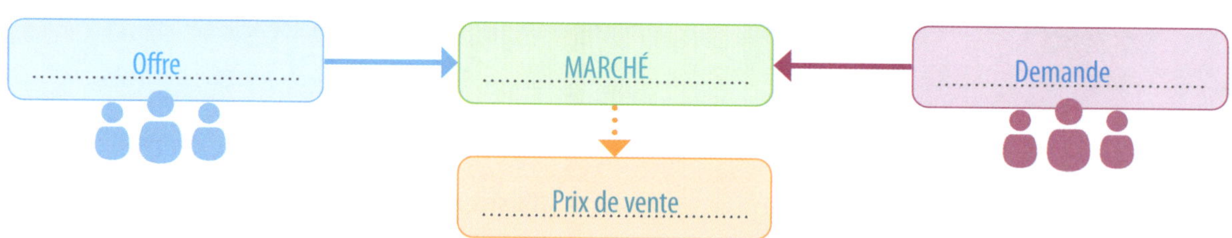

2 Donnez un exemple de marché réel et un exemple de marché fictif issus de votre quotidien.

Marché réel : une boutique de prêt-à-porter, une boulangerie, un snack. Marché fictif : e-commerce (Amazon, eBay…).

3 À l'aide de la vidéo proposée, expliquez pourquoi les clubs sont en mesure de dépenser de plus en plus d'argent sur le marché des transferts. ▶ **Doc. 5**

Du fait de l'arrivée d'investisseurs étrangers, de la mondialisation du foot, de l'augmentation des droits TV et de sponsors de plus en plus nombreux, les clubs reçoivent plus de recettes, et n'hésitent plus à dépenser beaucoup sur le marché des transferts pour acheter des joueurs.

VIDÉO
hachette-clic.fr/22eco023
Transfert « indécent » de Mbappé (2'33)

4 Décrivez l'impact de ce phénomène sur le marché des transferts de joueurs, en termes d'offre et de demande. Quel est l'effet produit sur le prix d'équilibre ? ▶ **Doc. 5**

Les offreurs sont en position de force sur le marché des transferts : les clubs disposent de plus d'argent et le nombre de joueurs est resté stable. Ainsi, les offreurs peuvent faire jouer la concurrence entre demandeurs, ce qui tire le prix vers le haut.

B La modélisation des échanges

DOC 6 Présentation du circuit économique

Suivez le circuit, parfois inattendu, de l'argent dépensé par mademoiselle Rose pour l'achat d'une boîte de petits pois dans un supermarché : depuis l'entreprise de mise en conserve à l'État en passant par les salariés, les banques, les actionnaires, d'autres commerçants, etc.

VIDÉO
hachette-clic.fr/22eco024
Le circuit économique
(4'46)

DOC 7 Un exemple de circuit économique

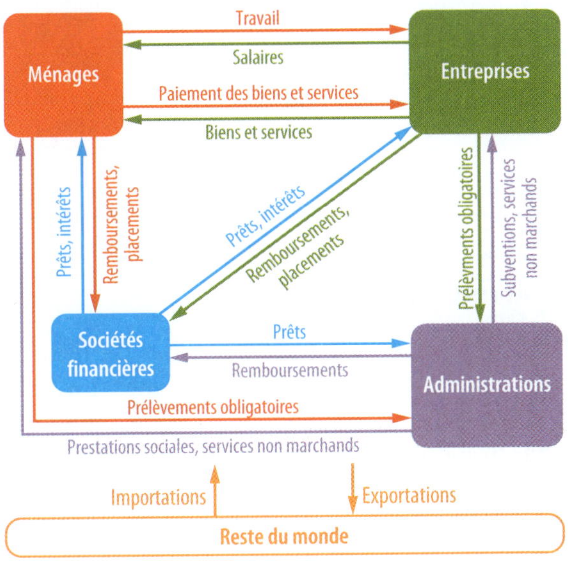

DOC 8 Les flux dans le circuit économique

Dans une relation d'échange en économie, des contreparties sont offertes à chaque agent : le boulanger m'échangera un croissant au beurre seulement contre le paiement du prix de ce croissant, et je n'accepterai de le payer que s'il me le donne une fois le paiement effectué. Cet échange donne naissance à deux types de flux : un **flux réel** correspondant au bien ou au service échangé (ici le croissant), et un **flux monétaire**, en argent (ici, le paiement du prix du croissant).

Les auteurs

5 **Listez les trois temps du circuit économique présentés dans la vidéo.** ▶ Doc. 6

1. La dépense (l'acte d'achat) ; 2. La production (l'alimentation du circuit en biens et services) ; 3. La distribution (la répartition des richesses entre les agents économiques).

6 **Pourquoi les échanges entre agents vont-ils dans les deux sens sur le circuit du** ▶ Doc. 7 **?**

Les échanges entre agents économiques font nécessairement apparaître des contreparties pour chacun : l'accès à un bien, à un service, à une force de travail, nécessite son paiement. Cela explique la réciprocité des flux entre agents.

7 **Quel est l'intérêt de construire un circuit économique ?** ▶ Doc. 7 et 8

Cette représentation de l'activité économique met en évidence l'interdépendance des agents économiques, à travers l'étude des échanges de flux réalisés lors de leur activité économique.

Bilan

Un joueur est transféré entre l'Estac et un autre club de foot. Complétez la représentation schématique du circuit économique correspondant en traçant les flux réels (en traits pleins) et les flux monétaires (en pointillés).

Vers la synthèse
JE ME TESTE
hachette-clic.fr/22eco025
Je révise l'essentiel p. 64-65

3 À quoi sert la monnaie ?

Les clubs pratiquent de plus en plus l'échange de joueurs. À l'été 2020, par exemple, Arthur Melo et Miralem Pjanic sont passés du FC Barcelone à la Juventus de Turin et vice versa. Ce « troc » est cependant plus complexe à appréhender comptablement qu'un échange d'argent…

A Les formes de la monnaie

DOC 9 La monnaie, une histoire vieille comme le monde

L'aventure de la monnaie est aussi vieille que celle du commerce. Son histoire n'est pas dissociable de l'évolution des pratiques des agents économiques, comme celles de ses formes concrètes.

chaîne YouTube Coursitout

VIDÉO
hachette-clic.fr/22eco026
L'histoire de la monnaie
(6 min)

DOC 10 Une monnaie marchandise

Le cauri a longtemps coexisté avec d'autres formes de devises à travers l'Afrique de l'Ouest. Ce coquillage facile à manipuler servait aussi bien à de petits et de grands paiements.

DOC 11 Une monnaie métallique

Durable, malléable, recherché par de nombreux peuples, le métal montre rapidement ses avantages pour servir aux échanges. Les plus anciennes pièces, faites d'or et d'argent, ont été retrouvées en Turquie, et datent d'environ 650 ans avant notre ère. Leur valeur se définit par le poids de métal.

DOC 12 La « monnaie unique » au sein de la zone euro

En usage sous forme scripturale dès le 1er janvier 1999, l'euro est mis en circulation le 1er janvier 2002 sous forme fiduciaire. L'euro est géré par la Banque centrale européenne (BCE).

VIDÉO
hachette-clic.fr/22eco027
Monnaie fiduciaire – monnaie scripturale
(1 min)

1 **Quels sont les inconvénients des monnaies marchandises et des monnaies métalliques ?** ▶ Doc. 9 à 11

Les monnaies marchandises risquent d'être périssables, et ne sont pas acceptées partout (elles n'ont pas la même valeur selon la région). Leur transport s'avère difficile pour les paiements conséquents. Les monnaies métalliques sont plus facilement divisibles, plus rares et mieux acceptées, mais le cours du métal fluctue selon les découvertes de nouveaux filons.

2 **Définissez monnaie fiduciaire et monnaie scripturale à l'aide de la vidéo proposée.** ▶ Doc. 12

Monnaie fiduciaire	Monnaie scripturale
Monnaie émise par une institution en qui les agents ont confiance, permettant son utilisation : pièces (ou monnaie divisionnaire) et billets.	Monnaie stockée sous forme d'écritures dans les livres de compte des banques. Forme dématérialisée de la monnaie qui circule grâce aux chèques, CB, virements.

3 **Vous achetez l'album de votre artiste préféré, qui coûte 20 euros. Réglez-vous avec la même monnaie, selon que vous l'achetez en boutique avec un billet, ou sur Internet grâce à votre carte bancaire ?** ▶ Doc. 12

En boutique, il s'agit d'une monnaie fiduciaire : vous remettez au caissier un billet émis par la BCE, autorité de régulation de la monnaie au sein de la zone euro, et accepté par tous les agents économiques. Sur Internet, il s'agit d'une monnaie scripturale : l'achat s'effectue par un simple jeu d'écriture entre votre compte bancaire et celui du site marchand.

B Les fonctions de la monnaie

DOC 13 Les trois fonctions de la monnaie

Unité de compte → Elle permet d'exprimer la valeur de tous les biens et services dans une unité commune, et facilite de ce fait les comparaisons et les calculs économiques.

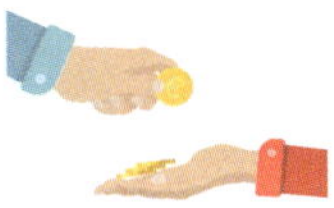

Intermédiaire des échanges → En tant que moyen de règlement, elle facilite les échanges en intervenant comme un bien intermédiaire admis partout et par tous.

Réserve de valeur → La monnaie peut être conservée en vue d'une utilisation ultérieure (épargne).

DOC 14 La monnaie dans l'univers du foot !

1 La valeur des joueurs de foot

Début 2022, l'observatoire du football CIES estime la valeur de transfert de Erling Haalang entre 120 et 150 millions d'euros, et celle de Kylian Mbappé entre 70 et 90 millions d'euros.

2 Un transfert coûteux !

En 2017, le PSG a obtenu le transfert de Neymar pour un coût de 222 millions d'euros… soit le prix de 10 Canadair (un avion employé pour éteindre les feux de forêt), ou 10 099 années de revenus d'un salarié au SMIC.

3 Le club Bayern Munich, un modèle de gestion

Le dirigeant du club, Karl-Heinz Rummenigge, a révélé, jeudi, que le Bayern Munich avait remboursé la totalité du financement de son stade Allianz Arena, près de seize ans avant l'échéance. Il a également indiqué que « *les revenus générés à l'avenir par l'Allianz Arena pourront aussi servir à renforcer la qualité de l'effectif* ».

L'Équipe, 21 novembre 2014

4 **Identifiez la fonction de la monnaie qui est illustrée dans chacun des trois exemples du ▶ Doc. 14.**

- Réserve de valeur • — • Exemple 3
- Unité de compte • — • Exemple 2
- Intermédiaire des échanges • — • Exemple 1

Bilan

Expliquez les avantages de la monnaie vis-à-vis du troc en vous appuyant sur un exemple.

Si je souhaite troquer un jeu vidéo contre une collection complète de mangas, il faudra trouver un agent intéressé. De plus, il faudra se mettre d'accord sur les termes de l'échange : la collection complète vaut probablement plus qu'un seul jeu vidéo. L'échange est donc difficile à mettre en place. Grâce à la monnaie, il n'y a plus besoin de trouver une personne avec qui faire coïncider nos besoins ! La monnaie est un intermédiaire accepté par toutes les parties, qui permet de comparer les prix entre eux et donne donc une valeur commune.

Vers la synthèse
JE ME TESTE
hachette-clic.fr/22eco028
Je révise l'essentiel p. 64-65

À moi de jouer

1 Jouez avec *Kyushi* !

Quiz interactifs pour réviser en classe !

hachette-clic.fr/kyushi

2 Testez vos connaissances avec ces mots croisés

En compétition avec un(e) de vos camarades, remplissez la grille dans le temps imparti par votre professeur(e) à l'aide des indices donnés ci-après. Une bonne réponse = un point. Celui ou celle de vous deux qui a le plus de points remporte le challenge !

Horizontalement

2 Le seul vrai Olympique, celui de…

4 Agent économique qui a besoin d'un bien ou d'un service.

8 Processus par lequel un pays/un producteur n'effectue que les activités dans lesquelles il dispose d'un avantage.

11 Monnaie se transmettant sous forme d'écriture entre comptes bancaires.

Verticalement

1 Représentation schématique de l'économie sous forme de flux.

3 Qualifie le commerce lorsqu'il s'effectue à l'échelle mondiale.

5 Flux représentant le versement d'argent d'un agent vers un autre.

6 Situation où l'on subvient à ses propres besoins.

7 Qualifie une monnaie tirant son nom de la « confiance ».

9 Fonction de la monnaie lorsqu'elle permet l'échange.

10 Lieu de rencontre entre l'offre et la demande.

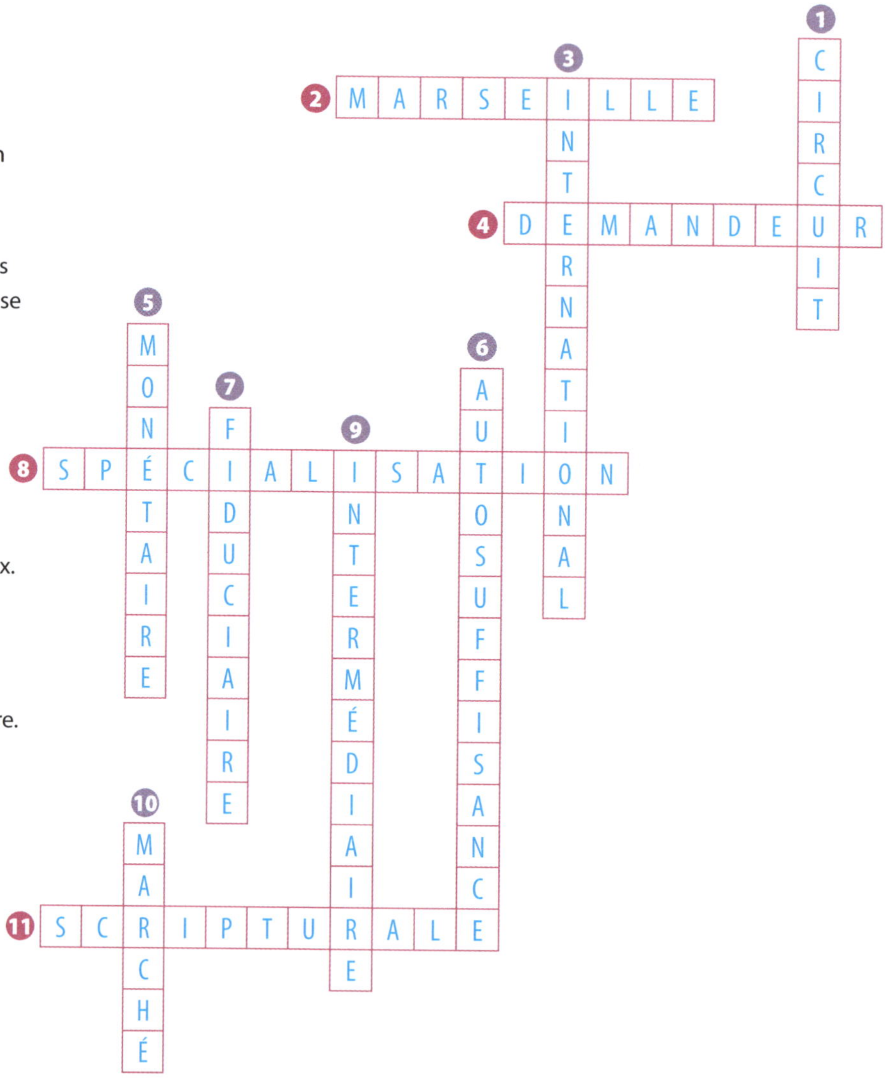

3 Construire un circuit économique

Fermez les yeux et projetez-vous : vous êtes à la tête d'une entreprise florissante d'accessoires innovants pour la pratique du football. Votre entreprise a vendu pour 27 millions d'euros de produits aux ménages, a exporté pour 3 millions d'euros et a importé pour le même montant. Vous avez versé 15 millions d'euros de salaires aux ménages et 6 millions d'euros de prélèvements obligatoires à l'État. Enfin, vous avez placé 1 million d'euros en banque, qui vous a versé 200 000 euros sur une épargne déjà placée.

Dessinez le circuit économique de cette situation en représentant les différents agents économiques et les flux échangés.

4 Comprendre la spécialisation des producteurs

En septembre 2020, l'Estac (club de Ligue 1 basé à Troyes) a été racheté par le City Football Group, déjà propriétaire de Manchester City.

- **Grâce à une recherche sur Internet, rédigez un texte expliquant les raisons qui ont poussé le City Football Group à racheter l'Estac. Vous emploierez nécessairement le terme de spécialisation et décrirez les échanges économiques impliqués.**
- **Vous présenterez ensuite le résultat de votre travail à la classe, sous la forme de votre choix (reportage vidéo, conférence de presse, etc.).**

5 Définir les différentes fonctions de la monnaie

La cryptomonnaie dans le football

Le Paris Saint-Germain propose depuis le 28 janvier 2020 à ses 78 millions de suiveurs sur les réseaux sociaux d'acheter en ligne sa monnaie virtuelle sous forme de jetons. Estampillés « $PSG » (« dollar PSG »), ces « *tokens* » leur offrent le droit de prendre part à certaines décisions du club.
Vingt millions de jetons à deux euros l'unité sont mis sur le marché pour les fans. L'accord entre le PSG et Socios.com porte sur cinq ans, et rapportera 2,5 millions d'euros par an au club.

L'Équipe, 2020

L'exemple du bitcoin

Le bitcoin, créé en 2009, est la plus connue des cryptomonnaies. Les achats de biens en bitcoins restent néanmoins limités en raison de la spéculation actuelle.

VIDÉO
hachette-clic.fr/22eco029
Le bitcoin est-il une monnaie comme les autres ? (3 min)

1. **Justifiez l'utilisation de cryptomonnaies dans le football, et montrez-en les limites.**
2. **À l'aide d'une recherche sur Internet, montrez qu'il existe encore des risques à utiliser des cryptomonnaies.**
3. **À partir de l'exemple du bitcoin, dites si ces monnaies sont équivalentes à des monnaies comme l'euro, en justifiant votre réponse.**

6 Expliquer la spécialisation des pays

Deux pays imaginaires, la Syldavie et le Kalistan, produisent des livres et des jouets. Chaque mois, ils arrivent à produire ces biens selon des proportions données dans le tableau ci-contre. Les Syldaves, habiles artisans, sont capables de fabriquer quatre jouets dans le même temps qu'ils produisent trois livres. Grâce à leur industrie papetière de pointe, les Kalistanais mettent autant de temps à produire deux livres qu'un jouet.

	Production mensuelle	
Pays	Livres 	Jouets 
Syldavie	150	200
Kalistan	500	250

1. **Quel pays possède un avantage comparatif dans la production de jouets ? Même question pour la production de livres.**
2. **Calculez le nombre des deux types de bien qui seraient fabriqués chaque mois si les deux pays se spécialisaient dans la production pour laquelle ils ont un avantage comparatif.**
3. **Comparez le nombre total de produits fabriqués avant et après spécialisation. Qu'en concluez-vous ?**

L'essentiel

JE RÉVISE

hachette-clic.fr/22eco030

- Le podcast du cours
- La synthèse en 1 clic
- Je manipule les notions

NOTIONS

- **Circuit économique :** représentation schématique de l'économie qui décrit les échanges de flux, réels et monétaires, entre les agents économiques.
- **Flux économiques :** représentation des mouvements de biens et de services et des mouvements de monnaies dans un circuit économique.
- **Marché :** lieu réel ou fictif de rencontre entre un offreur et un demandeur.
- **Monnaie :** moyen de paiement dont disposent les agents économiques pour acquérir un bien ou un service.
- **Spécialisation des producteurs :** tendance pour les pays et pour les producteurs à produire seulement les biens et les services pour lesquels ils disposent d'un avantage relatif.

COURS

1 Comment s'effectuent les échanges entre les producteurs ?

- Les pays et les producteurs **se spécialisent** généralement dans les productions pour lesquelles ils ont les meilleures compétences ou des coûts d'opportunité moindres.
- Les pays et les producteurs ont donc recours à des **échanges** pour acquérir les biens et services non produits.
- Les échanges entre pays/producteurs s'effectuent dans le cadre d'un **marché**. La rencontre entre l'offre et la demande y détermine les prix d'échange.

2 Où et comment s'effectuent les échanges économiques ?

- Dans un système économique, les agents opèrent des échanges réciproques et multiples entre eux, matérialisés par des **flux** en argent (monétaires) ou physiques (réels).
- Pour représenter de façon schématique et synthétique ce système, on construit un **circuit économique** en positionnant les agents et les flux qui les relient.

3 À quoi sert la monnaie ?

- La **monnaie** (sous de nombreuses formes) constitue un instrument essentiel de l'activité économique.
- La monnaie sert à la fois d'intermédiaire des échanges et de réserve de valeur. Elle sert également d'unité de compte en permettant d'estimer la valeur d'un bien ou d'un service et de la comparer avec celle d'autres produits.

CHIFFRES clés

- **15 %** Il s'agit de la part que représente la monnaie fiduciaire (pièces et billets) dans la masse monétaire totale.
- **1 434 milliards d'euros** Il s'agit de la valeur totale des billets en circulation dans la zone euro au 31 décembre 2020 (30,4 milliards d'euros pour les pièces).
- **1re !** C'est la place qu'occupe la France dans le classement mondial pour le tourisme, l'exportation de vin en valeur, le luxe, et… l'exportation de joueurs de foot dans les grands championnats européens !

CULTURE+

Le concept d'avantage comparatif

Selon David Ricardo (1772–1823), un pays ou un producteur a intérêt à se spécialiser dans l'activité dans laquelle il dispose d'un avantage (ou un désavantage moindre) comparativement à d'autres activités qu'il pourrait produire ou comparativement à d'autres producteurs au sein de la même activité. David Ricardo était partisan du **libre-échange**.

POUR RETENIR AUTREMENT

1 Comment s'effectuent les échanges entre les producteurs ?

Les producteurs se spécialisent…

… dans la ou les activités dans lesquelles ils disposent d'un avantage comparatif.

… ce qui rend ensuite nécessaires des échanges entre les producteurs.

Exemple

Le **commerce international** se justifie par :

- Une autosuffisance impossible des pays et des producteurs ;
- Une spécialisation de tous les acteurs rendant les échanges nécessaires.

2 Où et comment s'effectuent les échanges économiques ?

OÙ ?

Sur un **marché**

Lieu réel ou fictif d'échanges entre offreurs et demandeurs

COMMENT ?

Via un **circuit économique**

- Échanges de flux **réels**
- Échanges de flux **monétaires**

3 À quoi sert la monnaie ?

Les formes de la monnaie au XXIe siècle

- Monnaie fiduciaire (billets et pièces)
- Monnaie scripturale (écriture sur les comptes bancaires)

Les fonctions de la monnaie

1. Unité de compte
Elle donne une valeur commune et permet les comparaisons.

2. Intermédiaire des échanges
Elle facilite l'échange en gommant les limites du troc.

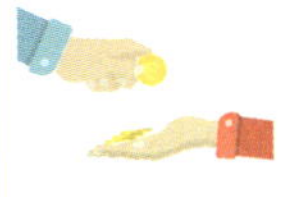

3. Réserve de valeur
Elle peut être utilisée plus tard.

OBJECTIF BAC

4 Comprendre les consignes (4)

Parlons du quatrième niveau de compétence attendu lorsque vous répondez à des questions en économie : « l'analyse ».

1 « L'analyse » : de quoi parle-t-on ?

Caractéristiques	Mettre en relation des faits avec un énoncé/une question. Synthétiser des idées en une réponse structurée, un plan. Estimer et critiquer en fonction de critères prédéfinis.
Capacités	Distinguer, classer et mettre en relation des faits dans une réponse structurée, avec ou sans plan, de manière à démontrer ou évaluer.
Habiletés requises	Connaissance – Compréhension – Application.
Verbes d'action	Comparer – Analyser – Distinguer – Interpréter – etc. Concevoir – Construire – Proposer – Développer – etc. Justifier – Apprécier – Évaluer – Argumenter – etc.

2 À chaque verbe sa réponse !

Associez chaque verbe au type de réponse attendue.

- Interpréter
- Justifier
- Comparer
- Évaluer

- Ma réponse va donner des arguments pour prouver pourquoi ce que j'avance se vérifie, est juste.
- Ma réponse va confronter des éléments pour en faire ressortir les ressemblances et/ou les différences.
- Ma réponse va déterminer approximativement l'importance de quelque chose.
- Ma réponse va rendre des faits, un nombre, etc., compréhensibles en les expliquant, en les commentant.

3 En situation

Le bitcoin sert de plus en plus souvent à acheter des produits ; certains en achètent même en guise d'épargne. Pour autant, le prix des biens payés en bitcoin varie très rapidement en fonction de la date et de l'heure des achats réalisés. De plus, les États ne garantissent ni son cours ni sa circulation. D'autant plus que les commerces qui l'acceptent restent rares, du fait d'un manque de confiance.

Adapté de *France Culture*, « Le bitcoin est-il une monnaie ? », émission du 17/12/2021 par Tiphaine de Rocquigny

Justifiez le fait que le bitcoin n'est pas une monnaie en faisant appel à vos connaissances.

Pour être une monnaie, le bitcoin doit remplir trois fonctions : servir d'intermédiaire aux échanges, être une unité de compte, et être une réserve de valeur. Même si le bitcoin remplit les trois fonctions, sa volatilité rend la fonction d'unité de compte incertaine, ainsi que celle de réserve de valeur. De plus, la non-garantie par l'État diminue la confiance en cette « monnaie », ce qui rend difficile la fonction d'intermédiation des échanges.

JE SAIS : | OUI ✓ | NON ✗
- **identifier** les acteurs économiques et leurs fonctions. ☐ ☐
- **décrire** les choix économiques à l'aide des concepts et principes fondamentaux du raisonnement économique pour décrire des choix économiques. ☐ ☐

Les choix de consommation des ménages et des entreprises

VOTRE MISSION

1. Montrez que le carburant est une ressource rare.
2. Listez les différents agents économiques présents dans les annexes.
3. Expliquez les choix des ménages et des entreprises face à la hausse des prix du carburant.
4. Rédigez une argumentation qui vous permettra de répondre à la question suivante :
Peut-on dire que la hausse du prix de l'énergie influence les choix des agents économiques ?

Objectif BAC ❶ à ❹ Comprendre les consignes p. 30, 42, 54, 66

Objectif BAC ❿ Analyser un graphique p. 154

Objectif BAC ⓬ Analyser un sujet d'argumentation p. 184

Objectif BAC ⓭ Structurer son argumentation p. 194

ANNEXE 1 Évolution du prix des carburants en France de 2018 à 2022

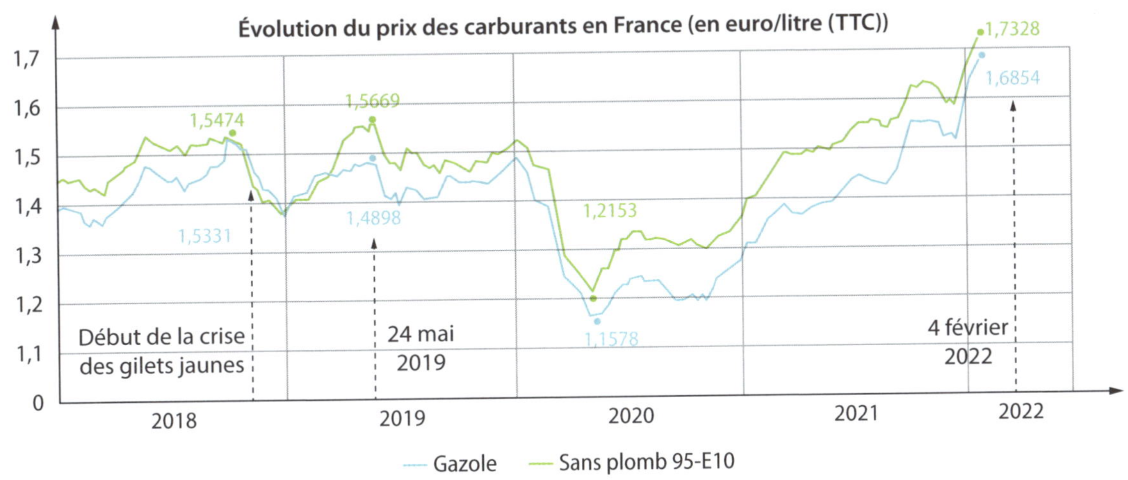

Le Parisien, 2022

ANNEXE 2 Qu'est-ce que la hausse du prix des carburants a changé ?

Pour les usagers quotidiens de la voiture, la hausse des prix du carburant a durement impacté leur porte-monnaie. En effet, une étude de décembre 2021 de l'INSEE révélait que le budget mensuel lié à la consommation d'énergie (carburant, gaz, électricité) avait augmenté de 30 euros en moyenne.

Pour les conducteurs dont la voiture est le moyen de transport principal, cette augmentation est plus difficile à supporter. Une jeune puéricultrice, travaillant à 40 minutes de son domicile, nous confie que son budget essence a dépassé les 250 € par mois (+ 60 euros).

Aussi, avec la hausse des prix du carburant, le recours aux transports en commun est devenu une évidence afin de limiter la casse. « *Je prends à nouveau le bus pour aller au boulot* », déclare un manager chez Carrefour. En voiture, 5 minutes lui suffisent pour se rendre à son travail contre 25 minutes à pied et en bus.

L'augmentation de l'essence et du diesel entraîne d'autres « sacrifices ». Ainsi, certaines familles ont renoncé aux vacances dans leur famille ou ont déjà renoncé à rendre visite à un parent ou des amis. Certaines personnes habitant à moins de 30 minutes de la mer ont même fait une croix sur leur balade dominicale.

Lelynx.fr, 2022

ANNEXE 3 Les conséquences de la hausse du prix de l'énergie sur les entreprises

Les coûts de production des industriels augmentent très vite partout dans le monde alors qu'ils avaient peu reculé en 2020. En France, la hausse atteint 10 %. En cause : l'augmentation du prix du pétrole, des métaux, de l'électricité, du transport maritime (forte demande et prix du carburant en hausse) et des divers composants, qu'il est difficile de se procurer aujourd'hui.

Guillaume de Calignon, Les Échos, 25/10/2021

Un exemple avec l'entreprise vendéenne La Mie Câline, qui a son siège social à Saint-Jean-de-Monts (Vendée). Sur place, il y a aussi un site de production. La principale énergie utilisée est l'électricité : 13 millions de kilowattheures par an, l'équivalent de la consommation annuelle d'une ville de 4 000 habitants. Le coût est d'environ un million d'euros pour l'entreprise.

« *On prévoit une hausse de 25 %*, annonce Sébastien Longépé, le directeur industriel. *On a fait nos budgets et on augmente nos tarifs de 3 % vis-à-vis de nos franchisés. Ils vont donc augmenter les tarifs vers le consommateur.* » Pour La Mie Câline, pas question de toucher au prix de la baguette, « *le produit d'appel* ». Les hausses vont se concentrer sur des produits comme les pâtisseries explique le directeur industriel.

François Ventejou, Francebleu, 27/10/2021

ANNEXE 4 Liens entre hausse des prix et pouvoir d'achat

Si vous avez un budget annuel de 100 euros pour aller au cinéma et que les places coûtent 10 € chacune, vous pouvez aller voir 10 films dans l'année (10*10 = 100 €). Mais si le prix des places augmente de 1 € et que votre budget reste identique, vous ne pourrez y aller que 9 fois (11*9 = 99 €) au lieu de 10 (11*10 = 110 €) : votre pouvoir d'achat a diminué de 10 %.

Les auteurs

THÈME 2

Comment la richesse se crée-t-elle et se répartit-elle ?

Charlie & Gus
La websérie STMG

1. Identifiez la raison pour laquelle Gus a été augmenté.
2. Relevez le problème mentionné par Charlie.
3. Mentionnez la raison pour laquelle Caro souhaite partir à l'étranger.

VIDÉO
hachette-clic.fr/22ecocg2

Épisode #2

Gus est augmenté !

Dans un monde de ressources rares, **les agents économiques** tentent de satisfaire **leurs besoins** procédant sans cesse à des choix menant à **l'allocation optimale des ressources**, principal enjeu de l'économie.

Les **biens libres** ne peuvent suffire à satisfaire les désirs des agents économiques. Ceux-ci doivent donc **fabriquer les ressources dont ils ont besoin à partir d'autres ressources**.

CHAPITRE 5
La combinaison des facteurs de production

Les biens et services créés dans le processus de production constituent **des richesses** dont **la mesure** s'avère fondamentale en économie tant au niveau des **unités productives** que d'un pays entier.

CHAPITRE 6
La mesure de la production et ses prolongements

La richesse est répartie entre les **agents économiques** en retour de leur participation à sa création constituant ainsi **les revenus**.

CHAPITRE 7
Les revenus

CAPACITÉS

- Identifier les différents facteurs de production (*input*) qui vont engendrer une production (*output*)
- Identifier la différence entre un *input* (investissement en recherche et développement par exemple), et un *output* (brevet ou nouveau produit innovant)
- Définir les notions de productivité et de gain de productivité
- Analyser l'évolution des gains de productivité

NOTIONS

- Les facteurs de production primaires et secondaires : ressources naturelles, l'information
- Le capital humain
- La substitution ou la complémentarité de facteurs de production
- Le rôle de l'investissement dans l'accumulation des facteurs
- La productivité globale des facteurs, et gains de productivité.

5 La combinaison des facteurs de production

FERRERO

VIDÉO
hachette-clic.fr/22eco032
Nutella, les secrets d'un business (6'58)

FICHE D'IDENTITÉ

→ **Consultez le site Planetoscope et recherchez la consommation de Nutella dans le monde.**

→ **Calculez le nombre de kilos de Nutella consommés en 30 secondes.**

9,5 × 30 = 285 kg

SITUATION

Ferrero, c'est 300 000 tonnes de Nutella fabriqués chaque année dans le monde entier ! Pour parvenir à ce défi de taille, l'entreprise organise sa production d'une manière bien particulière…

1 Avec quoi produire ?

Ingrédient phare qui a donné son nom au Nutella, la noisette est à la base de la recette préparée par quelque 500 salariés dans l'usine de Villers-Écalles (76).

A Les facteurs de production primaires

NOTION

• **Les ressources naturelles**
Sources de matière et d'énergie accessibles économiquement dans l'environnement naturel sous forme primaire avant leur transformation par l'activité humaine.

Insee

DOC 1 Les noisettes, l'ingrédient phare de Nutella

Les noisettes ont toujours été l'ingrédient phare du Nutella®. Lors de la Seconde Guerre mondiale, le cacao était en pénurie. Le créateur de Nutella® a donc eu la brillante idée d'ajouter la délicieuse noisette, typique de la région italienne des Langhes, dans sa pâte à tartiner pour remplacer le chocolat.

Nutella

1 Expliquez en quoi les noisettes sont des ressources naturelles ▶ Doc. 1.

Elles sont naturelles car non issues, elles-mêmes, d'une activité productive : elles sont créées comme telles par la nature.

2 Parmi les ressources utilisées dans la production, identifiez en les cochant celles qui sont naturelles. ▶ Notion

[ ] beurre de cacao [x] eau [ ] pot en verre [x] gaz [x] lait

NOTION

• Le **capital humain** est l'ensemble des connaissances, aptitudes, expériences, talents, qualités accumulés par une personne, une équipe, une organisation, ou un groupe d'organisations, et qui déterminent en partie leur capacité à travailler ou à produire pour eux-mêmes ou pour les autres.

Jacques Généreux, *Introduction à l'économie*, Éditions Point, 2017

• Le **facteur travail** a :
- 1 aspect quantitatif (quantité d'heures de travail),
- 1 aspect qualitatif (compétences, qualifications professionnelles).

DOC 2 Une usine Nutella

Usine de Villers-Écalles

3 Cochez pour chaque situation l'aspect du facteur travail à laquelle elle renvoie.

	Aspect quantitatif	Aspect qualitatif
Le service qualité de l'usine Ferrero souhaite recruter un ingénieur diplômé d'une école agroalimentaire.	[ ]	[x]
Les salariés de l'usine Ferrero travaillent 35 h par semaine.	[x]	[ ]

4 Montrez pourquoi Ferrero doit agir sur les deux aspects du facteur travail pour être performante.

Pour arriver à produire la quantité de pots de Nutella souhaitée, l'entreprise doit avoir à sa disposition une main d'œuvre qualifiée et compétente pour réaliser le travail demandé. Par ailleurs, elle doit mobiliser un nombre conséquent d'employés pour faire face au volume de production attendu par le marché.

B Les facteurs de production secondaires

DOC 3 À Rouen, Nutella voit plus grand

VIDÉO

hachette-clic.fr/22eco033 (2'05)

5 Identifiez les biens qui rentrent dans la production du Nutella en indiquant dans l'encadré ▶ Notion, s'ils relèvent du capital fixe ou du capital circulant.

6 D'après le ▶ Doc. 3, expliquez pourquoi Ferrero investit pour 38 millions d'euros sur son site de Villers-Écalles.

Ferrero investit pour agrandir le site, le moderniser et éventuellement augmenter les capacités de production. Il s'agit de construire un nouveau bâtiment.

7 D'après l'encadré ▶ Notion, de quel type de capital technique s'agit-il ?

☒ Le capital fixe ☐ Le capital circulant

NOTION

Capital technique

- **Capital fixe :** moyens de production durables qui participent à plusieurs cycles de production et employés au moins un an.
  ex : machines, robots, palettes, bâtiments...
- **Capital circulant :** moyens de production transformés ou détruits au cours du processus de production.
  ex : pâte de cacao, lait, électricité.

DOC 4 L'information

Depuis plusieurs années, le Nutella est sévèrement critiqué pour son utilisation d'huile de palme, dont la production et l'exploitation favorisent la déforestation. […] Ferrero […] a décidé de réagir en modifiant sa politique autour de ce produit. […] Résultat : l'entreprise arrive en première place d'un classement établi par World Wide Fund (WWF). […] D'ici fin 2020, le producteur du Nutella souhaite que 100 % de l'huile de palme utilisée soit traçable. L'enjeu est de taille pour l'entreprise : chaque année, elle achète près de 200 000 tonnes d'huile de palme, soit 0,3 % de la production mondiale.

20 minutes, 22 janvier 2020

8 D'après le ▶ Doc. 4, à quelle information a réagi Ferrero et comment ?

Les critiques contre Nutella ont obligé l'entreprise à suivre des engagements afin que les producteurs cultivent et recueillent l'huile de palme sans détruire la forêt.

9 Expliquez en quoi cette information est un facteur de production.

Elle y concourt car elle influe sur les choix de production de matières premières.

Bilan

Résumez les facteurs de production du Nutella.

Il s'agit des salariés et du PDG (travail), des machines et de la pâte de cacao (capital), des noisettes (ressources naturelles) et des informations (reportages sur Nutella).

Vers la synthèse
JE ME TESTE
hachette-clic.fr/22eco034
Je révise l'essentiel p. 80-81

2 Comment combiner travail et capital ?

Les différentes phases de la production sur le site de Villers-Écalles mobilisent environ 500 salariés des chaînes de montage automatisés ainsi que des machines robotisées. Quel contraste avec la petite pâtisserie des débuts du Nutella dans les années 1950, à Alba (Italie) où Pietro Ferrero préparait sa pâte de noisettes dans son arrière-boutique, façonnait, patiemment, ses rectangles de pâte à la main que son épouse rangeait un par un dans le frigo !

A La combinaison productive

1 Repérez dans la ▶ Situation, en les soulignant, les facteurs travail et capital fixe évoqués.

2 Comment a évolué la combinaison productive de Nutella ?

À l'origine, il y avait plus de facteur travail (salariés, main-d'œuvre) que de facteur capital (machines) puis peu à peu les machines ont remplacé les hommes.

DOC 5 Le stockage chez Nutella

Ferrero a choisi de stocker des palettes de Nutella sur place grâce à des chariots élévateurs conduits par des employés. Par ailleurs, Ferrero associe salariés et machines pour constituer les palettes : les salariés le font manuellement et un nouveau bras robotisé leur fournit une aide non négligeable en réalisant la même tâche en deux fois moins de temps.

Les auteurs

(a)

(b)

3 Quel lien faites-vous entre l'homme et la machine sur l'image (a) ?

La machine ne peut se passer du salarié.

4 Diriez-vous que ces deux facteurs de production sont :

☒ complémentaires ☐ substituables.

5 Quel lien faites-vous entre l'homme et la machine sur l'image (b) ?

La machine peut remplacer le salarié.

6 Diriez-vous que ces deux facteurs de production sont :

☐ complémentaires ☒ substituables.

B Les contraintes de la combinaison productive

Ferrero veut investir dans une nouvelle usine afin de fabriquer son nouveau produit dérivé du Nutella : le muffin Nutella. L'entreprise hésite entre plusieurs combinaisons productives qui se résument ainsi :

Combinaison	Nombre de salariés	Nombre de machines
Combinaison n° 1	100	20
Combinaison n° 2	75	35
Combinaison n° 3	50	45

7 **Calculez le coût de chacune des combinaisons productives sachant qu'un salarié coûte 2 000 € par mois et une machine 3 500 € par mois.**

Combinaison	Nombre de salariés	Coût mensuel des salariés	Nombre de machines	Coût mensuel des machines	Coût total
Combinaison n° 1	100	100 × 2 000 = 200 000 €	20	20 × 3 500 = 70 000 €	200 000 + 70 000 = 270 000 €
Combinaison n° 2	75	75 × 2 000 = 150 000 €	35	35 × 3 500 = 122 500 €	150 000 + 122 500 = 272 500 €
Combinaison n° 3	50	50 × 2 000 = 1 000 000 €	45	45 × 3 500 = 157 500 €	100 000 + 157 500 = 257 500€

Bilan

- **Vous êtes à la tête du projet de future usine Nutella. Quelle combinaison retenez-vous et pourquoi ?**

La combinaison n° 3 car elle est la moins coûteuse. En minimisant les coûts de production, l'entreprise peut augmenter sa marge et maximiser son profit.

- **Malheureusement, vous êtes touché(e)s par la pénurie de semi-conducteurs, matériaux indispensables dans les circuits intégrés qui font fonctionner les robots. Les délais de livraison sont imprévisibles… pour une période indéterminée. Optez-vous toujours pour la combinaison la moins coûteuse ?**

Non, il faut alors choisir une combinaison qui favorise la main-d'œuvre afin d'éviter un retard de production.

Vers la synthèse
JE ME TESTE
hachette-clic.fr/22eco035
Je révise l'essentiel p. 80-81

3 Comment être productif ?

Ferrero prône une gestion de ses employés responsable et bienveillante. L'entreprise a mis en place des dispositifs pour assurer la sécurité financière et le bien-être des salariés. Primes, crèches, conciergerie d'entreprise, salles de sport, dispositifs d'évolution de carrière… Cela semble fonctionner : les salariés sont de plus en plus productifs : 600 000 pots par jour pour 500 salariés, soit une productivité par tête de 1 200 pots !

A La mesure de la productivité

1 Expliquez pourquoi Ferrero fournit autant d'avantages aux salariés.

Afin qu'ils soient productifs, efficaces, qu'ils garantissent un niveau de production en un minimum de temps ou par salariés.

2 Selon la ▶ Situation, à quoi correspond la productivité par tête ?

C'est le volume produit par un salarié.

3 Rappelez comment calculer la productivité par salarié ?

$\frac{\text{Volume de production}}{\text{Nombre de salariés}}$

4 À votre avis, comment calculer la productivité par machine ?

$\frac{\text{Volume de production}}{\text{Nombre de machines}}$

SDGN – Thème 1

B Les enjeux de la productivité

NOTION

• Un **gain de productivité** est le résultat de l'amélioration de l'efficacité d'un facteur de production.

5 Indiquez ce que désignent les gains de productivité et donnez un exemple pour Ferrero. ▶ Notion

C'est ce que l'entreprise a gagné en productivité. Ex. : les conditions de travail s'améliorent : les salariés passent de 1 000 à 1 200 pots produits.

DOC 6 Quelle productivité pour une heure travaillée ?

Contribution au PIB par personne et heure travaillée dans les pays sélectionnés en 2020 *

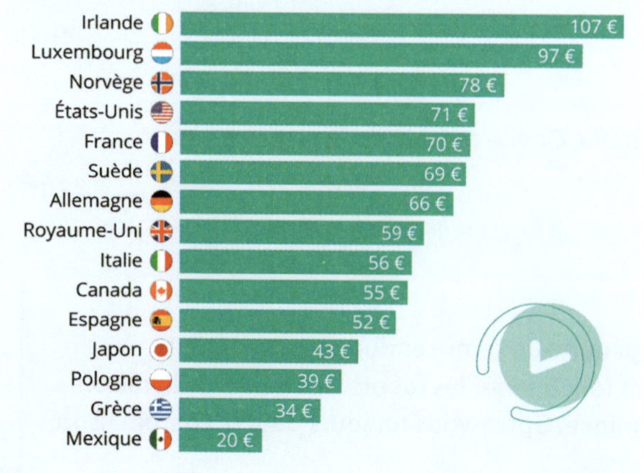

Statista

6 Quel effet produisent les gains de productivité sur les coûts de production ?

Cela permet à l'entreprise de baisser son coût de production puisqu'un même niveau de production suppose moins d'heures de travail.

7 Résumez en une phrase la productivité de la France. ▶ Doc. 6

Un travailleur français produit 70 euros pour une heure travaillée.

8 **Renseignez le schéma sur les conséquences d'un gain de productivité en utilisant les étiquettes suivantes : Gains de compétitivité | Baisse des coûts | Augmente ses parts de marché**

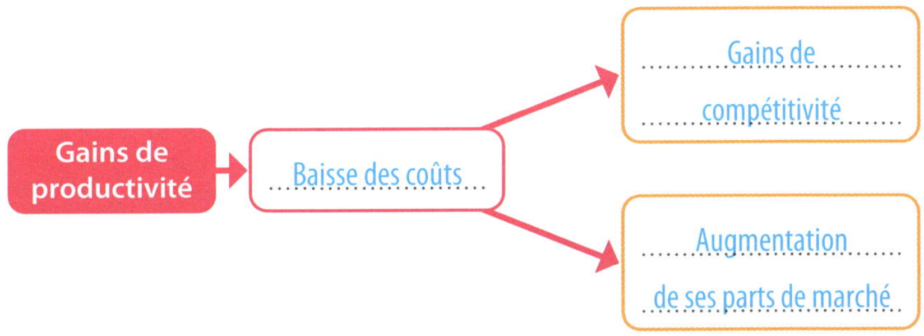

C Les sources des gains de productivité

Ferrero veut encore améliorer la productivité de ses usines. L'entreprise vous nomme à la tête de ce projet. Vous constituez autour de vous une équipe composée d'une experte des ressources humaines et du responsable du département Recherche et Développement. Vous consultez l'un et l'autre.

DOC 7 Les deux sources de gains de productivité

9 **Identifiez les deux sources de gains de productivité énoncées dans le ▶ Doc. 7 en les soulignant.**

10 **Expliquez comment Ferrero peut investir dans le capital humain ?**

Par le recrutement d'employés plus qualifiés, par des formations, par la mobilité interne (polyvalence).

11 **Imaginez quelle innovation pourrait produire des gains de productivité pour Ferrero.**

Réponse libre des élèves

Bilan

Rappelez pourquoi la recherche d'une bonne productivité est importante pour Ferrero et quels sont les moyens pour y parvenir.

Vers la synthèse
JE ME TESTE
hachette-clic.fr/22eco036
Je révise l'essentiel p. 80-81

À moi de jouer

1 Jouez avec *Kyushi* !

Quiz interactifs pour réviser en classe !

hachette-clic.fr/kyushi

2 Qui est le plus productif ?

Vous êtes quatre entrepreneurs et entrepreneuses sur le marché du téléphone portable. Vous devez confronter votre productivité par tête pour déterminer qui sera le leader sur le marché.

- Votre professeur(e) vous remet un jeu de cartes : les cartes rouges représentent les quantités produites et les cartes noires la quantité de facteur travail.
- Un des joueurs tire une carte rouge. La valeur inscrite sur la carte correspond à la quantité produite (en centaines) par chacune des entreprises sur un mois. Le chiffre est inscrit dans le tableau. Chacun tire ensuite une carte noire correspondant au nombre de salariés ayant participé à la production ce mois-ci. La valeur est inscrite dans le tableau.
- Chaque joueur calcule sa productivité par tête.
- Un 2e puis 3e round jusqu'à 12 est ainsi reconduit permettant de déterminer l'entrepreneur ou l'entrepreneuse de l'année le ou la plus productive !

	Quantité produite	Nombre de salariés	Productivité par tête
1er mois	....	....	....
2e mois	....	....	....
3e mois	....	....	....
4e mois	....	....	....
5e mois	....	....	....
6e mois	....	....	....
7e mois	....	....	....
8e mois	....	....	....
9e mois	....	....	....
10e mois	....	....	....
11e mois	....	....	....
12e mois	....	....	....
		Total sur un an	....

3 Mesurer l'efficacité des facteurs de production

Afin de motiver ses 3 salariés à être plus productifs (surtout Sabrina qui discute trop avec les clients à son goût), le patron de « Speed Hair » veut élire le coiffeur le plus efficace de la semaine.
Voici les données dont il dispose :

Coiffeur	Sabrina	Nour	Théo
Coupe de cheveux sur une semaine (heures de travail)	50	130	98
Chiffre d'affaires (selon client, coupe…)	2 500	1 950	1 960

1. **Identifiez :**
– le salarié le plus productif par heure ;
– le salarié le plus productif en termes de chiffre d'affaires.

2. **À votre avis, quel salarié doit être récompensé par le patron de Speed Hair ?**

4 Identifier les facteurs de production

Une cuisine fabriquant des hamburgers

Composition d'un hamburger

McDonald's expérimente une intelligence artificielle dans ses drive-in.

Ça se passe déjà comme ça chez McDonald's. Quand on arrive en voiture au drive-in, on ne parle plus à un être humain, mais à une machine. Elle vous fait la conversation, vous demande « mayonnaise ou ketchup », « frites ou patatoes » et, dans la plupart des cas, on ne se rend compte de rien.

Europe 1, 2021

1. **Repérez les facteurs de production qui participent à la production d'un hamburger.**

2. **Identifiez deux facteurs de productions :**
– complémentaires ;
– substituables.

3. **Montrez que McDonald's veut changer de combinaison productive.**

L'essentiel

JE RÉVISE
hachette-clic.fr/22eco037
- Le podcast du cours
- La synthèse en 1 clic
- Je manipule les notions

NOTIONS

- **Capital circulant :** biens et services transformés ou détruits au cours d'un cycle de production.
- **Capital fixe :** biens durables utilisés pour produire c'est-à-dire réutilisables sur plusieurs cycles de production.
- **Combinaison productive :** proportion variable de capital et de travail utilisée pour produire.
- **Facteurs de production :** éléments rentrant dans le processus de production.
- **Gains de productivité :** augmentation de la productivité sur une période donnée.
- **Investissement :** accumulation de capital fixe.
- **Production :** biens et services produits.
- **Productivité :** capacité à produire d'un facteur de production.

COURS

1 Avec quoi produire ?

- La production correspond à un **processus de transformation** de biens et des services en d'autre biens et services.

2 Comment combiner travail et capital ?

- Les facteurs de production sont les ressources utilisées pour produire et se répartissent entre le **travail**, les **ressources naturelles**, le **capital** (fixe et circulant) et l'**information**.
- Pour produire, il faut nécessairement du **capital** et du **travail** que le producteur associe selon la combinaison qu'il estime la moins coûteuse.

3 Comment être productif ?

- La productivité mesure l'**efficacité d'un facteur de production**. Elle compare la production réalisée et les quantités de facteurs de production utilisées.
- L'entreprise cherche à réaliser des **gains de productivité** afin de baisser son coût de production et devenir plus compétitive tandis que, démultipliés par plusieurs entreprises, les gains de productivité favorisent la croissance.

CHIFFRES clés

- La **productivité horaire en France** en 2020 est de 32,97 dollars soit le **7e rang mondial** juste derrière les États-Unis et devant l'Allemagne.
- En France, les **investissements** ont baissé en 2020 de **8,6 %** en raison de la crise sanitaire après une croissance régulière du taux d'investissement (3,4 % en 2019).

CULTURE ÉCONOMIQUE+

Le capital culturel de Leif Edvinsson (1992)

Le facteur capital n'est pas que matériel, il est aussi immatériel. Il est en effet composé des actifs immatériels de l'entreprise qui favorisent sa rentabilité mais dont la valeur n'apparaît pas dans le bilan. Il se compose du capital humain, structurel (culture d'entreprise, innovations, communication interne) et relationnel.

POUR RETENIR AUTREMENT

À partir d'un produit que vous appréciez et de vos connaissances, remplissez ce schéma.

1 Avec quoi produire ?

Facteurs de production
Ex. : ingrédients, matériel de cuisine

→ **Processus de :**
Transformation

→ **Production**
Ex. : des hamburgers

=

2 Comment combiner travail et capital ?

Les facteurs de production =

- **Ressources naturelles** — Ex. : salade, tomates, oignon, gaz, eau
- **Travail** — Ex. : des cuisiniers
- **Capital** — Ex. : grill, emballages
- **Informations** — Ex. : les différentes recettes de hamburgers

Travail + Capital → Combinaison productive

Combinaison productive → Productivité par tête ; Productivité par machine

3 Comment être productif ?

Efficacité mesurée par la productivité = Productivité par tête ; Productivité par machine

↓

Recherche de l'augmentation de la productivité =
- Investissement en progrès technique
- Investissement en capital humain

↓

Gains de productivité →
- Pour un pays : croissance
- Pour l'entreprise : compétitivité

5 Analyser des statistiques avec le bon vocabulaire

Le jour de l'épreuve, vous devez pouvoir analyser un ou des documents statistiques (tableau, graphiques...). Vous devez être capable d'en tirer des informations et de retranscrire ces dernières.

1 Écrivez un paragraphe précis.

Chiffre d'affaires prévisionnel du marché de l'intelligence artificielle dans le monde de 2016 à 2025 (en millions de dollars des États-Unis)

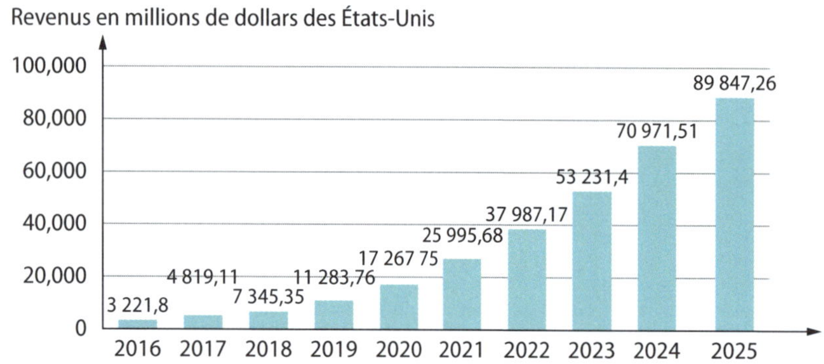

1 Donnez d'abord la tendance générale, ce qui saute aux yeux en premier en prenant les extremums.

• Exemple :

Les revenus du marché de l'IA seront multipliés par 27 entre 2016 et 2025

2 Rentrez ensuite dans le détail.

• En utilisant des termes précis : n'écrivez pas « la courbe monte » ou « descend » mais parlez du phénomène « les gains de productivité augmentent ».

• Exemple :

Les revenus en millions du marché de l'IA augmentent fortement depuis 2020.

3 Illustrez vos propos avec des chiffres.

• Exemple :

En 2016, l'IA générait 3 221 millions de dollars. En 2025 ce sera près de 90 millions.

2 Mobilisez le vocabulaire adéquat

	Une hausse	Une baisse	Quelque chose de stable	Quelque chose d'irrégulier
Noms	croissance ; augmentation ; essor ; progression	décroissance ; diminution ; chute ; déclin	stabilité ; stagnation	instabilité ; creux
Verbes	élever ; augmenter ; hausser ; (ac) croître ; progresser ; amplifier ; accélérer ; doubler.	diminuer ; réduire ; ralentir ; tomber ; décroître ; chuter ;baisser ; décliner ; s'effondrer ; reculer ; tomber ; chuter	stagner ; immobiliser ; stabiliser	varier ; évoluer
Adjectifs	rapide/lent ; soudain/durable ; régulier/irrégulier ; bref/long ; brutal/lent ; continu/discontinu ; constant/variable			

Décrivez l'évolution du chiffre d'affaires du marché de l'intelligence artificielle entre 2016 et 2025.

Après une relative stagnation entre 2016 et 2019, entre 2016 et 2018 l'augmentation du chiffre d'affaires du marché de l'IA aux États-Unis a connu une accélération régulière et importante à partir de 2020. En 2025, les revenus en millions de dollars seront de 90 000 soit 27 fois plus qu'en 2016.

6

CAPACITÉS

- Calculer la valeur ajoutée dans des cas simples
- Identifier les enjeux du PIB
- Distinguer taux de croissance du PIB et PIB par habitant

NOTIONS

- Les agrégats économiques : la valeur ajoutée et le produit intérieur brut (PIB).
- Valeur ajoutée
- La statistique nationale et la comptabilité nationale

DUBAI

La mesure de la production et ses prolongements

VIDÉO

hachette-clic.fr/22eco038

Dubaï la démesure
jusqu'à (6'06)

FICHE D'IDENTITÉ

Statut : Un des sept émirats des Émirats arabes unis
Capitale : Dubaï
Superficie : 4 114 km^2
Population : 3 100 000 habitants en 2019
Densité : 794 hab./km^2
Monnaie : dirham émirien
Taux de croissance économique en 2020 : 6,6 %

SITUATION

Sacha, tout jeune diplômé d'une école de design automobile, veut créer son entreprise et se lancer sur le marché des voitures de luxe. Il sait que le marché français est saturé et ne correspond pas à ce qu'il veut produire. Il cherche une clientèle plus jeune et plus « bling bling », qui aime les cylindrées, les fastes et les diamants. Dubaï lui semble alors la bonne destination, mais il veut savoir si le dynamisme dont tout le monde parle constitue une réalité ou bien un mythe. Comment savoir si Dubaï est bien le paradis des entrepreneurs ? Comment mesurer la création de richesse ?

1 Comment mesurer la production ?

C'est décidé, Sacha part à Dubaï ! Son entreprise restera française mais il supervisera la production à Dubaï. La situation est complexe : l'entreprise est française mais produit à Dubaï. Sacha se demande donc si la production sera française ou doubaïote.

A Mesurer la production à l'échelle du producteur : la valeur ajoutée

DOC 1 L'exemple de Jannarelly

Jannarelly est un constructeur automobile français qui produit à Dubaï. La Jannerelly Design 1 est proposée à la vente au prix de 135 000 €. Pour fabriquer ce modèle, l'entreprise achète des métaux, ainsi que certaines pièces et accessoires (pneus, cuir, etc.).

1 Calculez le coût des fournitures du modèle Jannarelly Design 1. ▶ Doc. 1

Fournitures (consommations intermédiaires)
(23 % du prix de vente)

31 050 €

DOC 2 Combien une entreprise gagne-t-elle réellement ?

VIDÉO

hachette-clic.fr/22eco038b

Valeur ajoutée, définition et calcul

(1'10)

2 À l'aide de la vidéo du ▶ Doc. 2**, définissez la valeur ajoutée et les consommations intermédiaires.**

Définition de la valeur ajoutée (VA)	Indicateur économique permettant de mesurer la richesse créée par une entreprise.
Formule de la valeur ajoutée	Valeur de la production (CA) – CI.
Définition des consommations intermédiaires (CI)	Sommes dépensées par une entreprise pour produire un bien ou un service.
Exemple de consommations intermédiaires	Achats de matières premières.

3 En reprenant l'exemple de Jannarelly, indiquez le montant de la valeur ajoutée de l'entreprise si elle vendait 20 modèles au cours de l'année.

135 000 – 31 050 = 103 950 €

Montant : 103 950 × 20 = 2 079 000 €

B Mesurer la production à l'échelle d'un pays : le PIB

NOTION

• Qu'est-ce que le PIB ?

P — Produit (résultat de la production)
I — Intérieur
B — Brut

PIB de Dubaï : 10 944 milliards de dollars en 2018

= richesse créée au cours de l'année dans un pays.
= somme des valeurs ajoutées de tous les secteurs institutionnels et des branches d'activités.

4 **Soulignez la définition du PIB dans l'encadré** ▶ Notion**.**

5 **Retrouvez la formule de calcul du PIB.**

Somme des valeurs ajoutées de tous les secteurs institutionnels et branches d'activités.

6 **Vrai ou faux ?**

PIB et patrimoine mesurent la même chose.	☐ Vrai	☒ Faux
Le PIB des Émirats intègre la richesse créée sur le territoire des États-Unis par Jannarelly.	☐ Vrai	☒ Faux
Le PIB des Émirats intègre la richesse produite par Carrefour, via ses magasins implantés dans la ville de Dubaï.	☒ Vrai	☐ Faux

7 **Quel lien faites-vous entre la valeur ajoutée et le PIB ?**

Le PIB mesure la richesse créée sur un territoire donné par chacun des producteurs laquelle est mesurée par la valeur ajoutée. Le PIB est la somme des valeurs ajoutées.

NOTION

• La mesure de la production des services non marchands

Pas de chiffres d'affaires

Mais des coûts de fonctionnement
Ex. : salaire des professeurs, coût des chaises, du matériel informatique

L'Insee mesure la production du secteur non-marchand en additionnant ses coûts de production.

Bilan

Déterminez si l'entreprise française de Sacha sera intégrée dans le PIB des Émirats arabes unis ou celui de la France.

L'entreprise de Sacha sera intégrée dans le PIB des Émirats arabes unis puisque la production est réalisée sur le sol dubaïote même si l'entreprise est française.

Vers la synthèse
JE ME TESTE
hachette-clic.fr/22eco039
Je révise l'essentiel p. 92-93

2 Pourquoi mesurer la production ?

Sacha est aujourd'hui un entrepreneur prospère à Dubaï, mais voilà qu'une de ses camarades d'école, Kenza, lui assure que cela lui serait plus profitable pour lui d'aller produire aux États-Unis dont le PIB est plus élevé. Qu'apporte cette information ? A-t-elle un effet sur son activité ?

DOC 3 Classement 2021 des pays les plus riches du monde (selon leur PIB)

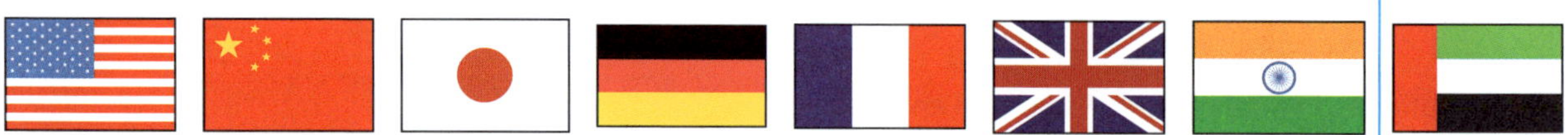

1	2	3	4	5	6	7	30
États-Unis 21 922 milliards de dollars	**Chine** 16 493 milliards de dollars	**Japon** 5 103 milliards de dollars	**Allemagne** 4 318 milliards de dollars	**France** 2 918 milliards de dollars	**Royaume-Uni** 2 856 milliards de dollars	**Inde** 2 834 milliards de dollars	**Émirats arabes unis** 417,18 milliards de dollars

FMI et Banque mondiale, 2021

> **NOTION**
> • **La richesse**
> Elle correspond à la capacité d'un pays à produire des biens et des services pour satisfaire les besoins des agents économiques.

1 Expliquez le chiffre entouré dans le ▶ Doc. 3.

Les entreprises présentes sur le sol des Émirats arabes unis ont produit pour 417,18 milliards de dollars en 2021.

2 En vous appuyant sur la ▶ Notion, expliquez pourquoi le PIB est l'indicateur retenu pour évaluer la richesse d'un pays.

La richesse désigne la capacité à satisfaire les besoins des agents économiques et donc leur capacité à produire des biens ou des services pour les satisfaire. Or, le PIB mesure précisément la production d'un pays ou d'une zone géographique donnée.

DOC 4 Évolution du top 10 des puissances économiques mondiales (selon leur PIB) entre 2016 et 2050

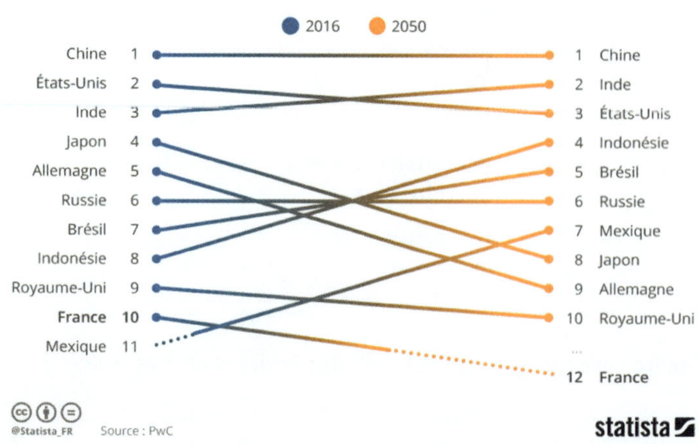

3 Commentez l'évolution de l'Inde. ▶ Doc. 4

Elle passe de la 3e puissance mondiale en 2016 à la 2e puissance en 2050.

4 Rappelez sur quoi se fonde ce classement.

Ce classement se fonde sur le niveau de richesse c'est-à-dire la capacité de chacun des pays à produire des biens et des services.

DOC 5 Les taux d'évolution du PIB de Dubaï en %

2017	2,8
2018	1,7
2019	1,9
2020	– 6,7
2021	3,3

NOTION

• Croissance, décroissance et récession

Le taux d'évolution est positif et augmente par rapport à la période précédente. Ex. : *il passe de 1 % à 3 %…*	Le taux d'évolution diminue par rapport à la période précédente mais reste positif. Ex. : *il passe de 4 % à 3 %…*	Le taux d'évolution est négatif. Ex. : *il passe de 1 % à – 2 %*
Le PIB augmente de plus en plus vite, il accélère.	Le PIB augmente mais de moins en moins vite : il ralentit.	Le PIB baisse.
Croissance	Décroissance	Récession

5 **Complétez le tableau suivant :**

Quand Dubai a-t-elle connu…	2018	2019	2020	2021
• une croissance ?	☒	☒	☐	☒
• une décroisssance ?	☒	☐	☐	☐
• une récession ?	☐	☐	☒	☐

DOC 6 Le niveau de vie : le PIB par habitant en 2021

1	2	3	4	5	6	7	27
Luxembourg 125 923 dollars	**Irlande** 90 478 dollars	**Suisse** 90 358 dollars	**Norvège** 76 408 dollars	**États-Unis** 66 144 dollars	**Danemark** 63 645 dollars	**Singapour** 62 113 dollars	**Émirats arabes unis** 32 686 dollars

FMI, 2021

6 **Expliquez comment est calculé le PIB par habitant.**

Le PIB d'un PIB est divisé par le nombre de ses habitants.

7 **Comparez le classement des pays selon leur PIB par habitant et celui des pays selon leur PIB. Qu'en déduisez-vous ?** ▶ Doc. 3 et 6

Les pays les plus riches ne sont pas ceux pour lesquels le niveau de vie de chaque habitant est le plus élevé.

8 **Expliquez la limite de cet indicateur.**

C'est une moyenne qui dépend du nombre d'habitants et qui ne montre pas les inégalités des revenus entre les habitants.

Bilan

Si l'on se fie au PIB, dans quel pays est-il le plus intéressant pour Sacha de s'implanter selon vous ?

Aux États-Unis car c'est là que la production est la plus élevée.

Vers la synthèse
JE ME TESTE
hachette-clic.fr/22eco040
Je révise l'essentiel p. 92-93

3 Quels indicateurs pour compléter le PIB ?

Kevin, l'ami d'enfance de Sacha, se mêle de son débat avec Kenza. Il n'est d'accord ni avec Sacha ni avec Kenza. Pour lui, le PIB n'est pas le seul indicateur à observer pour mesurer la production d'un pays…

A Les limites du PIB

DOC 7 L'économie souterraine

Travail au noir, prostitution, drogue… l'énorme poids de l'économie souterraine en Italie.
L'économie souterraine a généré en Italie pas moins de 211 milliards d'euros en 2018, soit presque 12 % du PIB. 3,7 millions de personnes sont concernées… 45,3 % de l'économie souterraine est constituée d'activités « sous-déclarées » (c'est-à-dire dont le chiffre d'affaires a été minimisé), 37,2 % de travail au noir, 9,1 % d'activités illégales (drogue, prostitution) et 8,3 % d'autres composantes (loyers au noir…). Les activités non-déclarées, sous-déclarées et le travail irrégulier représentent ainsi la partie la plus importante pour un montant de près de 192 milliards d'euros, même si elles ont diminué de 1,6 % par rapport à 2017 […] De leur côté, les activités illégales […] – pesaient pour 19,2 milliards, un chiffre en hausse de 1,8 % en raison de l'augmentation du trafic de drogue. Celui-ci générait 14,7 milliards d'euros, et la prostitution 4 milliards […].

Capital.fr, 2020

1. **Soulignez dans le texte ce qui relève de l'économie souterraine.**

2. **Expliquez pourquoi l'économie souterraine n'est pas ou peu intégrée dans le PIB.**

   Le calcul du PIB se fait à partir de chiffres officiels et l'économie souterraine, par définition, ne fait l'objet d'aucune comptabilité ou déclaration légales.

3. **Indiquez quelles autres productions ne peuvent pas être comptabilisées dans le PIB.**

   Travail domestique (ménage, faire un gâteau…), bénévolat, entraide

B L'indifférence du PIB au bien-être

DOC 8 Dubaï, au cœur de l'esclavage moderne

À Dubaï, on construit une tour en trois fois moins de temps qu'en Europe. Une performance ? Pas vraiment. Juste de l'exploitation à outrance. Là-bas, les ouvriers travaillent douze heures par jour, six jours sur sept, sous le cagnard, pour un salaire de misère. Ils sont 4 millions et demi de travailleurs étrangers, corvéables à merci.

L'Effet Papillon, émission produite par l'agence CAPA, youtube, 2021

VIDÉO
hachette-clic.fr/22eco041
Brut : Une vie : Dubaï
(6,56)

DOC 9 Autre panorama de Dubaï

Camp de travailleurs immigrés en périphérie de Dubaï, Jobard, 2007

DOC 10 La pollution à Dubaï

Dans ces espaces gigantesques, on peut faire toutes sortes d'activités extravagantes, allant du ski à la nage avec des dauphins. Mais la ville grignote chaque jour un peu plus sur la nature environnante. Pour construire les trois emblématiques îles palmiers, il a fallu couler du béton sur des récifs coralliens… Comment ces millions d'habitants, composés à 90 % d'expatriés, arrivent-ils à vivre dans un tel luxe, là où une poignée de Bédouins peinaient autrefois à subsister ? Grâce à une consommation en énergie sans limite.

Rédaction National Geographic, 2017

4 Identifiez ce à quoi le PIB est indifférent. ▶ Doc. 8 à 10

Le PIB ignore les dégâts faits à l'environnement par la production de biens et services. Il ne comptabilise pas les coûts environnementaux qui pèsent sur la société et ne donne aucune information sur le degré d'égalité de revenu des habitants et leur confort de vie.

C Les indicateurs complémentaires

DOC 11 L'IDH en 2019

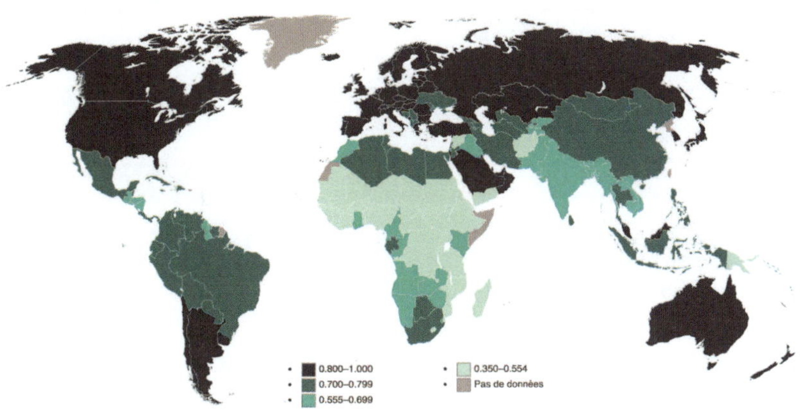

PopulationData.net

NOTION

• **L'IDH**

L'indice de développement humain (IDH) correspond à un indice composé afin d'évaluer le niveau de développement des pays. L'IDH intègre trois facteurs :

- l'espérance de vie à la naissance, car elle est significative des conditions de vie à venir des individus (alimentation, logement, eau potable…) et de leur accès à la médecine ;
- le niveau d'éducation, qui détermine l'autonomie tant professionnelle que sociale de l'individu ;
- le revenu national brut par habitant, révélateur du niveau de vie des individus et ainsi de leur accès à la culture, aux biens et services, aux transports…

L'IDH se présente sous la forme d'un nombre situé entre zéro et un, ce dernier chiffre symbolisant le niveau le plus élevé.

vie-publique.fr, 2022

5 Identifiez, en les surlignant dans la ▶ Notion, les facteurs que l'IDH prend en compte.

6 Montrez que l'IDH complète le PIB.

L'IDH mesure tout ce que le PIB ignore : inégalités des revenus, niveau de développement.

7 L'IDH de Dubaï est de 0,8. Analysez ce que cela signifie. ▶ Doc. 11

Il s'agit d'un indice plutôt élevé qui démontre un niveau de développement économique satisfaisant.

Vers la synthèse – JE ME TESTE – hachette-clic.fr/22eco042 – Je révise l'essentiel p. 92-93

Bilan

À l'aide des informations recueillies dans ce chapitre, que conseillez-vous finalement à Sacha ?

Il faut s'installer aux États-Unis car le PIB et l'IDH y sont tous deux élevés.

À moi de jouer

1 Jouez avec *Kyushi* !

Quiz interactifs pour réviser en classe !

hachette-clic.fr/kyushi

2 *Battle* de calcul des taux de croissance (entre 16 joueurs)

1er round Mettez-vous en équipes de quatre : deux joueurs qui font les calculs, deux arbitres qui chronomètrent et vérifient les calculs de leur candidat respectif. Le gagnant est celui qui a le plus de bonnes réponses et, s'il y a égalité, celui qui a mis le moins de temps.

Feuille de calcul pour le 1er round de ton groupe :

Année	**PIB de la France** (en milliards d'euros)	**Taux d'évolution** (en %)	**Gagnant**
2006	2 031,2	–	....
2007	2 080,4	2,4	
2008	2 085,7	0,3	
2009	2 025,8	– 2,9	

2e round Même principe, mais les joueurs deviennent arbitres et les arbitres joueurs.
Le gagnant est celui qui a le plus de bonnes réponses et, s'il y a égalité, celui qui a mis le moins de temps.

Feuille de calcul pour le 2e round de ton groupe :

Année	**PIB de la France** (en milliards d'euros)	**Taux d'évolution** (en %)	**Gagnant**
2010	2 065,3	1,9	....
2011	2 110,6	2,2	
2012	2 117,2	0,3	
2013	2 129,4	0,6	

3e round Sélectionnez les 2 joueurs gagnants qui s'affrontent selon le même principe sous l'arbitrage des 2 perdants.

Feuille de calcul pour le 3e round de ton groupe :

Année	**PIB de la France** (en milliards d'euros)	**Taux d'évolution** (en %)	**Gagnant**
2014	2 149,8	1	....
2015	2 173,7	1,1	
2016	2 197,5	1,1	

4e round Le gagnant final du groupe 1 affronte celui du groupe 2, et le gagnant du groupe 3 celui du groupe 4, sous l'arbitrage des perdants.

Feuille de calcul pour le 4e round :

Année	**PIB de la France** (en milliards d'euros)	**Taux d'évolution** (en %)	
			Gagnant 1
2017	2 247,9	2,3	....
2018	2 288,2	1,8	**Gagnant 2**
2019	2 322,7	1,5	....

5e round Les 2 gagnants restants s'affrontent sous l'arbitrage des perdants.

Feuille de calcul pour le 5e round :

Année	**PIB de la France** (en milliards d'euros)	**Taux d'évolution** (en %)	**Gagnant**
2020	2 129,9	– 8,3	....

3 Analyser le PIB

Évolution par rapport à l'année précédente du Produit Intérieur Brut (PIB) en pourcentage en France de 2000 à 2019

Insee, 2019

1. En vous aidant du graphique ci-dessus, précisez comment a évolué le PIB français (entourez la bonne réponse).

a) Entre 2000 et 2001 :	A augmenté	A ralenti	A baissé
b) Entre 2008 et 2009 :	A augmenté	A ralenti	A baissé
c) Entre 2016 et 2017 :	A augmenté	A ralenti	A baissé

2. En vous aidant du graphique ci-dessus, interprétez l'évolution du PIB français (entourez la bonne réponse).

a) Entre 2000 et 2001 :	Croissance	Décroissance	Récession
b) Entre 2008 et 2009 :	Croissance	Décroissance	Récession
c) Entre 2016 et 2017 :	Croissance	Décroissance	Récession

Objectif BAC
6 Calculer, lire et interpréter des taux d'évolution
p. 94

Objectif BAC
10 Analyser un graphique
p. 154

4 Calculer la valeur ajoutée

Le chocolatier « Un chocolat ? » est spécialisé dans les pralinés. Il a vendu en mars 500 kg de divers chocolats fabriqués sur place par deux salariés. Son chiffre d'affaires annuel s'élève à 800 000 €. Il fabrique lui-même son praliné de façon artisanale en sélectionnant les meilleures noisettes que lui vend un petit producteur local. Les fèves de cacao qu'il utilise sont également de qualité supérieure.
Ci-contre, ses coûts de production pour une année :

Type de dépenses	Dépenses sur 1 an (en €)
Noisettes	20 000
Fèves de cacao	50 000
Autres ingrédients	30 000
Boîtes et papier d'emballage	15 000
Électricité	1 000
Salaires des 5 salarié(e)s de l'entreprise	72 000
Impôts	2 000

1. Repérez les consommations intermédiaires intervenant dans la production des chocolats.

Noisettes, fèves de cacao, autres ingrédients, boîtes et papier d'emballage, électricité.

2. Calculez la valeur ajoutée de l'entreprise « Un chocolat ? ».

800 000 – 116 000 = 684 000 €

L'essentiel

JE RÉVISE

hachette-clic.fr/22eco043

- Le podcast du cours
- La synthèse en 1 clic
- Je manipule les notions

NOTIONS

- **Comptabilité nationale :** représentation simplifiée et quantifiée de l'activité économique d'un pays.
- **PIB :** indicateur économique qui mesure la production de richesse sur un territoire donné durant une période déterminée. Il est égale à la somme des valeurs ajoutées.
- **PIB non marchand :** mesure la création de richesses des producteurs de services non marchands, c'est-à-dire des services dont le prix est inférieur au coût de production. Pour l'estimer, il suffit de comptabiliser les coûts de fonctionnement.
- **Valeur ajoutée :** richesse produite lors du processus de production.
VA = chiffre d'affaire – consommations intermédiaires.

COURS

1 Comment mesurer la production ?

- La **richesse** créée, autrement dit la **production**, se mesure à l'échelle des entreprises par la **valeur ajoutée**. Celle-ci se calcule en retranchant du chiffre d'affaires les consommations intermédiaires.
- Par convention, la production d'un service non marchand correspond à ses coûts de fonctionnement.

2 Pourquoi mesurer la production ?

- Le **PIB** permet de rendre compte de la production de toutes les entreprises implantées sur son **territoire**. C'est la comptabilité nationale qui le calcule en additionnant les valeurs ajoutées des entreprises visées.
- Le PIB est central en économie car il permet d'évaluer la richesse d'un pays, le dynamisme de son économie ainsi que son niveau de vie.

3 Quels indicateurs pour compléter le PIB ?

- Néanmoins, le PIB n'est pas parfait car il omet tout un pan de la production correspondant à l'économie souterraine et surtout ignore les effets négatifs de la création de richesse. D'autres indicateurs viennent alors le compléter dont l'**IDH**.

CHIFFRES clés

- Le PIB français **a chuté de 8,3 % en 2020**
- **PIB** au 2e trimestre 2021 en **hausse de 1,1 %**
- Le **PIB par habitant** de la France en 2021 : **44 770 euros** en **hausse** de 14 %

CULTURE ÉCO +

L'invention du PIB

En 1932, à la demande du Congrès américain, Simon Kuznets (1901-1985) crée une comptabilité nationale aux États-Unis, puis, en 1934, il invente le produit intérieur brut destiné à mesurer l'effet de la Grande Dépression sur l'économie.

Le Happy Planet Index

Le Happy Planet Index, ou indice de la planète heureuse, est un indicateur économique alternatif au PIB. Il classe 178 pays d'après trois indicateurs : l'empreinte écologique, l'espérance de vie et le degré de bonheur des populations.

POUR RETENIR AUTREMENT

1 Comment mesurer la production ?

Mesure de la production

- d'un agent économique
  - Une entreprise → Chiffre d'affaires – consommations intermédiaires = **valeur ajoutée**
  - Producteur d'un service non marchand → Coûts de fonctionnement
- d'un pays → Somme des valeurs ajoutées = PIB

2 Pourquoi mesurer la production ?

Le **PIB** sert à :

– mesurer la richesse d'un pays
– évaluer le dynamisme d'une économie d'un pays
– mesurer le niveau de vie
– comparer les pays

3 Quels indicateurs pour compléter le PIB ?

Mais le **PIB** ne comptabilise pas :

– l'économie souterraine
– les dégâts causés à l'environnement
– les inégalités
– l'aspect social

Il est complété par l'**IDH**.

OBJECTIF BAC

6 Calculer, lire et interpréter des taux d'évolution

1 Calculez et lisez un taux d'évolution

Calcul à faire	Résultat à interpréter	
Taux (ou pourcentage) d'évolution $= \frac{\text{valeur d'arrivée} - \text{valeur de départ}}{\text{valeur de départ}} \times 100$	Le taux est positif →	Il indique une augmentation.
	Le taux est négatif →	Il indique une baisse.
	Le taux est = 0 →	Il indique une stagnation.

Lecture	☺	Indiquez l'indicateur qui augmente ou qui diminue.
	⛔	• Ne pas écrire que c'est le taux qui augmente ou qui diminue (ce peut être faux). • Ne pas écrire que l'indicateur évolue (ça ne veut rien dire).

1 À toi de jouer ! Complète l'exemple 2.

Exemple 1 : *Le prix de la baguette de pain est passé de 0,14 € à 0,90 € entre 1975 et 2020.*	**Exemple 2 :** *Le prix de l'iPhone 6 est passé entre 2014 et 2021 de 709 € à 382 €.*
• **Taux d'évolution** $= \frac{0{,}9 - 0{,}14}{0{,}14} \times 100 = 543\ \%$ • **Résultat** : 543 donc c'est une augmentation de 543 %. • **Lecture** : Le prix de la baguette a augmenté de 543 %. ⚠ • Ne pas écrire que le taux d'évolution est de 543 %. • Ne pas écrire que le prix de la baguette a évolué de 543 %.	• **Taux d'évolution** $= \frac{382 - 709}{709} \times 100 = -46\ \%$ • **Résultat** : – 46 donc c'est une baisse de 46 % • **Lecture** : Le prix de l'iPhone 6 a baissé de 46 %.

2 Lisez et interprétez une suite de taux d'évolution

Les pourcentages d'évolution peuvent s'évaluer de trois façons différentes :

Que fait le taux d'évolution ?	Il augmente.	Il diminue mais reste positif.	Il diminue et passe en négatif.
Exemple	*Il passe de 1 % à 3 %…*	*Il passe de 4 % à 3 %…*	*Il passe de 1 % à –2 %.*
Interprétation	L'indicateur augmente de plus en plus vite : il accélère.	L'indicateur augmente mais de moins en moins vite : il ralentit.	L'indicateur baisse.

⚠ Ne pas confondre les deux dernières situations !!!

2 Remplissez le tableau suivant.

Taux d'évolution des prix…	d'un croissant	du carburant	d'un téléphone fixe
Exemple	*Il passe de 1 % à 3 %…*	*Il passe de 4 % à 3 %…*	*Il passe de 1 % à 2 %.*
Interprétation	Le prix des croissants augmente de plus en plus vite.	Le prix du carburant augmente de moins en moins vite ou ralentit.	Le prix des téléphones fixes baisse.

7

CAPACITÉS

- Distinguer les revenus en fonction de leur origine
- Comprendre qu'un individu ou groupe d'individus peut être rémunéré du fait de son travail, de ses connaissances, diplômes, de ses qualifications et de sa détention de capital • Analyser le partage de la valeur ajoutée à partir d'un graphique

NOTIONS

- Revenus primaires : les revenus du travail, les revenus du capital, les revenus mixtes • Le partage de la valeur ajoutée entre les différents agents économiques
- La valeur ajoutée brute par secteur institutionnel
- Les prélèvements obligatoires, l'imposition sur le revenu
- Les revenus de transfert • Le revenu disponible

LVMH

Les revenus

VIDÉO

hachette-clic.fr/22eco044

Présentation du groupe LVMH (2'56)

FICHE D'IDENTITÉ

Regardez la vidéo et complétez la fiche d'identité.

BERNARD ARNAULT

Naissance : 1949 à Roubaix.

Formation : Polytechnique.

Profession : PDG et actionnaire majoritaire de LVMH.

LVMH

Signification du sigle de LVMH :

Louis Vuitton-Moët-Hennessy.

Quelques marques connues du groupe :

Dior, Lacroix, Givenchy, Sephora, Guerlain...

SITUATION

Leader mondial dans la fabrication et la distribution d'articles de luxe, le groupe LVMH génère d'importants revenus. À la tête de l'entreprise, le dirigeant, Bernard Arnault, n'est pas en reste : il possède l'une des plus grandes fortunes mondiales. Mais d'où proviennent ces revenus et comment se répartissent-ils dans l'entreprise ? L'État a-t-il un rôle à jouer ?

1 D'où viennent les revenus primaires des agents économiques ?

Bernard Arnault a perçu pour 2020, en sa qualité de dirigeant, la somme de 3 338 307 euros. Il est actionnaire de LVMH et d'autres grandes entreprises, dont il perçoit des dividendes. Il est également le propriétaire de plusieurs biens immobiliers dont il perçoit un loyer. Il a par ailleurs la possibilité de réinvestir les sommes restantes dans des placements bancaires dont il percevra des intérêts chaque année.

A Les revenus du travail

NOTION

• **Les revenus primaires**

Ils comprennent les revenus directement liés à une participation des ménages à la production. Les **revenus d'activité** se composent des **revenus du travail** (salaires) et des revenus d'activités non salariées (**revenus mixtes**) perçus principalement par les entrepreneurs individuels et les professions libérales (par exemple, les médecins).
Ces revenus primaires comprennent aussi des **revenus de la propriété (capital)** que procurent des biens immobiliers (par exemple, un loyer) ou des actifs financiers (par exemple, des intérêts).

1 **Identifiez les types de revenus de Bernard Arnault cités en ▶ Situation en complétant, quand cela est possible, le schéma ci-dessous. ▶ Notion**

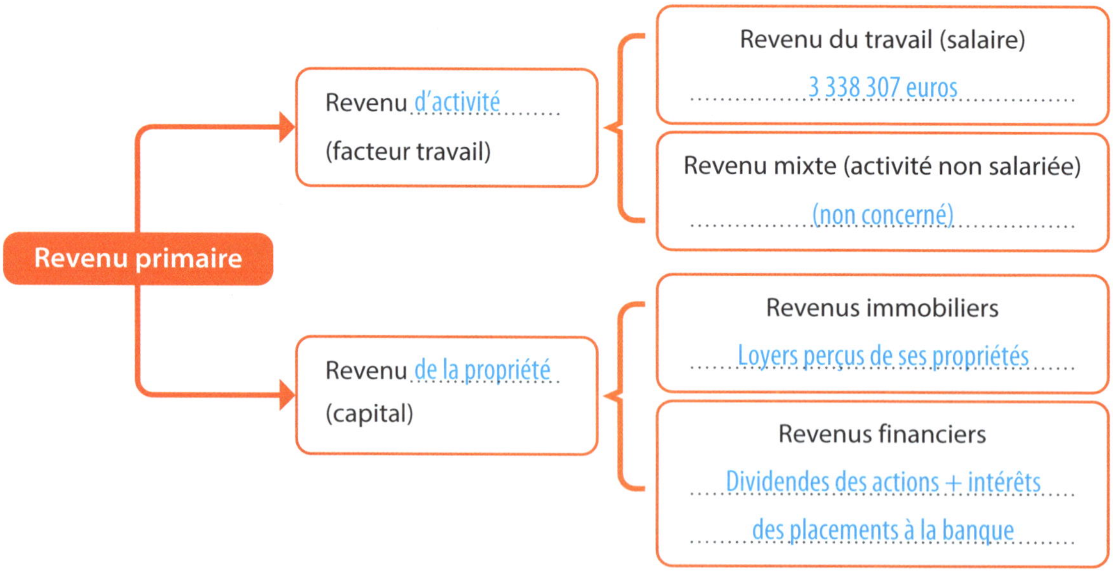

2 **Les revenus primaires de Bernard Arnault sont-ils exclusivement le fruit de son travail ? Justifiez votre réponse.**

Non, les revenus de Bernard Arnault sont à la fois issus de son travail de dirigeant (salaire) et de ses propriétés (ou « capital » en économie), c'est-à-dire des loyers et des placements financiers.

3 **Bernard Arnault peut-il percevoir des revenus mixtes *via* son travail au sein de LVMH ? Justifiez.**

Les revenus mixtes sont perçus par des individus non-salariés (« indépendants »). Or, Bernard Arnault est salarié du groupe LVMH. Il ne peut donc percevoir de revenus mixtes.

B L'évolution du revenu primaire

La composition des revenus primaires de Bernard Arnault est propre à sa situation. Qu'en est-il des revenus des ménages à l'échelle de la France ?

DOC 1 Évolution de la composition des revenus primaires des ménages en France

	1970		2010		2019	
	En milliards d'euros	En pourcentage du revenu primaire	En milliards d'euros	En pourcentage du revenu primaire	En milliards d'euros	En pourcentage du revenu primaire
Revenus mixtes	24,7	27 %	280,6	19 %	312,1	19 %
Revenus du travail	62,6	70 %	1 053,4	74 %	1 264,3	76 %
Revenus de la propriété	3	3 %	93,2	7 %	89,5	5 %
Total	90,3	100 %	1 427,2	100 %	1 665,9	100 %

Insee, compte des ménages, 2021

4 **Complétez les données manquantes dans le tableau du ▶ Doc. 1.**

5 **Commentez l'évolution de la composition du revenu des ménages sur la période observée.**

Les salaires ont progressé : en 2019, ils représentent 76 % du total des revenus primaires contre 70 % en 1970.

Les revenus de la propriété ont connu une forte augmentation entre 1960 et 2019 en passant de 3 % à 5 %.

Parallèlement, on constate une baisse sensible des revenus mixtes provenant des entrepreneurs.

DOC 2 Part de l'emploi indépendant dans le total des emplois (en %) en France

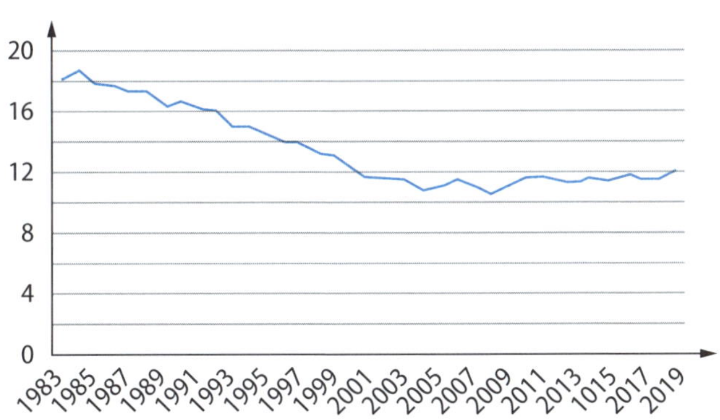

Insee, 2021

6 **Comment peut-on expliquer l'évolution de la part des revenus mixtes ? ▶ Docs. 1 et 2**

La proportion de travailleurs indépendants ne cesse de diminuer en France. Elle est passée de plus de 18 % en 1983 à 12 % en 2019. Cette baisse se traduit par une baisse de la part des revenus mixtes dans les revenus des ménages.

Bilan

Identifiez les sources de revenu primaire en complétant le paragraphe suivant.

Le revenu primaire se décompose entre les revenus d'activité et de la propriété. On distingue, parmi les revenus d'activité, les revenus provenant des salaires et ceux n'en provenant pas, les revenus mixtes. En France la part des revenus mixtes a fortement chuté au cours des dernières décennies.

Vers la synthèse
JE ME TESTE
hachette-clic.fr/22eco045
Je révise l'essentiel p. 106-107

2 Comment comprendre le partage de la valeur ajoutée et ses enjeux ?

LVMH a réalisé un chiffre d'affaires de 44,7 milliards d'euros en 2020. La direction s'interroge sur la répartition de cette richesse à réaliser au sein de l'entreprise pour l'année à venir.

A Le partage de la valeur ajoutée

DOC 3 Le partage de la valeur ajoutée de LVMH en 2020 (en milliards d'euros)

Valeur ajoutée (15,9)

- **Rémunération facteur travail** (8,6) → ménages (salariés) — 54 %
- **Rémunération facteur capital** (4,7) — 30 %
  - **Remboursement des intérêts des prêts** (0,058) → sociétés financières (banques) — 10,65 %
  - **Versement des dividendes** (3,1) → ménages (actionnaires) — 65,95 %
  - **Épargne** (1,1) → société non financière (LVMH) — 23,40 %
- **Versement des impôts** (2,6) → l'État — 16 %

Compte de résultat 2020, document d'enregistrement universel LVMH

1 Rappelez la différence entre le chiffre d'affaires et la valeur ajoutée. Chapitre 6 pp. 83-94

Le chiffre d'affaires est égal au montant total encaissé par l'entreprise alors que la valeur ajoutée correspond au chiffre d'affaires auquel on soustrait les consommations intermédiaires.

2 Dans le ▶ Doc. 3, renseignez les agents économiques concernés par le partage de la valeur ajoutée chez LVMH : *ménages (salariés)/(ménages (actionnaires)/société non financière (LVMH)/sociétés financières (banques)/État.*

3 Calculez la part touchée par ces différents agents en pourcentage et complétez le ▶ Doc. 3.

4 Expliquez comment chaque bénéficiaire de ces revenus a participé à la production en reliant les éléments ci-dessous.

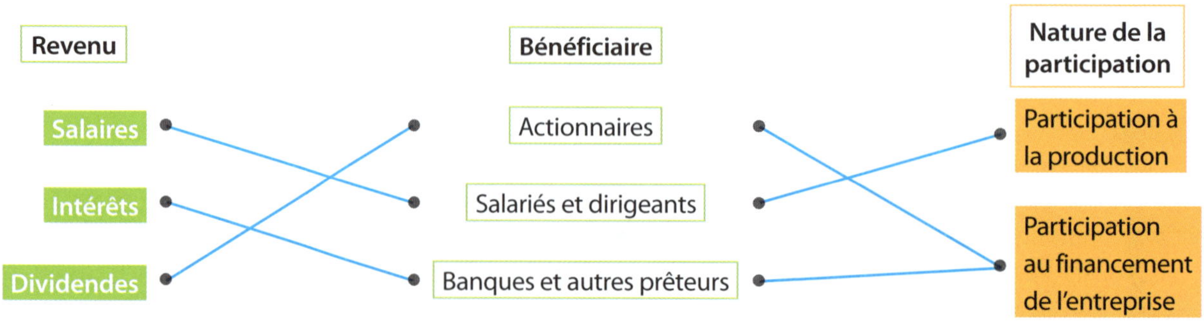

B Les évolutions du partage de la valeur ajoutée

DOC 4 **Évolution entre 1994 et 2015 de la répartition entre rémunération du travail et rémunération du capital dans le partage de la valeur ajoutée** (en pourcentage)

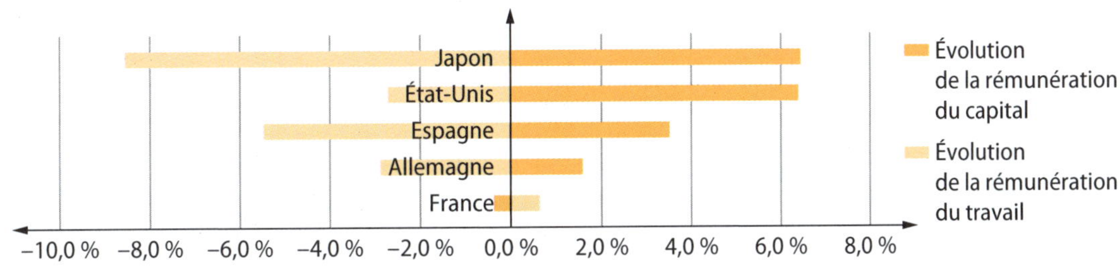

Direction générale du Trésor, 2019

5 **Décrivez l'évolution du partage de la valeur ajoutée dans les cinq pays présentés, en précisant la situation particulière de la France.** ▶ Doc. 4

Depuis le milieu des années 1990, la part de la rémunération du travail dans la valeur ajoutée a diminué dans ces pays, sauf en France où elle est quasi stable. En parallèle, la part de la rémunération du capital dans la valeur ajoutée augmente dans ces pays, sauf en France.

DOC 5 **La déformation du partage de la valeur ajoutée**

Quel rôle a joué le progrès technologique dans la déformation du partage de la valeur ajoutée au détriment des salariés ?

Le progrès technologique, du fait de l'automatisation de nombreuses tâches ou du développement de l'intelligence artificielle par exemple, entraînerait une « course entre l'homme et la machine ». […] Le progrès technologique […] incite les entreprises à remplacer du travail par du capital […].

Pourquoi cette explication par le progrès technologique n'est pas suffisante, à vos yeux, pour comprendre l'augmentation de la part des revenus du capital dans la valeur ajoutée ?

[…] La part des revenus du capital dans la valeur ajoutée (et son corollaire, la baisse de la part des revenus du travail) s'explique surtout par une augmentation de la part des profits, ou plus généralement du rendement du capital […]. Ces profits sont utilisés pour payer les actionnaires […] ou peuvent aussi être réinvestis à l'étranger, investis dans les moyens de production ou encore mis en réserve.

Extrait de l'interview de Sophie Piton, macroéconomiste, ses.ens-lyon.fr, 28/09/2018

6 **Expliquez les raisons de l'évolution du partage de la valeur ajoutée.** ▶ Doc. 5

Le partage de la valeur ajoutée a évolué en raison du progrès technique. En effet, les entreprises ont été incitées à remplacer des hommes par des machines, ce qui a été favorable à la rémunération du capital. Par ailleurs, les entreprises ont augmenté fortement leurs profits au détriment des revenus du travail.

C Les enjeux du partage de la valeur ajoutée

DOC 6 Les conséquences du partage de la valeur ajoutée

Si la part de la valeur ajoutée affectée aux salaires augmente, le revenu des salariés peut s'accroître et ils pourront consommer davantage.
Si la valeur ajoutée est davantage allouée à l'entreprise, cette dernière ne s'endettera pas auprès des banques pour se financer : elle sera capable de le faire avec les ressources mises en réserve. Elle deviendra plus compétitive (elle pourra faire face à la concurrence) car elle sera indépendante financièrement.

Les auteurs

7 **En vous aidant du ▶ Doc. 6, déterminez les effets économiques et sociaux des deux situations suivantes envisagées par LVMH. Justifiez.**

Situations		Effets	Justification
Situation n° 1 Prévision d'une hausse de la valeur ajoutée	L'entreprise décide d'augmenter ses profits au détriment des salaires. La prime habituellement versée aux employés ne sera pas reconduite.	• Situation financière des salariés : ☐ Amélioration ☒ Détérioration • Situation financière de l'entreprise : ☒ Amélioration ☐ Détérioration	• Les salariés verront leurs revenus diminuer en raison de la suppression de la prime. • L'entreprise pourra, en augmentant ses profits, mettre en réserve une fraction de ces derniers. Elle pourra ainsi se financer par elle-même sans passer par les banques.
Situation n° 2 Prévision d'une baisse de la valeur ajoutée	L'entreprise décide d'annoncer une augmentation des salaires. Cette disposition sera financée par la mobilisation d'une proportion plus importante de la valeur ajoutée (+10 % par rapport à l'année précédente).	• Situation financière des salariés : ☒ Amélioration ☐ Détérioration • Situation financière de l'entreprise : ☐ Amélioration ☒ Détérioration	• Les salariés verront leurs revenus augmenter. • La situation de l'entreprise risque de se dégrader car la part des profits dans la valeur ajoutée sera réduite.

Bilan

Préparez, à l'oral, trois arguments pour une répartition de la valeur ajoutée en faveur des salariés, puis trois arguments pour une répartition en faveur des profits de l'entreprise.

Vers la synthèse
JE ME TESTE
hachette-clic.fr/22eco046
Je révise l'essentiel p. 106-107

3 Comment l'État tente-t-il de corriger la répartition des revenus primaires ?

Leeloo est directrice d'une boutique Sephora, enseigne appartenant au groupe LVMH. Elle perçoit un salaire de 3 000 €. Mais elle doit payer des cotisations sociales prélevées sur son salaire, à hauteur de 22 % de celui-ci, et un impôt mensuel de 100 €. Par ailleurs, elle possède un studio qu'elle loue à un étudiant pour la somme de 300 € par mois. Elle perçoit également des allocations familiales d'un montant de 80 € par mois.

A Du revenu primaire au revenu disponible

NOTIONS

Les outils de la redistribution

La redistribution est un mécanisme mis en place par l'État qui consiste à prélever des revenus chez certains pour les redistribuer à d'autres, sous forme d'allocations ou de prestations.

- Les **prélèvements obligatoires** regroupent les impôts, taxes et cotisations versés par les particuliers ou les entreprises à l'État afin de financer les services publics et les prestations sociales.
- Les **prestations sociales** sont versées en espèces ou en nature aux ménages par l'État afin de faire face à une augmentation des dépenses (**ex.** : maternité, rentrée des classes) et/ou une baisse de revenus (accident du travail, chômage).
- Les **services publics** sont des activités d'intérêt général dont le coût est bien supérieur à ce que payent les usagers (**ex.** : police, justice, santé).

DOC 7 Décomposition du revenu disponible de Leeloo

Revenu primaire	+	Revenus de transfert (prestations sociales)	–	Prélèvements obligatoires (impôts et cotisations)	=	Revenu disponible
3 000 + 300 = 3 300 €		80 €		100 € + 660 € = 760 €		2 620 €

1. **Complétez le schéma du ▶ Doc. 7 à l'aide de la ▶ Situation et de l'encadré ▶ Notion.**

2. **Proposez une définition du revenu disponible.**

Le revenu disponible est celui obtenu après redistribution. Les ménages disposent de ce revenu pour consommer ou épargner.

DOC 8 L'évolution du revenu disponible et de sa composition en France

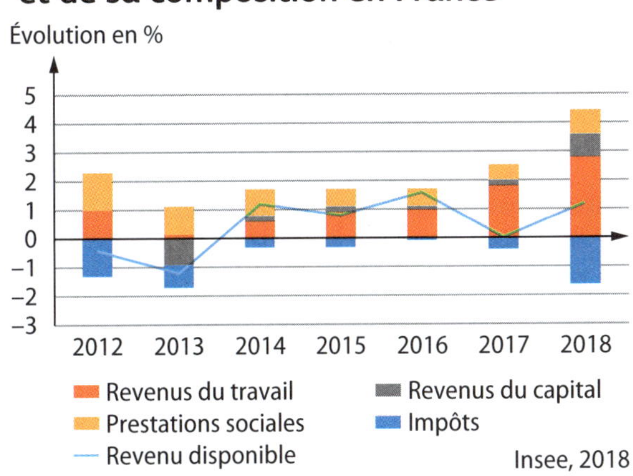

Insee, 2018

3. **Commentez l'évolution du revenu disponible sur la période considérée.** ▶ Doc. 8

Le revenu disponible a augmenté grâce aux prestations sociales en constante augmentation et aux impôts en baisse, ainsi qu'aux revenus primaires qui augmentent. L'année 2013 fait figure d'exception avec les revenus du capital qui baissent et des revenus du travail qui stagnent.

B Les prélèvements obligatoires et les dépenses publiques

NOTION

• **Les dépenses publiques** sont les dépenses effectuées par l'État, les collectivités locales et des établissements publics. Elles ont pour but la satisfaction des besoins collectifs par la mise à disposition d'un service public (sécurité, justice, santé).

4 **Cochez la bonne réponse pour chaque situation.** ▶ Notion

	Dépense publique	Prélèvement obligatoire
Leeloo paye chaque mois 100 € d'impôts sur le revenu.	☐	☒
La rénovation du palais de justice prendra fin l'année prochaine.	☒	☐

DOC **9** À quoi servent les impôts ?

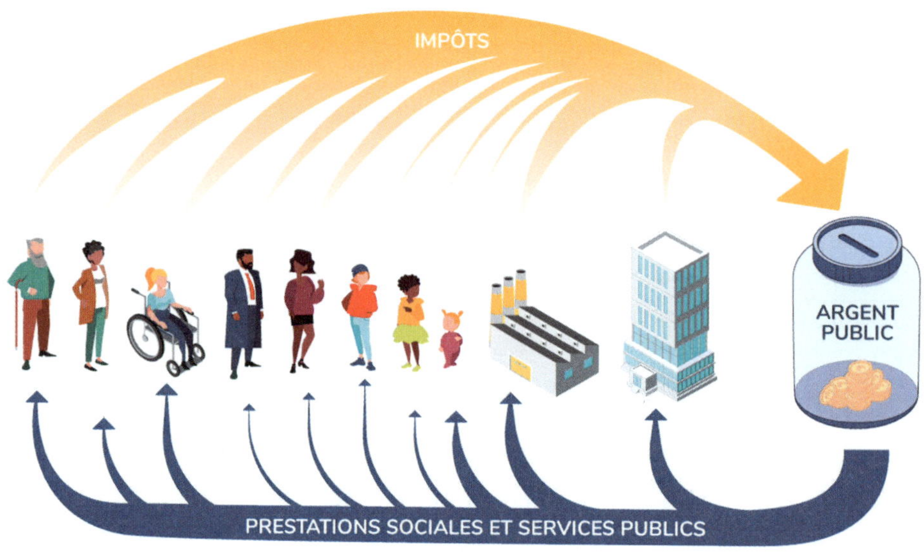

Site du ministère de l'Économie, des finances et de la relance, 2022

5 **Décrivez le mécanisme des impôts en expliquant le sens des deux flèches du** ▶ Doc. 9.

L'État, en collectant les impôts et autres prélèvements obligatoires, ponctionne les revenus primaires et en reverse une grande partie aux ménages qui ont besoin d'un supplément de revenus. L'État redistribue ainsi les revenus primaires, après une première distribution par l'entreprise de la valeur ajoutée.

6 **À l'aide du** ▶ Doc. 9 **et de vos connaissances, montrez que les prélèvements obligatoires sont source de revenus pour les ménages et les entreprises.**

Les ménages perçoivent des prestations sociales telles que la retraite, les allocations familiales, le RSA, l'allocation rentrée, le remboursement de soins médicaux… Les entreprises peuvent également bénéficier d'aides, par exemple de subventions.

LVMH

DOC 10 Le cas de l'impôt sur le revenu

Les impôts sur le revenu sont des impôts qui s'appliquent sur les revenus, les bénéfices et les gains en capital. Ils sont établis sur les revenus effectifs ou présumés des ménages, des sociétés et des institutions sans but lucratif au service des ménages.

Fraction du revenu imposable	Taux d'imposition
Jusqu'à 10 225 €	0 %
De 10 225 € à 26 070 €	11 %
De 26 070 € à 74 545 €	30 %
De 74 545 € à 160 336 €	41 %
Au-delà de 160 336 €	45 %

Plan loi Finances, 2022

7 En imaginant qu'un individu, célibataire et sans enfants, déclare un revenu annuel de 27 000 €, calculez le montant annuel de son impôt sur le revenu. ▶ Doc. 10

15 845 × 0,11 + 930 × 0,3 = 1 742,95 + 279,00 = 2 021,95 soit un total de 2 021,95 €.

8 À votre avis, à quoi peut servir cet impôt ?

Il peut servir à payer les services publics, les revenus de transfert ou à rembourser la dette de l'État.

DOC 11 Les efforts de la redistribution sur le taux de pauvreté

	Taux de pauvreté avant redistribution en %	Taux de pauvreté après redistribution en %	Effet de la redistribution en points de pourcentage
Personne seule	23,7	16,7	–7,0
Famille monoparentale avec un enfant	38,1	21,5	–16,6
Famille monoparentale avec deux enfants ou plus	61,3	40,4	–20,9
Couple sans enfant	7,6	5,7	–1,9
Couple avec un enfant	12,9	8,9	–4,0
Couple avec deux enfants	14,6	9,0	–5,6
Couple avec trois enfants	33,0	17,3	–15,7
Couple avec quatre enfants ou plus	62,3	38,1	–24,2
Ensemble	22,1	14,1	–8,0

Ministère du Travail, Observatoire des inégalités

9 Appréciez les effets de la redistribution sur la pauvreté en France. ▶ Doc. 11

Les prestations sociales réduisent significativement la pauvreté. Le système fiscal est en partie équitable, car il prélève davantage les ménages les plus riches que les ménages les moins aisés, ce qui permet de rétablir un équilibre. Les familles nombreuses voient leur situation s'améliorer significativement grâce aux prestations sociales. Toutefois, si la redistribution corrige les inégalités, elle ne les fait pas pour autant disparaître.

Vers la synthèse

JE ME TESTE

hachette-clic.fr/22eco047

Je révise l'essentiel p. 106-107

Bilan

Préparez à l'oral trois arguments en faveur d'une baisse des prélèvements obligatoires, et trois arguments en faveur d'une hausse des prélèvements obligatoires.

À moi de jouer

1 Jouez avec *Kyushi* !

Quiz interactifs pour réviser en classe !

hachette-clic.fr/kyushi

2 Distinguer les revenus en fonction de leur origine

Honoraires du médecin	Loyer d'une maison de vacances	Commission d'un agent immobilier	Dividendes d'un actionnaire de Carrefour	Bénéfices du boulanger
Salaire d'un animateur télé	Allocations familiales	Voiture de fonction	Honoraires du notaire	Assurance chômage
Dividendes d'un actionnaire de Nike	Bénéfices de l'agriculteur	Traitement d'un enseignant	Salaire d'un footballeur	Prime de fin de mois d'un gestionnaire de patrimoine

Règle du jeu :

› La classe se divise en groupes de quatre élèves, répartis en deux équipes de deux. Chaque équipe joue trois fois (trois rounds).

› Dans chaque équipe, à chaque round, l'un des élèves choisit un des types de revenus reproduits ci-dessus à faire deviner. Il donne un indice (revenu primaire, de transfert, de travail, de capital…) à son équipier, qui peut formuler une première réponse.

› S'il répond juste, l'équipe gagne 2 points. S'il ne fournit pas la bonne réponse, le 1er équipier peut alors mimer la fonction, le métier… S'il répond juste, l'équipe gagne 1 point ; sinon son score est nul pour ce round.

Feuille de score de ton groupe

	Round 1	Round 2	Round 3	Total
Équipe 1	....	....	....	....
Équipe 2	....	....	....	....

3 Analyser la répartition de la valeur ajoutée à partir d'un graphique

L'évolution de la part du travail dans la répartition de la valeur ajoutée

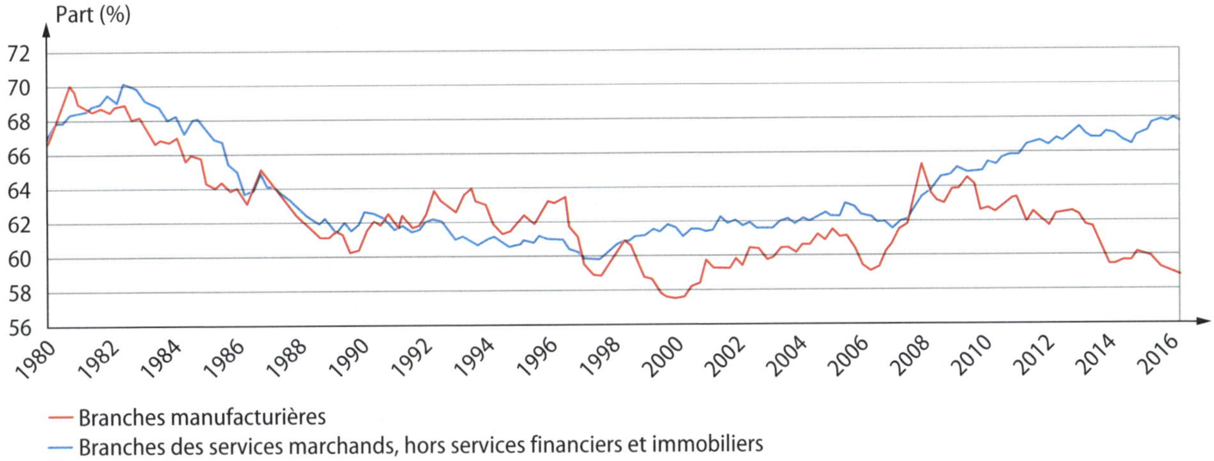

Banque de France, 2016

1. Quelles tendances ce graphique illustre-t-il ?
2. En vous aidant du ▶ Doc. 5 p. 99, expliquez pourquoi la baisse est plus significative dans les branches manufacturières que dans celles des services.
3. À l'aide d'une recherche sur Internet, indiquez l'évènement économique qui a eu lieu en 2008 et qui pourrait expliquer le décrochement des courbes à cette date.

AIDE

- **Branches manufacturières :** ce mot désigne surtout des industries de fabrication et de maintenance de biens. **Ex. :** l'industrie automobile.
- **Branches de services marchands :** il s'agit d'un service payant produit par une entreprise. **Ex. :** une coupe de cheveux chez le coiffeur.

4 Apprécier l'effet de la redistribution

Écart entre les taux de pauvreté avant et après redistridution

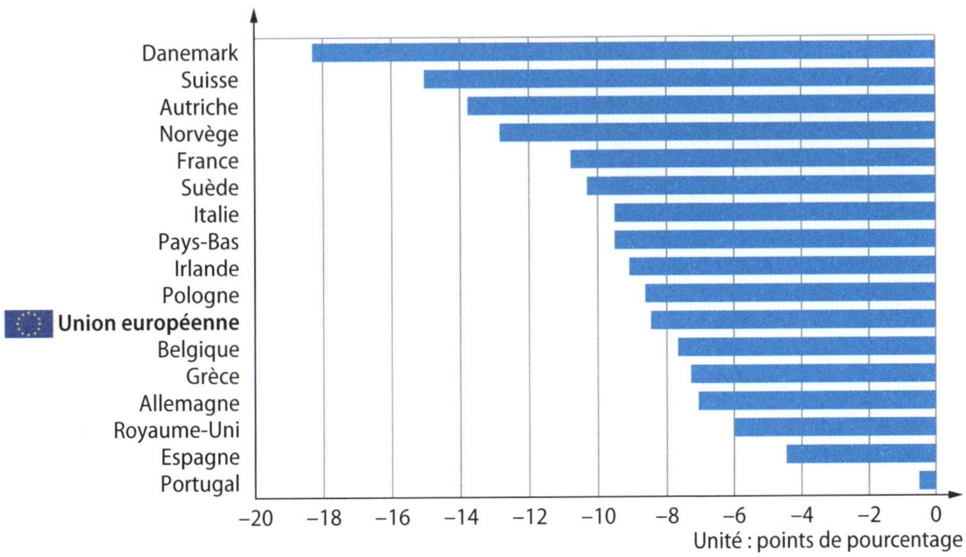

Observatoire des inégalités, octobre 2020

1. Rappelez ce qu'on entend par mécanisme de redistribution.
2. Interprétez le chiffre donné pour l'Union européenne sur le graphique.
3. Appréciez la place de la France par rapport à ses voisins. Comment peut-on l'expliquer ?

Objectif BAC

⑩ Analyser un graphique p. 154

L'essentiel

JE RÉVISE

hachette-clic.fr/22eco048

- Le podcast du cours
- La synthèse en 1 clic
- Je manipule les notions

NOTIONS

- **Redistribution :** mécanisme tendant à résorber les inégalités de richesse, par lequel l'État ponctionne une partie des revenus primaires des ménages pour les reverser à d'autres.
- **Revenus du capital :** revenus générés par la détention d'un patrimoine.
- **Revenu disponible :** revenu obtenu après redistribution, correspondant à ce dont dispose un ménage pour consommer ou épargner.
- **Revenus mixtes :** revenus perçus par les entrepreneurs individuels et les professions libérales dont l'activité combine simultanément leur travail et leur patrimoine.
- **Revenus primaires :** revenus issus du partage de la valeur ajoutée perçus en contrepartie de la participation à la production. Il se compose des revenus d'activité (travail) et des revenus de la propriété (capital).
- **Revenus de transfert :** revenus issus de la redistribution.
- **Revenus du travail :** revenus perçus par les ménages en échange de leur travail.

COURS

1 D'où viennent les revenus primaires des agents économiques ?

- Les **revenus primaires** naissent du partage de la valeur ajoutée auquel procèdent les entreprises. Ils se répartissent, en fonction du facteur de production qu'ils rémunèrent, entre :
  - **revenus du travail** (salaires) ;
  - **revenus de propriété** ou de capital (loyers, dividendes) ;
  - **revenus mixtes** (bénéfices de l'entrepreneur individuel).

2 Comment comprendre le partage de la valeur ajoutée et ses enjeux ?

- Le **partage de la valeur ajoutée** permet de rémunérer principalement le **facteur travail** (salaires), le **facteur capital** (dividendes, intérêts aux prêteurs et autofinancement) et les **impôts** sur la production.
- Ce partage peut être déformé en raison de la part de plus en plus importante accordée au bénéfice du capital au détriment des revenus du travail.

3 Comment l'État tente-t-il de corriger la répartition des revenus primaires ?

- L'État intervient alors pour tenter de rétablir un partage plus équitable des richesses en redistribuant les revenus primaires. Il prélève sous forme d'**impôts**, **taxes**, **cotisations sociales** une partie des revenus primaires pour les reverser à d'autres ménages sous forme de revenus qu'on appelle « **revenus de transfert** » (prestations sociales).

CHIFFRES clés

- En 2019, **la rémunération du travail** représentait **64 %** du partage de la valeur ajoutée et **les dividendes 2,9 %**.
- En 2021, le **revenu disponible** des Français a progressé de **2,7 %** par rapport à l'année précédente.
- En 2022, le **taux de prélèvement obligatoire** en France représente **43,5 %** du PIB.

CULTURE+

Le revenu universel

C'est un revenu versé à tous les individus indépendamment de toute participation à la création de richesse, et que le bénéficiaire peut choisir de compléter par des revenus du travail. Il n'est pour l'instant appliqué qu'à titre expérimental dans certains pays comme l'Allemagne.

VIDÉO
hachette-clic.fr/22eco048b
Le revenu universel, est-ce une bonne idée ? (2'56)

POUR RETENIR AUTREMENT

1 D'où viennent les revenus primaires des agents économiques ?

Revenus primaires

- Revenus du travail (salaires + charges sociales)
- Revenus du capital et de la propriété (dividendes, loyers, etc.)
- Revenus mixtes (bénéfices des entreprises individuelles, honoraires)

2 Comment comprendre le partage de la valeur ajoutée et ses enjeux ?

Le partage de la valeur ajoutée

- Rémunération du facteur travail
- Rémunération du facteur capital
- Impôts

Un partage qui peut être générateur d'inégalités

3 Comment l'État tente-t-il de corriger la répartition des revenus primaires ?

Rétablir un partage plus équitable des richesses

Revenu primaire + Revenus de transfert (RSA, CAF, minimum retraite) − Prélèvements obligatoires (taxes, impôts) = Revenu disponible

Redistribution : mécanisme par lequel l'État ponctionne une partie des revenus primaires des ménages pour les reverser à d'autres.

OBJECTIF BAC

7 Savoir calculer une proportion

Les textes économiques contiennent souvent des informations chiffrées qu'il faut savoir interpréter.

1 De quoi parle-t-on ?

Un **pourcentage de répartition** (ou taux de répartition) est la part exprimée en pourcentage que représente une partie par rapport à un ensemble.

Ex. : En France, en 2020, parmi les **39 millions** de foyers fiscaux déclarés (l'ensemble des personnes inscrites sur une même déclaration de evenus), **17,6 millions** ont dû s'acquitter d'un impôt sur le revenu, soit **45 %**.

2 Comment calculer un taux de répartition ?

Pour calculer un taux de répartition, on pose la formule suivante :

$$\frac{\text{Quantité dont on cherche la part en \%}}{\text{Quantité totale}} \times 100$$

Le résultat peut s'exprimer en pourcentage, en fraction ou par rapport au nombre 100.

• **Associez chaque proposition avec l'information chiffrée qui convient.**

Proposition	Information chiffrée
Près des 2/3 du revenu disponible proviennent des revenus du travail.	Pourcentage
65,5 % du revenu disponible proviennent des revenus du travail.	Fraction
Sur 100 € de revenu disponible, 65,50 € proviennent du revenu du travail.	Rapport au nombre 100

3 En situation

• **Calculez puis formulez les taux de répartition correspondant aux revenus du travail et aux revenus de transfert par rapport au revenu disponible brut (RDB) en 2018.**

	2016 (r)	2017 (r)	2018
Salaires et traitements bruts	865,9	892,9	918,4
Prestations sociales autres que transferts sociaux en nature	486,4	493,7	504,9
Excédent brut d'exploitation et revenu mixte brut	299,9	305,9	310,2
Cotisations des non-salariés	30,0	30,0	28,4
Revenu disponible brut (RDB)	**1 353,5**	**1 383,4**	**1 421,2**

En milliards d'euros : données révisées (r).

Insee, comptes nationaux, base 2014

• **Revenus du travail :** $\frac{918,4}{1\,421,2} \times 100 = 64,62\ \%$: 64,62 % du RDB ont été générés en 2018 par les revenus du travail.

• **Revenus de transfert :** $\frac{504,9}{1\,421,2} \times 100 = 35,52\ \%$: 35,52 % du RDB provenaient en 2018 des revenus de transfert.

Mini-cas d'entraînement

THÈME 2

JE SAIS : OUI ✓ NON ✗

- **analyser** le partage de la valeur ajoutée à partir d'un graphique.
- **identifier** les enjeux du PIB.
- **identifiez** l'évolution des gains de productivité.

Le PIB des États-Unis

VOTRE MISSION

1. Analysez l'évolution du PIB aux États-Unis.
2. Identifiez le changement de répartition de la valeur ajoutée depuis 2021.
3. Expliquez les effets de ce changement sur la productivité américaine.
4. En utilisant l'exemple des États-Unis, rédigez une argumentation qui permettra de répondre à la question suivante :
Quelles sont les limites du PIB ?

Objectif BAC ❶ à ❹ Comprendre les consignes p. 30, 42, 54, 66

Objectif BAC ❿ Analyser un graphique p. 154

Objectif BAC ⓬ Analyser un sujet d'argumentation p. 184

Objectif BAC ⓭ Structurer son argumentation p. 194

ANNEXE 1 L'évolution du PIB aux États-Unis depuis 2015

Année	2015	2016	2017	2018	2019	2020	2021
PIB en millions d'euros	16 409 193	16 889 602	17 243 162	17 381 202	19 091 201	18 292 506	19 499 811

OCDE

ANNEXE 2 Part du travail dans la valeur ajoutée (secteur marchand agricole) Aux États-unis, depuis 1948

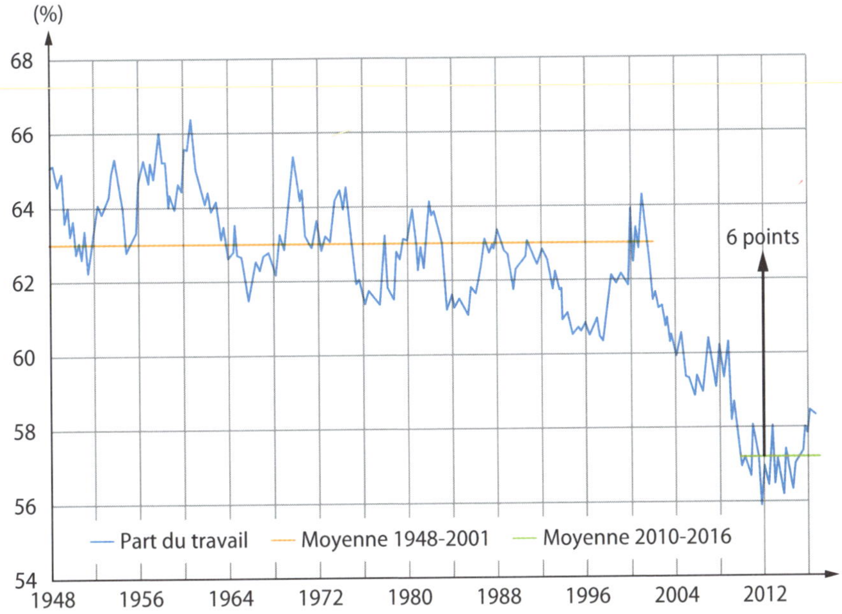

Bureau of Labor Statistics, Direction Gérérale du Trésor

ANNEXE 3 — USA : Chute de 4,8 % de la productivité au 4e trimestre

La productivité non-agricole a chuté de 4,8 % aux États-Unis au dernier trimestre 2020 en rythme annuel, selon l'estimation préliminaire du Département du Travail, qui avait fait part d'une croissance de 5,1 % au trimestre précédent. Cette réduction de la productivité traduit une augmentation de 10,7 % du nombre d'heures travaillées, surpassant largement la hausse de 5,3 % de la production. Par ailleurs, les coûts unitaires salariaux ont grimpé de 6,8 %.

CercleFinance.com

ANNEXE 4 — La pénurie de main-d'œuvre dope les bas salaires aux États-Unis, qui pour beaucoup ont vu le tarif horaire se généraliser à 15 dollars.

La pandémie et la pénurie de main-d'œuvre dopent les bas salaires aux États-Unis au point de généraliser, dans les grandes entreprises, les 15 dollars de l'heure […]. « Pour la première fois depuis la fin des années 1990, les employés ayant des bas salaires disposent d'un peu plus d'influence pour exiger des rémunérations plus élevées », explique David Cooper, économiste à l'Institut de politique économique (EPI) […]. Nombre d'entre eux ne veulent plus travailler pour une misère. D'autres sont contraints de refuser des emplois faute de garde d'enfants ou de profil adapté. […] Pour attirer les candidats, de plus en plus d'employeurs mettent la main à la poche avec non seulement des hausses de salaire mais encore l'octroi de bonus et avantages sociaux. […] La concurrence entre entreprises fait que pour la première fois, le salaire moyen des employés des supermarchés et des restaurants dépasse les 15 dollars de l'heure, selon le Washington Post. […]

Capital.fr et AFP, 11/08/2021

ANNEXE 5 — L'écologie et le taux de pauvreté aux États-Unis

Environnement					
Énergies renouvelables (en %, 2018)	6,8	(4,1)	Émissions en CO_2 par habitant dues à la combustion d'énergie (en tonnes, 2018)	15	(8,9)
Déchets municipaux par habitant (tonnes, **2015-OCDE**, 2017)				0,7	(0,5)
Société					
Taux de pauvreté (en %, **2017-OCDE**, 2016)				17,8	(11,6)

Les nombres entre parenthèses correspondent à la moyenne de l'OCDE

OCDE

ANNEXE 6 — Part du patrimoine net détenue par les plus fortunés en %

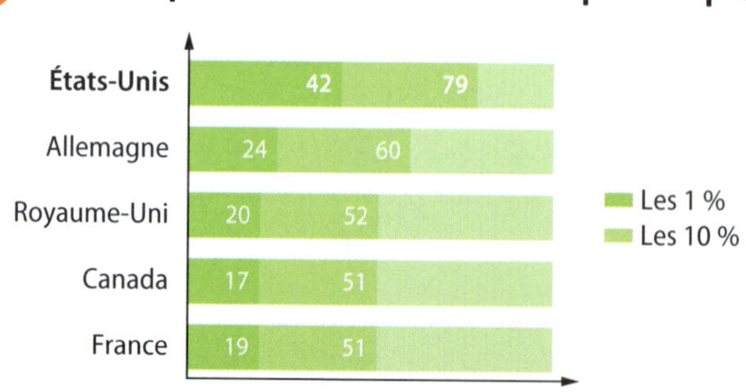

Catherine Doutey, « Les États-Unis, un pays malade de ses inégalités », *Courrier International*, 2020.

THÈME 3

Comment les ménages décident-ils d'affecter leur revenu ?

Charlie & Gus
La websérie STMG

VIDÉO

hachette-clic.fr/22ecocg3

Épisode #3

La cigale et la fourmi

1. Expliquez pourquoi les dépenses de Charlie et Gus sont en hausse.
2. Relevez la raison pour laquelle Gus souhaite mettre de l'argent de côté.
3. Êtes-vous d'accord avec la dernière citation de Gus ?

Si les ménages perçoivent des revenus divers et variés, liés notamment au processus de production, la question de **l'affectation de ces revenus** est centrale en économie.

A partir de leur revenu **disponible**, les ménages doivent réaliser des **arbitrages** en tenant compte de certains paramètres. Le revenu est ainsi réparti entre la consommation et l'épargne :

revenu = consommation + épargne.

CHAPITRE 8
L'arbitrage entre consommation et épargne

Mais ces arbitrages dépendent aussi du **pouvoir d'achat**. Le pouvoir d'achat correspond à la quantité de biens et de services qu'un revenu permet d'acheter. Dans ce chapitre vous verrez la structure de la consommation et son évolution dans le budget des ménages.

CHAPITRE 9
Le pouvoir d'achat et la structure de consommation des ménages

8

CAPACITÉS

- Identifier les déterminants de la consommation
- Analyser l'évolution de la structure de consommation des ménages (en valeur et en volume)
- Identifier les déterminants de l'épargne
- Démontrer le lien entre épargne, revenu et patrimoine
- Calculer et interpréter les propensions moyenne et marginale à consommer et à épargner
- Interpréter un tableau statistique des répartitions du revenu et du patrimoine

NOTIONS

- Les déterminants de l'épargne et de la consommation
- La propension à consommer
- Le taux d'épargne
- Le patrimoine

L'arbitrage entre consommation et épargne

L'ÉPARGNE PENDANT LA COVID

Regardez la vidéo et complétez la fiche.

VIDÉO

hachette-clic.fr/22eco050

L'épargne atteint des sommets (2'25)

Définition de l'épargne :

Argent mis de côté.

Somme épargnée en moyenne pendant la Covid :

276 euros par mois et par ménage.

Somme épargnée par les 18-24 ans :

218 euros par mois.

Conséquence de l'épargne sur la consommation des français :

Le recours au crédit à la consommation est en baisse de 11,5 %.

SITUATION

Thaïs et Jalil Pradel sont mariés depuis dix ans et vivent à proximité de Dijon. Ils ont deux jeunes enfants. Le revenu du ménage est de 2 900 € par mois cette année. Ils perçoivent par ailleurs un montant de 400 € provenant des allocations familiales.

Comme tous les ménages, la famille Pradel souhaite satisfaire ses besoins actuels et futurs. Pour cela, elle s'interroge sur la manière d'utiliser au mieux ses revenus.

1 Comment se partage le revenu disponible ?

Pour cette nouvelle année, le revenu disponible mensuel du ménage Pradel s'élève à 3 300 €. Les dépenses de la vie courante du ménage représentent 90 % de son revenu. Thaïs et Jalil ont rendez-vous à la banque pour faire le point sur leur situation financière. Ils envisagent de s'offrir d'ici deux ans un voyage au Japon en famille car leur acteur préféré y passe ses vacances chaque année et poste de magnifiques photos sur Instagram !

A Le choix entre la consommation et l'épargne

NOTION

Revenu disponible

- **Consommation :** utilisation de biens et de services.
- **Épargne :** partie du revenu qui n'est pas consommée.

DOC 1 Consommation et épargne

Montant mensuel : 2 970 €

Montant mensuel : 330 €

= 3 300 €

DOC 2 Rendez-vous à la banque !

Vos dépenses, ou consommation finale, c'est l'ensemble des biens et services que vous achetez pour satisfaire vos besoins. Votre épargne, quant à elle, est constituée de la partie de votre revenu disponible non consommée. Les économistes la considèrent comme une consommation différée dans le temps. On distingue l'épargne financière, qui comprend l'ensemble des placements financiers (assurance-vie, livrets d'épargne, etc.), de l'épargne non financière, avec, principalement, l'investissement immobilier (achat d'un logement).

1. **Quelle est l'utilisation faite par Thaïs et Jalil de leur revenu disponible ? Complétez le schéma du ▶ Doc. 1 en réalisant les calculs nécessaires.**

2. **Soulignez, dans le ▶ Doc. 2, la définition de la consommation finale.**

   Donnez deux exemples liés à la consommation finale pour un ménage.

   Le logement/la nourriture.

3. **Après avoir relevé les formes de l'épargne, indiquez celle qui sera utilisée par la famille Pradel pour son projet de voyage. Pour cela, vous compléterez le tableau ci-dessous.**

Formes de l'épargne	Épargne utilisée par la famille Pradel
Deux formes d'épargne : l'épargne financière et l'épargne non financière.	La famille Pradel utilisera l'épargne financière constituée par un dépôt bancaire. En effet, ce dépôt d'argent pourra être retiré pour financer le voyage au Japon.

B La propension à consommer et à épargner

Le couple Pradel travaille depuis plusieurs années pour une salle de spectacle, le Zénith de Dijon. En début d'année, Thaïs et Jalil ont tous les deux obtenu une promotion qui s'est accompagnée d'une augmentation des revenus pour le ménage.

NOTIONS

Propensions moyenne et marginale

Un revenu est consommé ou épargné. Pour évaluer la proportion de chaque poste, il faut calculer sa propension moyenne. La **propension moyenne** à consommer est la « part du revenu qui est consommée » : $\frac{\text{Consommation}}{\text{Revenu (en \%)}}$

La **propension marginale** à consommer est la part du revenu supplémentaire consacrée à un supplément de consommation lors d'une augmentation de revenu : $\frac{\text{Variation de consommation}}{\text{Variation de revenus (en \%)}}$

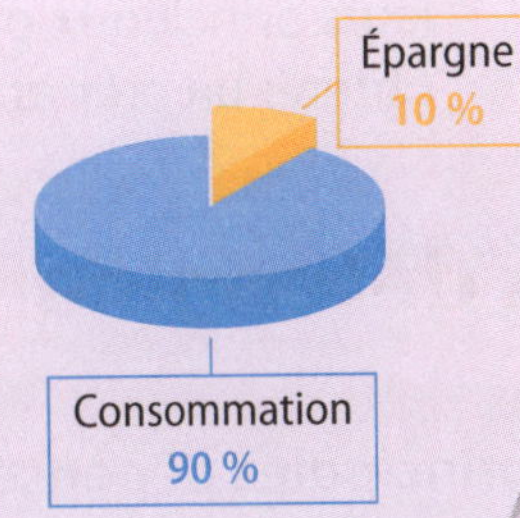

DOC 3 La situation financière de la famille Pradel

	Avant promotion	Après promotion	Variation (en €)
Revenu disponible	3 300	3 650	350
Postes de dépenses	2 970	3 050	80
Montant de l'épargne	330	600	270
Propension moyenne à consommer	0,9	0,84	
Propension moyenne à épargner	0,1	0,16	
Propension marginale à consommer		0,23	
Propension marginale à épargner		0,77	

4 Complétez le tableau du ▶ Doc. 3 en effectuant les calculs appropriés.

5 Commentez l'évolution des dépenses et de l'épargne observée sur la période en complétant le tableau ci-dessous.

Évolution des dépenses	Évolution de l'épargne
L'augmentation des revenus chez la famille Pradel s'est traduite par une baisse de la part de la consommation dans le revenu. Autrement dit, la consommation représente une part moins importante dans les dépenses du ménage.	De manière symétrique, la propension à épargner a augmenté. Ils épargnent davantage.

Bilan

Rappelez à la famille Pradel comment se décompose l'utilisation du revenu disponible en précisant la façon dont on peut mesurer ce partage.

Le revenu disponible se décompose entre la consommation et l'épargne. Pour mesurer ce partage, il est possible d'identifier et de calculer la part consacrée à la consommation (propension à consommer) et à l'épargne (propension à épargner) dans le revenu disponible.

Vers la synthèse
JE ME TESTE
hachette-clic.fr/22eco051
Je révise l'essentiel p. 124-125

2 Qu'est-ce qui explique la consommation et l'épargne ?

À la suite de l'augmentation des revenus perçue par la famille Pradel et du point fait avec leur conseillère clientèle, le couple décide d'analyser d'un peu plus près les conséquences sur leurs principaux postes de dépenses. Ils ont d'ailleurs reçu par courriel une proposition pour obtenir un prêt attractif afin de financer différents projets.

A Les déterminants de la consommation

DOC 4 Les principales dépenses de la famille Pradel

Postes de dépenses	Part à l'année avant augmentation des revenus (en % du revenu disponible)	Part à l'année après augmentation des revenus (en % du revenu disponible)
Essence	10 %	8,5 %
Pain	2 %	1,5 %
Restaurant	5 %	8 %
Loyer du logement	40 %	35 %
Divertissement	12 %	15 %
Autres dépenses	21 %	23 %
Total (euros)	**35 640**	**36 600**

1 Soulignez dans le ▶ Doc. 4 les postes de consommation qui ont subi une augmentation entre les deux périodes.

2 Recherchez les points communs entre les produits dont la part augmente et ceux dont la part diminue.

On s'aperçoit qu'en cas de hausse des revenus, la part des produits essentiels diminue, alors que la part des produits non indispensables augmente.

3 Que peut-on en déduire concernant la consommation en cas de hausse de revenu ?

En cas de hausse des revenus, la consommation augmentera elle aussi. Dans le cas de la famille Pradel, elle s'élève à environ 3 % de plus. Cette hausse permet de satisfaire de manière plus importante les besoins des individus.

4 Expliquez les conséquences attendues de l'offre de prêt proposée à la famille Pradel. Complétez pour cela le tableau.

Conséquence pour la famille Pradel	Cette offre de prêt peut encourager la famille à dépenser encore plus. En effet, le taux d'intérêt attractif peut rendre moins cher le coût d'un crédit à la consommation.
Conséquence au niveau de l'économie tout entière	Au niveau macroéconomique, une baisse des taux encourage la dépense.

5 Complétez la phrase :

Plus les taux d'intérêts sont ..... bas ....., plus les ménages auront tendance à consommer. Inversement, plus les taux d'intérêts sont ..... élevés ....., plus les ménages auront tendance à ..... épargner ......

DOC 5 Extrait mailing Cash conso

* Rappel : le taux d'intérêt désigne le prix (exprimé en pourcentage) qu'il faut payer pour emprunter une somme d'argent.

Pour préparer au mieux leur projet, Jalil consulte les forums à destination du Japon. En naviguant, il tombe sur plusieurs commentaires d'internautes intéressés eux-aussi.

DOC 6 Extrait des commentaires du forum

Charlotte – Étudiante à l'IUT

« Partir au Japon, c'est une aventure super ! Je suis pas mal d'abonnés sur Instagram, notamment chez certains influenceurs. Ils adorent ! Leurs photos et *story* sont top. Ça donne envie d'y aller aussi et de faire partie de leur monde. »

Patrice – Historien

« Partir à la découverte de cette culture millénaire, c'est grandiose ! J'ai déjà voyagé sur tous les autres continents. Ma passion pour l'histoire et les musées me motive à voyager. Par ailleurs, mon épouse pratique le violon ; elle est sous le charme de la musique traditionnelle japonaise. »

Jean-Baptiste – Comptable

« Tous mes collègues partent cet été. Il faut dire qu'ils profitent tous des congés payés. J'ai décidé de découvrir le Japon et sa cuisine. En tant que Français, je mets un point d'honneur à goûter la nourriture lors de mes voyages ! »

NOTION

L'effet d'imitation (James S. Duesenberry)

On peut montrer qu'à partir du comportement de certains groupes, il existe un effet d'imitation chez d'autres individus. Les groupes sociaux leaders impulsent une norme de consommation qui servira de modèle à d'autres groupes jugés inférieurs, pour reproduire ce modèle de consommation.

6 **En prenant appui sur le ▶ Doc. 6 et ▶ Notion, reliez les commentaires des internautes aux raisons exprimées expliquant leur projet de voyage.**

- Charlotte → L'effet d'imitation
- Patrice → L'appartenance à une classe sociale
- Jean-Baptiste → Facteur culturel
- Famille Pradel → L'effet d'imitation

7 **À votre avis, quels sont les autres éléments qui peuvent expliquer le fait de vouloir partir au Japon ou vers une autre destination étrangère ?**

L'âge ; les prix des billets, des locations ; la publicité ; la confiance en l'avenir.

Vers la synthèse – JE ME TESTE

hachette-clic.fr/22eco052

Je révise l'essentiel p. 124-125

2 Qu'est-ce qui explique la consommation et l'épargne ?

Assis autour de la table, le couple Pradel n'est pas d'accord. Thaïs veut placer l'argent en toute sécurité afin de mettre un maximum de chances du côté de leurs enfants : études, loisirs… Quant à Jalil, il préfèrerait épargner pour financer le voyage au Japon. Leur meilleur ami, Abdel, leur conseille d'investir dans l'achat d'un studio pour louer le bien et percevoir des loyers.

B Les déterminants de l'épargne

DOC 7 Les motifs de l'épargne

Épargne de précaution	Consommation différée	Épargne de patrimoine
Mettre de l'argent de côté pour constituer une réserve en cas de coup dur : accident, problème de santé, perte d'emploi… C'est ce qu'on appelle le **motif de précaution**.	Mettre de l'argent de côté (**consommation différée**) pour réaliser un projet, pour pouvoir effectuer, à terme et sans trop s'endetter, un achat impossible à réaliser avec son revenu courant.	Épargner pour constituer ou transmettre un capital ou une rente pour se constituer un **patrimoine**.
Thaïs (réserve pour les enfants).	Jalil (financement d'un voyage).	Abdel (constitution d'un patrimoine pour le futur).

8 **Complétez le tableau en indiquant les motifs de l'épargne évoqués dans la situation.** ▶ Doc. 7

La dernière tournée du groupe LEJ a fait carton plein au Zénith de Dijon ! Thaïs a reçu une prime liée à l'événement d'un montant de 1 000 €. Elle s'interroge entre deux choix de placement : le livret A ou un placement en Bourse.

DOC 8 Les choix de son épargne

	Placement A très sûr sur un livret A (0,50 % par an)	Placement B très risqué en Bourse (10 % par an)
1 000 €	15 € selon le taux du livret A à date.	100 €.

9 **Faites une recherche sur Internet pour connaître le taux d'intérêt du livret A en France puis complétez la cellule sur fond jaune du tableau.** ▶ Doc. 8

10 **Calculez les revenus générés par les deux placements envisagés par Thaïs en complétant le tableau.**

11 **Quel conseil pourriez-vous donner à Thaïs quant à son choix de placement pour répondre à son besoin précis ?**

Thaïs recherche avant tout un placement en toute sécurité pour ses enfants. Bien que le placement A ne soit pas aussi attractif financièrement que le placement B, il s'avère plus sûr. En effet, un placement en Bourse peut s'avérer risqué. Nous conseillons à Thaïs le placement A.

DOC 9 Le taux d'épargne médian selon l'âge en France

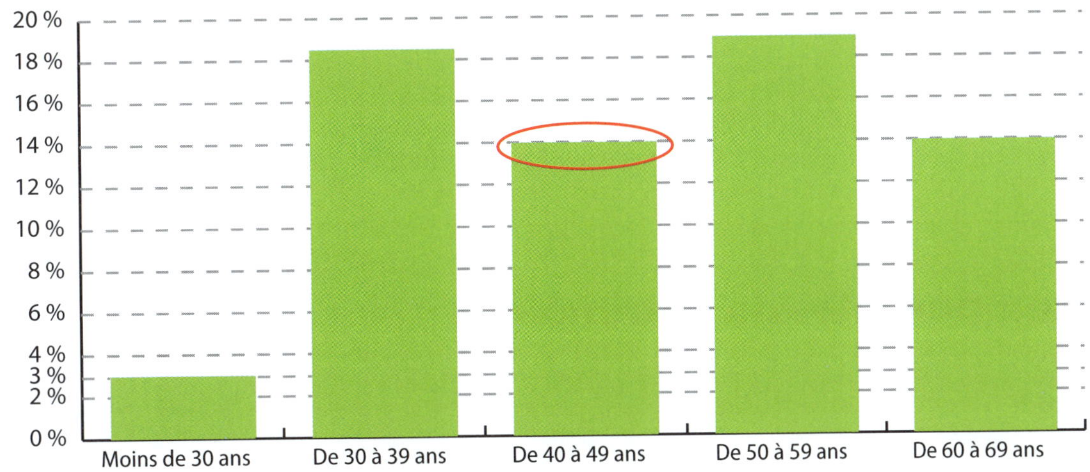

* Médian : qui se situe au milieu. À ne pas confondre avec la moyenne.

Insee, 2019

NOTION

La théorie du cycle de vie

La théorie du cycle de vie a été développée dans les années 1960 par Albert Ando et Franco Modigliani. **Trois périodes se distinguent**, et à chacune correspond un comportement différent. Au début de son existence, l'individu est jeune et emprunte pour financer sa vie courante (A). Ensuite, il trouve un travail et consacre une grande partie de ses revenus à se constituer une épargne pour rembourser les sommes empruntées puis préparer sa chute de revenus au moment de sa cessation d'activité (B), période pendant laquelle il désépargnera pour maintenir son niveau de vie (C).

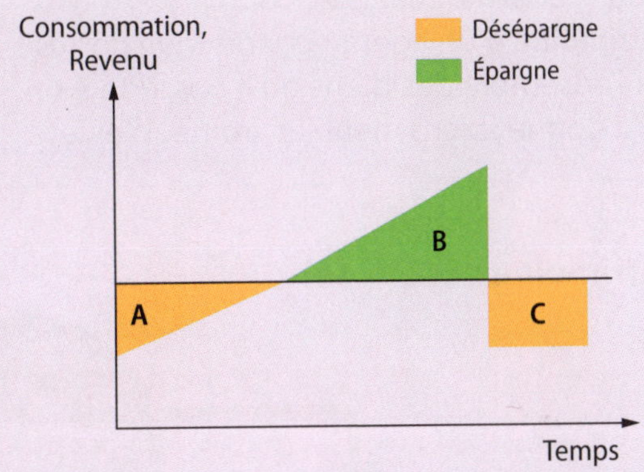

lafinancepourtous.com

12 **Interprétez la donnée entourée dans le ▶ Doc. 9.**

Le taux d'épargne médian des 40 à 49 ans s'élève à 14 %. Autrement dit, la moitié de cette tranche d'âge épargne moins de 14 % et l'autre moitié épargne plus de 14 % de son revenu disponible.

13 **Comment évolue l'épargne en fonction de l'âge ?**

Les tranches d'âge qui épargnent le plus sont les 30 à 39 ans et les 50 à 59 ans. Passée cette dernière tranche d'âge, le taux d'épargne diminue.

14 **D'après la théorie du cycle de vie (▶ Notion), quel serait l'effet d'un vieillissement de la population française sur l'épargne ?**

Un taux d'épargne qui diminue en raison de la baisse des revenus liés à la retraite.

Bilan

Concluez quant aux déterminants de la consommation et de l'épargne pour la famille Pradel.

Les principaux déterminants de la consommation et de l'épargne sont : le revenu, les prix des produits, le niveau des taux d'intérêt. D'autres critères apparaissent comme l'âge, le statut social ou encore des phénomènes culturels.

Vers la synthèse

JE ME TESTE

hachette-clic.fr/22eco053

Je révise l'essentiel p. 124-125

3 Quel lien existe-t-il entre l'épargne, le revenu et le patrimoine ?

Thaïs vient d'apprendre qu'elle va hériter d'une partie du patrimoine de sa grand-mère décédée. Le notaire lui a stipulé qu'elle aurait en héritage un appartement situé à Fort-de-France (120 000 €) et son portefeuille de titres financiers (20 000 €). De son côté, Jalil va lui aussi hériter d'un tableau légué par son père d'une valeur de 18 000 € à partager avec ses deux frères.

A Les composantes du patrimoine

DOC 10 Distinguer revenu et patrimoine

- Le **revenu** désigne l'argent qu'un individu ou un ménage gagne en une année. Les individus peuvent obtenir leurs revenus de différentes sources : travail et actifs possédés (biens immobiliers ou mobiliers, épargne...).
- Le **patrimoine** d'un agent économique correspond à l'ensemble des biens qu'il possède à un moment donné : biens meubles, immeubles, etc. Le patrimoine d'un individu peut être obtenu par héritage ou par accumulation de revenus.
- Le revenu et le patrimoine **sont liés**. Le premier est un flux. Le second est un stock. Le flux alimente le stock et le stock génère à nouveau le flux qui alimente encore le stock.

Les auteurs

DOC 11 Le patrimoine des Pradel

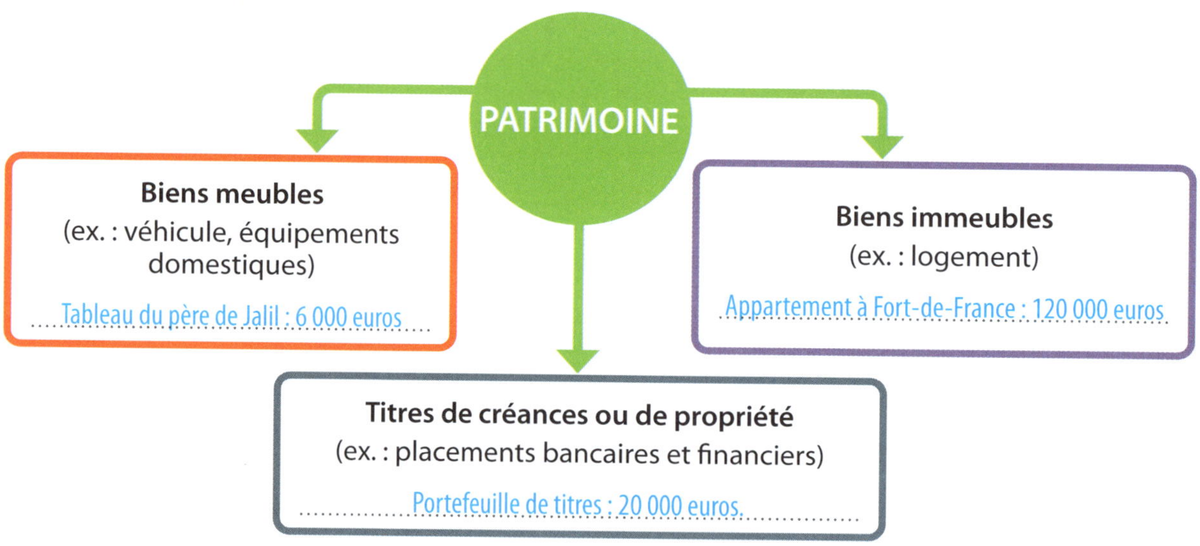

1. À l'aide des ▶ Doc. 10 et 11 distinguez le patrimoine du revenu puis complétez le schéma à l'aide des termes suivants : *patrimoine ; revenu ; épargne.*

Le patrimoine fait référence à une somme d'actifs fixe qu'on peut dénombrer à un instant précis (ex. : une maison, une voiture).
Le revenu est un flux de valeurs reçu pendant une période (ex. : salaire).

2. Mentionnez les éléments du patrimoine des Pradel en indiquant dans le ▶ Doc. 11 ses composantes et leur valeur.

3. Montrez comment, pour la famille Pradel, la constitution du patrimoine permet d'accroître l'épargne.

La famille Pradel a hérité d'un bien immeuble (appartement à Fort-de-France) et d'un titre de propriété. Ces placements vont générer des revenus additionnels (loyers, dividendes) qui vont alimenter potentiellement de l'épargne supplémentaire.

B La situation du patrimoine en France

La famille Pradel se demande comment se situe son niveau de patrimoine par rapport au reste de la population française.

DOC 12 Le patrimoine net des Français selon leur CSP

Montant du patrimoine net médian selon la catégorie sociale

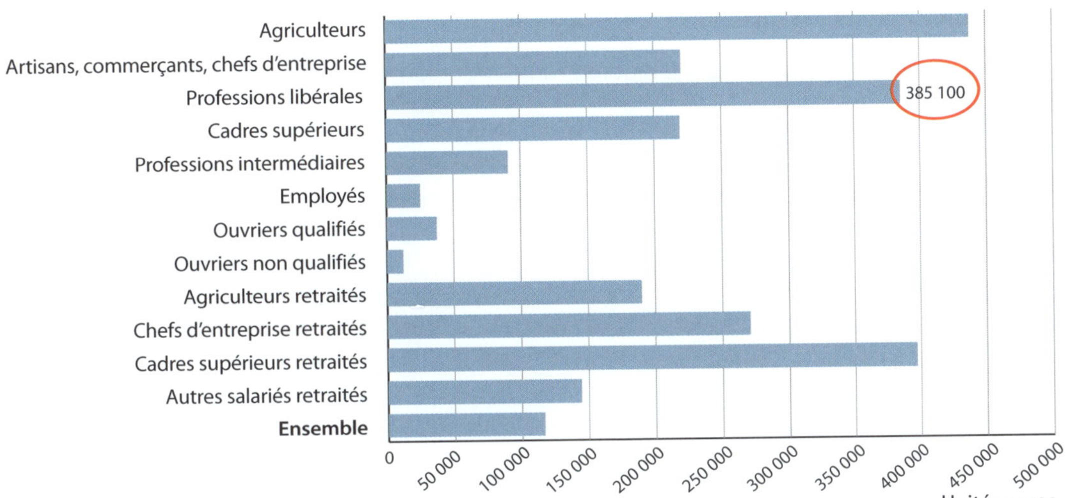

Unité : euros

www.nalo.fr, données 2015

4 **À l'aide d'une recherche sur Internet, trouvez la définition du patrimoine net.**

Le patrimoine net est égal à la valeur des actifs possédés par une personne donnée soustraite de toutes ses dettes.

5 **Interprétez le chiffre entouré sur le ▶ Doc. 12.**

La moitié des professions libérales disposent d'un patrimoine supérieur à 385 100 euros.

6 **Quelles sont les trois CSP qui ont le patrimoine net médian le plus élevé ? le plus faible ? Expliquez ce constat.**

On constate que ce sont les exploitants agricoles qui disposent du patrimoine le plus volumineux. Plutôt logique quand on sait que l'essentiel des revenus tirés de cette activité est issu des terres et des machines possédées (on parle de patrimoine professionnel). Ce phénomène est aussi observable pour les professions libérales qui sont le plus souvent propriétaires de leur entreprise. Sans surprise, pour les professions dont les revenus sont principalement issus d'une activité salariée, les cadres disposent d'un patrimoine net médian plus élevé que les ouvriers non qualifiés, les moins bien lotis de cette distribution.

Bilan

En vous appuyant sur l'exemple de la famille Pradel, expliquez le lien entre l'épargne, le revenu et le patrimoine. Pour cela, placez les mots au bon endroit.

patrimoine — épargne — revenus

Un accroissement de ...revenus... entraîne une hausse de ...l'épargne... .
Cette augmentation va elle-même contribuer à alimenter ...le patrimoine... qui pourra générer des revenus supplémentaires.

Vers la synthèse — JE ME TESTE — hachette-clic.fr/22eco054 — Je révise l'essentiel p. 124-125

À moi de jouer

1 Jouez avec *Kyushi* !

Quiz interactifs pour réviser en classe !

hachette-clic.fr/kyushi

2 Testez vos connaissances avec un(e) camarade

Étape 1 **Le JOUEUR 1 pose les questions et donne un indice à son binôme.**

Étape 2 **Le JOUEUR 2 répond à la question.**

Étape 3 **Comptez les points.** (2 points : bonne réponse / 1 point : réponse partielle / 0 point : mauvaise réponse).

JOUEUR 1 – QUESTIONS	JOUEUR 1 – INDICES	JOUEUR 2 – RÉPONSES
1 Quels sont les deux types d'épargne ?	....	....
2 Citez la CSP qui a le patrimoine médian net le plus important en France.	....	....
3 Identifiez un motif à l'épargne.	....	....
4 Citez une des composantes du patrimoine chez un ménage.	....	....
5 Qu'est-ce que l'effet d'imitation ?	....	....

3 Identifier les déterminants de l'épargne

Hugo (32 ans) vit seul et sans enfants en région parisienne. Il vient d'hériter de 15 000 €. Il décide de placer cette somme afin de faire face à des dépenses imprévues ou d'avoir un apport pour acheter un logement. Cette année, il a déclaré 26 452 € de revenus imposables perçus l'année dernière. Il recherche des produits d'épargne susceptibles de l'intéresser. Il vous demande de l'aide. Pour cela, rendez-vous sur le site Internet d'une banque de votre choix pour rechercher des produits d'épargne.

1. Réalisez un tableau comparatif de trois principaux placements, avec le nom du produit et son taux de rémunération.

2. Conseillez Hugo dans le choix de placement de son héritage.

4 Calculer et interpréter les propensions moyenne et marginale à consommer et à épargner

Kinésithérapeutes, Stéphanie et Nicolas Martin sont un jeune couple actif, dont les revenus leur permettent de se constituer une épargne confortable. En effet à eux deux, ils dégagent un revenu mensuel de 4 500 €, pour des dépenses moyennes de 2 450 €.
Mais aujourd'hui, une grande nouvelle vient bouleverser leur vie : Stéphanie est enceinte… de jumeaux !
Assis autour de la table, Stéphanie et Nicolas ont estimé que leurs dépenses vont augmenter d'environ 35 % alors que la hausse de leurs salaires ne va pas excéder 5 % sur les cinq années à venir.
Cela inquiète Stéphanie qui veut mettre toutes les chances du côté de ses enfants : études, loisirs, équipements…

Stéphanie veut placer l'argent sur un livret d'épargne, alors que Nicolas préférerait investir en Bourse pour optimiser la rentabilité de leurs économies.

1. **Calculez les propensions moyennes à consommer et à épargner du couple. Interprétez.**
2. **Déterminez les conséquences financières de la naissance des jumeaux, grâce aux calculs des propensions marginales à consommer et à épargner.**
3. **Identifiez les raisons qui poussent Stéphanie et Nicolas à vouloir épargner.**

5 Interpréter un tableau statistique des répartitions du revenu et du patrimoine

La répartition du patrimoine des Français en 2018

www.vie-publique.fr, 2019

Déciles : valeurs qui partagent une distribution (salaires, revenus, chiffre d'affaires…) en dix parties d'effectifs égaux. Il faut lire de la façon suivante :
- D1 (premier décile) est le patrimoine au-dessous duquel se situent 10 % des habitants, donc 90 % de la population se situent au-dessus de ce seuil.
- D9 (neuvième décile) est le patrimoine au-dessous duquel se situent 90 % des habitants, donc 10 % de la population se situent au-dessus de ce seuil.

Objectif BAC
⑩ Analyser un graphique
p. 154

1. **Rappelez la définition du patrimoine.**
2. **Commentez le chiffre entouré.**
3. **Quel(s) constat(s) faites-vous sur la répartition du patrimoine des Français ?**

L'essentiel

hachette-clic.fr/22eco055

JE RÉVISE
- Le podcast du cours
- La synthèse en 1 clic
- Je manipule les notions

NOTIONS

• **Consommation :** partie du revenu disponible utilisée par les ménages pour acquérir des biens et des services afin de satisfaire leurs besoins.

• **Épargne :** part du revenu qui n'est pas consacrée à une consommation immédiate. On distingue l'épargne financière de l'épargne non financière.

• **Patrimoine :** ensemble des biens possédés par un individu ou un ménage à un moment donné.

• **Propension à consommer :** part du revenu affectée à la consommation.

• **Propension marginale à consommer :** part du revenu supplémentaire consacrée à un supplément de consommation, à la suite d'une augmentation de revenu.

• **Taux d'épargne :** indicateur qui mesure la part du revenu disponible qui n'est pas utilisée par les ménages en dépense de consommation finale.

COURS

1 Comment se partage le revenu disponible ?

- Le **revenu** (R) disponible des ménages est réparti entre la **consommation** (C) et l'**épargne** (E). Un choix de répartition devant être effectué, les économistes évoquent un « arbitrage » entre consommation et épargne. La part du revenu consacrée à la consommation est appelée **propension moyenne à consommer**.

2 Qu'est-ce qui explique la consommation et l'épargne ?

- La consommation des ménages est influencée par des déterminants économiques, notamment par leurs revenus, les taux d'intérêt et la norme sociale.
- D'autres facteurs déterminants influencent le niveau d'épargne, en l'occurrence : le revenu, l'âge des ménages leur CSP, la volonté de se constituer un patrimoine, etc.

3 Quel lien existe-t-il entre l'épargne, le revenu et le patrimoine ?

- Les ménages qui disposent de revenus suffisants peuvent épargner davantage. En conséquence, les ménages ayant accumulé de l'épargne et ceux qui ont bénéficié d'héritages conséquents peuvent plus aisément accumuler du patrimoine.

CHIFFRES clés

- La **consommation** en France a **reculé** de **5 milliards d'euros** en 2020.
- La France se situe **en tête des pays européens** avec un **taux d'épargne** de l'ordre de **8,38 %**.
- Chez les Français, les **tranches d'âge** où le **taux d'épargne est le plus élevé** sont celles des **30-39 ans** et des **50-59 ans**.

CULTURE+

La loi psychologique fondamentale (J.-M. Keynes) stipule que lorsque le revenu augmente, la consommation augmente également, mais dans une proportion moindre que le revenu.

L'effet d'imitation (J. S. Duesenberry) : les groupes sociaux leaders impulsent une norme de consommation qui sert de modèle à d'autres groupes jugés inférieurs, pour reproduire ce modèle de consommation.

POUR RETENIR AUTREMENT

1 Comment se partage le revenu disponible ?

Le revenu disponible

se partage entre

- **Consommation :** utilisation de biens et de services.
- **Épargne :** partie du revenu qui n'est pas consommée.

Ce revenu disponible est mesuré au travers de la

- Propension moyenne à consommer : Consommation / Revenu (C / R).
  Propension marginale à consommer : **Variation C / Variation R.**
- Propension moyenne à épargner : **Épargne / Revenu** (E /R).
  Propension marginale à épargner : **Variation E / Variation R.**

2 Qu'est-ce qui explique la consommation et l'épargne ?

Les déterminants de la consommation et de l'épargne

Déterminants économiques (exemples) :
– taux d'intérêt ;
– revenus/niveau de prix.

Déterminants non économiques (exemples) :
– âge ;
– CSP ;
– effet d'imitation.

3 Quel lien existe-t-il entre l'épargne, le revenu et le patrimoine ?

Revenu en hausse → Épargne en hausse → Accumulation du patrimoine

Accumulation du patrimoine → Revenu en hausse : Revenus supplémentaires générés par l'accroissement du patrimoine

OBJECTIF BAC

8 Lire un texte économique

Il est important de savoir repérer rapidement les informations essentielles contenues dans un texte économique car ce sont elles, ainsi que vos connaissances personnelles, qui vous permettront de répondre aux questions posées par votre sujet.

1 Identifiez les composantes du texte

Le titre : choisi avec soin, il résume l'objectif du texte !

Votre analyse : des éléments non connus empêchent – limitent – contraignent la reprise économique (la croissance) française.

Champ d'action : local, France, UE, monde…

Votre analyse : France, niveau national.

Les inconnues qui pèsent sur la reprise de l'activité en France

L'économie française retrouvera d'ici à la fin de l'année son niveau d'avant la Covid, a confirmé ce mercredi l'Insee. […] Les zones d'ombre sur l'économie française se multiplient toutefois. Les experts de l'Insee s'inquiètent du ralentissement de l'activité en Chine. Ils pointent également les tensions inflationnistes aux États-Unis. Toutes ces difficultés sont, selon eux, de nature à aggraver les problèmes d'approvisionnement et donc de rejaillir sur certains secteurs en France. […]

Quelle sera l'incidence sur la consommation des Français, principal moteur de la croissance ? La bonne tenue du marché du travail devrait en principe les inciter à dépenser. Pour l'instant, on est loin d'un scénario où ils puiseraient dans leur bas de laine. La consommation s'est certes redressée cet été avec la levée des contraintes sanitaires, mais elle ne s'envole pas. Attendue en hausse de 4,1 % (après un recul de 7 % en 2020), elle devrait tout juste retrouver son niveau d'avant-crise en fin d'année. D'ici là, l'Insee table toutefois sur une baisse du niveau d'épargne des ménages, à 17,5 %.

Nathalie Silbert, lesechos.fr, 6 octobre 2021

Nature du document : article de presse, note de l'Insee, graphique, tableau, article de recherche…

Votre analyse : un article de presse économique.

La source : indispensable pour vérifier la fiabilité du document.

Votre analyse : lesechos.fr est un journal économique quotidien reconnu en France. Il est donc fiable.

La date : utile pour évaluer l'actualité du document, mais aussi savoir reconstituer son contexte.

Votre analyse : octobre 2021, la Covid sévit en France depuis presque deux ans. Les Français ont vécu trois confinements. La campagne de vaccination est avancée. La relance est normalement amorcée.

2 Lisez entièrement le texte stylo à la main

Surlignez, annotez les éléments intéressants, identifiez les termes économiques, les mots inconnus…

3 Analysez et résumez le texte

1 Analysez l'article de presse en soulignant de couleurs différentes :

- les idées principales
- les arguments
- les exemples

2 Résumez l'article en quelques phrases.

L'article fait le lien entre plusieurs faits économiques :

1. L'économie française redémarre et retrouve son niveau d'avant la crise due à l'apparition de la Covid et aux contraintes sanitaires.
2. Mais des facteurs externes inquiètent l'Insee : ralentissement de l'activité chinoise, inflation en France, problème d'approvisionnement.
3. D'où la question de l'Insee des possibles répercussions sur la consommation française avec la présentation de la situation de la consommation (et de l'épargne) actuelle en France.

CAPACITÉ

- Analyser l'évolution de la structure de consommation des ménages (en valeur et en volume)

NOTIONS

- L'indice des prix à la consommation
- Le panier de biens
- L'évolution à long terme du pouvoir d'achat
- La composition des dépenses des ménages
- Les coefficients budgétaires
- Les prix relatifs des biens et des services

9 Le pouvoir d'achat et la structure de consommation des ménages

LE POUVOIR D'ACHAT ET SON ÉVOLUTION

➔ **Regardez la vidéo et répondez aux questions suivantes.**

VIDÉO
hachette-clic.fr/22eco056
La baisse du pouvoir d'achat
(1'14)

Quel est le poste de dépense qui pèse particulièrement sur les ménages ?

La facture énergétique.

Relevez les raisons qui justifient la prévision de la baisse du pouvoir d'achat en 2022.

La baisse des aides de l'État et la hausse des prix avec une inflation prévue à 2,5 % pour 2022.

SITUATION

Cette année marque le début de nouveaux projets dans la vie des Pradel. La famille va s'agrandir dans les prochains mois. Des moments joyeux en perspective ! Mais qui dit nouvelle personne dans le foyer, dit nouvelles dépenses… Thaïs et Jalil souhaitent faire le point quant à leur consommation. D'autant plus qu'ils semblent faire face à des dépenses plus importantes ces derniers temps. Simple ressenti ou réalité de la situation ?

1 Qu'est-ce que le pouvoir d'achat ?

Le revenu disponible du ménage Pradel a augmenté, mais Thaïs et Jalil constatent que les prix de certains produits ont eux aussi augmenté. Ils se demandent si la hausse du salaire est suffisante pour subvenir aux besoins de toute la famille. Par ailleurs, cela soulève une question : se situent-ils au-dessus ou en dessous de la moyenne nationale ?

A Le pouvoir d'achat

DOC 1 Qu'est-ce que le pouvoir d'achat ?

Le pouvoir d'achat correspond à la quantité de biens et de services qu'un revenu permet d'acheter. Le pouvoir d'achat dépend alors du niveau du revenu et du niveau des prix. L'évolution du pouvoir d'achat correspond donc à la différence entre l'évolution des revenus des ménages et l'évolution des prix.

www.economie.gouv.fr, 2022

1 Soulignez dans le ▶ Doc. 1 les éléments qui influencent l'évolution du pouvoir d'achat.

2 À l'aide du ▶ Doc. 1, complétez le schéma suivant :

Évolution du pouvoir d'achat = Évolution des revenus − Évolution des prix

3 La première cellule du tableau se lit ainsi : « Quand les prix baissent et le revenu également, le pouvoir d'achat stagne. » Complétez le reste du tableau sur le même modèle.

Prix \ Revenu	Baisse	Stable	Hausse
Baisse	Pouvoir d'achat →	Pouvoir d'achat ↗	Pouvoir d'achat ↗
Stable	Pouvoir d'achat ↘	Pouvoir d'achat →	Pouvoir d'achat ↗
Hausse	Pouvoir d'achat ↘	Pouvoir d'achat ↘	Pouvoir d'achat →

DOC 2 Situation financière de la famille Pradel

Revenu net après impôts	3 350 €
Prestations sociales	400 €
Taxe foncière	350 €
Prime annuelle d'activité	3 600 €
Taxe d'habitation	0,00 €

NOTIONS

- **Niveau de vie**
Le niveau de vie correspond au revenu disponible d'un ménage, divisé par sa composition (nombre d'adultes et d'enfants).
- **Valeur médiane**
Valeur qui partage en deux parties d'effectifs égaux une distribution donnée.

4 À l'aide du ▶ Doc. 2, calculez le niveau de vie des Pradel avec ses deux enfants en bas âge. Pour cela, rendez-vous sur lafinancepourtous.com/, rubrique « Outils » et utilisez le calculateur de niveau de vie.

Niveau de vie du ménage : 21 143 €. Il faut penser à ramener au mois la prime d'activité annuelle.

5 Quelle réponse pouvez-vous apporter quant à l'interrogation soulevée par les Pradel ?

52 % des Français ont un niveau de vie inférieur à celui de la famille Pradel. Cette dernière se situe donc au-dessus de la valeur médiane (estimée à 20 820 €).

B L'indice des prix à la consommation

En rangeant ses affaires, Thaïs a retrouvé d'anciens tickets de caisse. Le bon vieux temps où avec son conjoint Jalil, ils vivaient sans enfants ! Elle décide d'y jeter un œil et de les comparer.

DOC 3 Des tickets de caisse bien différents !

POLYPRIX
Bienvenue !
25-01-2008 - 16 h 45

Pack eau minérale (6*1.5 L)	1,52 €
Gel douche	2,40 €
CD Album	9,99 €
Baguette	0,70 €
Dentifrice	2,27 €
Radio-réveil	15,99 €
Total	**32,87 €**

POLYPRIX
Bienvenue !
25-01-2022 - 19 h 10

Pack eau minérale (6*1.5 L)	1,57 €
Gel douche	2,50 €
Couches pour bébés	18,25 €
Baguette	0,87 €
Gel hydroalcoolique	4,33 €
Dentifrice (grand format)	3,20 €
Total	**30,72 €**

Les auteurs

6 Comparez les deux tickets de caisse retrouvés par Thaïs. ▶ Doc. 3

À première vue, le ticket de caisse en date de 2008 (32,87 €) est supérieur à celui de 2022 (30,72 €). Toutefois, en comparant les produits similaires et de même quantité (pack d'eau minérale, gel douche, baguette), on constate une augmentation des prix sur la période d'environ 3,6 %.

7 Posez les limites observables dans la comparaison de ces tickets de caisse.

Produits disparus ou en passe de l'être (ex. : Cd-Rom) / Apparition de nouveaux produits de consommation quotidiens (ex. : gel hydroalcoolique) / Changement dans les formats / Produits différents (ex. : couches pour bébés).

DOC 4 Définition de l'IPC

L'indice des prix à la consommation (IPC) est l'instrument de mesure de l'inflation, la hausse durable et générale des prix dans l'économie. Il permet d'estimer, entre deux périodes données, la variation moyenne des prix des principaux produits consommés par les ménages. C'est un indicateur indispensable car il sert de base pour revaloriser les loyers, les retraites ou les pensions alimentaires. Il permet par ailleurs de réaliser des comparaisons entre plusieurs pays.

Les auteurs

DOC 5 L'IPC et le pouvoir d'achat

VIDÉO
hachette-clic.fr/22eco057
(4'50)

8 À l'aide du ▶ Doc. 5, entourez la ou les bonnes réponses :

- Le calcul de l'IPC tient compte de la répartition des dépenses dans :

(l'alimentation) les paris sportifs (les transports)

- La méthode de calcul de l'IPC est définie à l'échelle :

régionale nationale (internationale)

9 À l'aide du ▶ Doc. 4, mentionnez les raisons pour lesquelles cet indicateur est indispensable à calculer pour une économie.

Le calcul de l'IPC sert de base à la revalorisation des loyers, des retraites ou des pensions alimentaires. On parle alors d'indexation. Il est utile également pour faire des comparaisons dans le temps et dans l'espace.

C L'évolution du pouvoir d'achat

Thaïs et Jalil souhaitent pouvoir comparer leur niveau de vie à travers le temps. Se sont-ils enrichis ou au contraire appauvris ?

DOC 6 Les revenus et dépenses mensuels de la famille Pradel pour les courses

	Année $N-1$	Année N
Montant mensuel dédié aux courses	700	810
Prix moyen d'un panier de courses	87,5	90
Nombre de paniers de courses consommés	8	9

10 Complétez le ▶ Doc. 6 en calculant le nombre de paniers de courses que peut obtenir le couple avec ses revenus pour les années N et $N-1$.

11 Concluez quant à l'évolution du pouvoir d'achat de la famille Pradel.

On constate que le pouvoir d'achat de la famille Pradel a augmenté entre N et $N-1$ car son nombre de paniers de courses consommés est passé de 8 à 9. Cela s'explique par une augmentation plus importante des revenus comparée à l'augmentation des prix (inflation).

DOC 7 L'évolution du pouvoir d'achat des ménages français

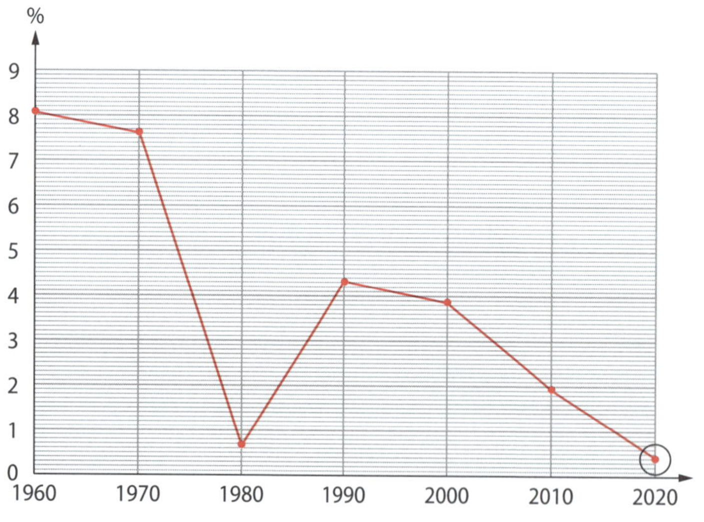

D'après l'Insee, comptes nationaux, base 2014

12 Interprétez le chiffre entouré sur le ▶ Doc. 7.

En moyenne, le pouvoir d'achat des ménages français a augmenté de 0,4 % en 2020.

13 Le pouvoir d'achat a-t-il augmenté ou diminué sur la période considérée ? Justifiez votre réponse.

Entre 1960 et 2020, le pouvoir d'achat a augmenté. En effet, la courbe se situe toujours dans le positif. Cette augmentation s'est accompagnée de variations plus ou moins importantes. Si la croissance de ce dernier était forte dans les années 1960, il a subi une chute importante dans la décennie suivante avant de remonter à partir des années 1980. Depuis le début des années 2000, on observe une régression dans la progression du pouvoir d'achat.

La famille Pradel est invitée à dîner chez leur voisine Nadia. Elle vit seule avec ses 2 enfants et enchaîne les petits boulots considérés comme peu qualifiés. Au cours de la discussion, cette dernière est catégorique : le pouvoir d'achat est en baisse depuis de nombreuses années !

DOC 8 Différence entre pouvoir d'achat perçu et pouvoir d'achat mesuré

Au cours des années 2000, on a enregistré un net décrochage entre pouvoir d'achat perçu et pouvoir d'achat mesuré. Une des explications possibles de ce décalage serait liée au poids croissant des dépenses pré-engagées dans le budget des ménages. Ces dépenses correspondent à celles engagées par contrat, difficilement renégociables à court terme, et faisant souvent l'objet d'un débit automatique […]. Lorsque leur part est élevée, il devient plus difficile de faire face aux autres dépenses (alimentation, transports, habillement, restes à charge de santé, etc.).

« Les dépenses pré-engagées : près d'un tiers des dépenses des ménages en 2017 », www.strategie.gouv.fr, août 2021

14 **À l'aide du ▶ Doc. 8, proposez un exemple d'une dépense pré-engagée.**

Abonnement téléphonique, assurances, loyer…

15 **Établissez le lien entre dépenses pré-engagées et pouvoir d'achat perçu.**

Les ménages ont le sentiment de faire face à une baisse de leur pouvoir d'achat, car ils n'ont plus la « maîtrise » totale de leur revenu. En effet, une part de celui-ci est déjà affectée à des dépenses pré-engagées qui viennent diminuer le revenu perçu comme réellement disponible aux yeux du consommateur.

DOC 9 Part des dépenses pré-engagées dans le revenu disponible par configuration familiale, selon la catégorie sociale

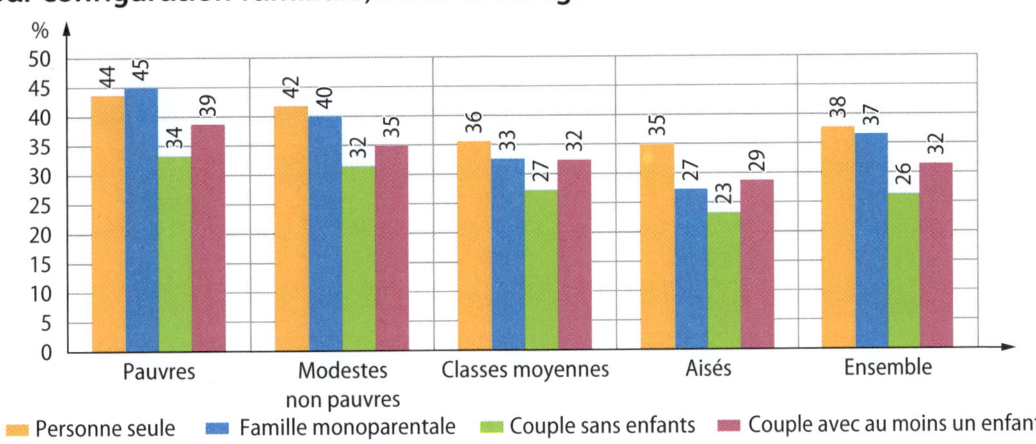

Insee, enquête Budget de Famille 2017

Bilan

Expliquez le constat réalisé par Nadia en mobilisant la notion de pouvoir d'achat et en vous aidant du ▶ Doc. 9.

Le pouvoir d'achat représente la quantité de biens et de services qu'un revenu permet d'acheter. Il mesure la capacité à consommer avec le revenu disponible. Entre 1960 et 2020, le pouvoir d'achat a augmenté. En effet, la courbe se situe toujours dans le positif. Cette augmentation s'est accompagnée de variations plus ou moins importantes. Toutefois, les ménages peuvent avoir le sentiment de faire face à une baisse de leur pouvoir d'achat en raison notamment de la hausse des prix des dépenses pré-engagées.

D'après le doc. 9, la part des dépenses pré-engagées chez les ménages modestes non pauvres, et qui plus est pour une famille monoparentale (parent seul avec enfant(s)), est plus élevée qu'ailleurs. C'est le cas de Nadia pour qui il peut paraître difficile de faire face aux autres dépenses.

Vers la synthèse
JE ME TESTE
hachette-clic.fr/22eco058
Je révise l'essentiel p. 136-137

2 Comment expliquer la répartition de la consommation ?

Pour en savoir un peu plus, Thaïs et Nadia comparent leurs différents postes budgétaires et leurs montants.

A Les coefficients budgétaires

NOTION

Le coefficient budgétaire

Le coefficient budgétaire est la part du budget d'un ménage dédiée à l'achat d'un produit (bien ou service), ou d'une famille de produits, dans son budget total. Un coefficient budgétaire représente la part d'un poste budgétaire dans le total de la consommation.

1 À l'aide de la ▶ Notion, complétez le schéma ci-dessous pour retrouver la formule du coefficient budgétaire.

$$\text{Coefficient budgétaire} = \frac{\text{Dépense consacrée à un bien ou un service particulier}}{\text{Dépense totale}}$$

DOC 10 Les postes de dépenses chez Thaïs et Nadia

Postes budgétaires	Montant du poste chez Thaïs (€/mois)	Montant du poste chez Nadia (€/mois)	Coefficient budgétaire (Thaïs)	Coefficient budgétaire (Nadia)
Alimentation	700	500	0,33	0,45
Logement	700	400	0,33	0,36
Santé	180	80	0,08	0,07
Habillement et loisirs	450	130	0,21	0,12
Total	2 130	1 110		

2 Complétez le ▶ Doc. 10 en effectuant les calculs nécessaires.

DOC 11 Loi d'Engel

La loi d'Engel soutient que les ménages à faible revenu consacrent une plus grande proportion de celui-ci à la nourriture que ceux à revenu moyen ou supérieur. La consommation alimentaire représente généralement une grande partie du budget d'une famille pauvre, les riches ayant tendance à dépenser une plus grande partie de leur revenu à d'autres articles, tels que les divertissements et les produits de luxe.

« Quelle est la loi d'Engel ? », livingeconomyadvisors.com, 2022

3 Déterminez si la répartition de la consommation chez Thaïs et Nadia confirme la loi d'Engel.

La répartition de la consommation des deux familles confirme bien la loi d'Engel. En effet, la consommation alimentaire représente une part plus importante dans le budget de la famille de Nadia. Les Pradel, qui disposent de revenus plus importants, en dépensent une plus grande partie pour d'autres articles, tels que les loisirs et les vêtements.

B L'évolution de la structure de consommation

DOC 12 Poids des principaux postes de consommation

En % de la consommation effective (valeur)

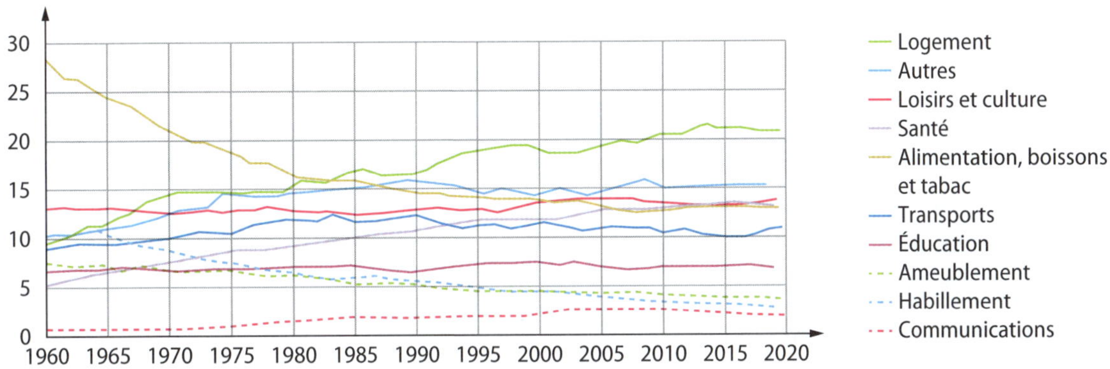

D'après l'Insee et une étude de 2020.

4 À partir du ▶ Doc. 12, décrivez l'évolution des principaux postes de consommation des ménages.

Entre 1960 et 2020, on remarque l'importante décrue du poids de l'alimentation et de l'habillement et l'importante montée du poids du logement, de la santé et, dans une moindre mesure, des communications.

NOTION

Prix relatif
Un prix relatif est le prix d'un bien ou d'un service par rapport au prix d'un autre.

DOC 13 La consommation des services chez les ménages en hausse ?

Les coûts de production des biens ont fortement baissé par rapport au coûts de fabrication des services. Cela tient au fait que les gains de productivité induits par le progrès technique bénéficient surtout à la fabrication des biens. Les prix des services ont donc augmenté par rapport aux biens tout comme la part qu'ils représentent dans la structure de consommation des ménages.

Les auteurs

5 Expliquez la tendance principale dégagée dans le ▶ Doc. 13.

Les prix des services ont augmenté par rapport aux prix des biens. L'évolution des prix relatifs s'explique par les différences de gains de productivité. Lorsqu'ils sont faibles ou nuls, les prix des biens concernés augmentent plus vite que ceux des biens qui connaissent des gains de productivité plus élevés.

6 Complétez le schéma ci-dessous en mobilisant les notions de biens et de services :

Poids dans la structure de consommation des ménages

Biens

Services

Bilan

Expliquez comment s'analyse la structure de consommation et comment cette dernière a évolué ces dernières années en France.

La structure de consommation s'analyse au travers des coefficients budgétaires. : décrue du poids de l'alimentation et de l'habillement, et montée du poids du logement, de la santé et des communications.

Vers la synthèse
JE ME TESTE
hachette-clic.fr/22eco059
Je révise l'essentiel p. 136-137

À moi de jouer

1 Jouez avec *Kyushi* !

Quiz interactifs pour réviser en classe !

hachette-clic.fr/kyushi

2 Mots croisés

Horizontalement

3 Somme d'argent versée pour l'acquisition de biens ou de services, et destinée à satisfaire des besoins.

5 Instrument de mesure pour calculer l'inflation.

7 Utilisation de biens et de services.

8 Économiste à l'origine de plusieurs lois sur la consommation.

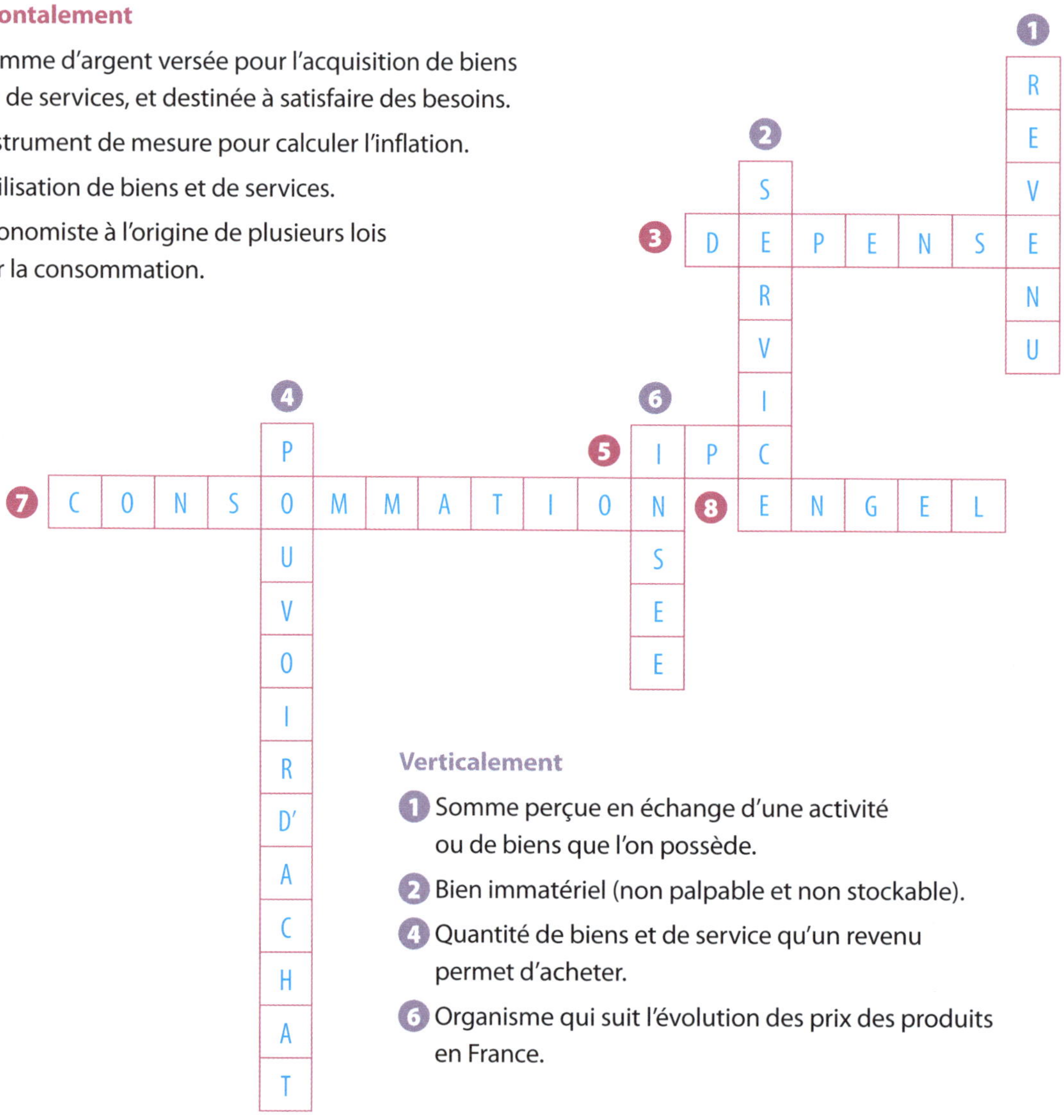

Verticalement

1 Somme perçue en échange d'une activité ou de biens que l'on possède.

2 Bien immatériel (non palpable et non stockable).

4 Quantité de biens et de service qu'un revenu permet d'acheter.

6 Organisme qui suit l'évolution des prix des produits en France.

3 Calculer et interpréter des coefficients budgétaires

Rendez-vous sur le site de l'Union nationale des associations familiales (unaf.fr) et consultez le dossier consacré aux budgets types dans la rubrique « Études et recherches ».

Unaf — Unis pour les familles

1. **En vous fondant sur les dernières données disponibles, repérez le montant minimal qu'une famille composée de deux adultes et de deux garçons (famille A) consacre à son alimentation, à son logement, à l'information et aux communications.**
2. **Calculez les coefficients budgétaires pour cette même famille en utilisant les dernières données mensuelles disponibles.**
3. **Commentez vos résultats.**

4 Analyser une situation économique

DOCUMENT 1 **Évolution des prix à la consommation sur un an en France pour l'ensemble des produits et ménages**

Insee, janvier 2022

DOCUMENT 2 **Comment expliquer l'écart entre ressenti et réalité ?**

Nous serions plus « sensibles » à l'évolution des prix des achats fréquents (carburant, pain…) qu'à celui des achats moins fréquents (meubles, électroménager…). On les change moins souvent donc nos repères sur les prix sont moins solides. Or, ce sont les produits qui enregistrent des baisses de prix. Autre explication, les contribuables ont la mémoire courte. On ne pense pas chaque semaine, en poussant son chariot, que la taxe d'habitation a été supprimée ou les cotisations sociales des salariés ont été diminuées. « Les ménages vont ressentir leur pouvoir d'achat en comparant les revenus restant, une fois les dépenses pré-engagées réalisées », explique Guillaume Houriez de l'Insee. Les dépenses pré-engagées correspondent aux abonnements (téléphone, internet, plateformes…), assurances, cantine, loyer… Autre indicateur, les statistiques reflètent une moyenne et non une situation personnelle, ce qui accentue le décalage entre sa réalité individuelle et la donnée globale.

M. Dubois, Y. Qi, « Le pouvoir d'achat, grande préoccupation des Français : 6 questions pour tout comprendre », www.ouest-france.fr, oct. 2021

1. **Rappelez comment se calcule l'évolution du pouvoir d'achat.**
2. **Commentez l'évolution de l'inflation en France.**
3. **Expliquez pourquoi l'écart entre le pouvoir d'achat ressenti et la réalité s'accentue chez les ménages français.**

Objectif BAC
❻ Calculer, lire et interpréter des taux d'évolution
p. 94

Objectif BAC
❿ Analyser un graphique
p. 154

L'essentiel

JE RÉVISE

hachette-clic.fr/22eco060

- Le podcast du cours
- La synthèse en 1 clic
- Je manipule les notions

NOTIONS

- **Coefficient budgétaire :** part du budget d'un ménage dédiée à l'achat d'un produit (bien ou service), ou d'une famille de produits, dans son budget total.
- **IPC (Indice des prix à la consommation) :** mesure l'évolution du niveau moyen des prix des biens et des services consommés par les ménages.
- **Pouvoir d'achat :** quantité de biens et de services qu'un revenu permet d'acheter.
- **Prix relatif :** prix d'un bien ou d'un service par rapport au prix d'un autre produit.

COURS

1 Qu'est-ce que le pouvoir d'achat ?

- Pour un ménage, le pouvoir d'achat mesure sa capacité à **consommer** grâce à son revenu disponible.
- Pour mesurer le pouvoir d'achat, il est nécessaire de prendre en compte l'évolution du **revenu** et celle des **prix** (**IPC**).
- D'après les statistiques de l'Insee, le pouvoir d'achat ne diminue pas. En revanche, son taux d'augmentation est à la baisse.

2 Comment expliquer la répartition de la consommation ?

- La répartition des dépenses de l'ensemble des ménages (représentées à l'aide de **coefficients budgétaires**) a fortement évolué depuis 1960 chez les ménages français.
- Parmi les principaux changements, on retiendra : l'importante décrue du poids de l'alimentation et de l'habillement et l'importante montée du poids du logement (principal poste de consommation aujourd'hui, et de loin), de la santé et des communications.
- Les **services** représentent une part plus importante dans le poids des dépenses totales. Ceci s'explique en partie par une progression plus rapide des prix de ces derniers comparativement à celui des biens.

CHIFFRES clés

- Le pouvoir d'achat des ménages en 2020 a progressé de **0,6 %**.
- En 2020, le pouvoir d'achat par habitant et par an est de **19 404 €**.
- **Paris**, les **Hauts-de-Seine** et les **Yvelines** sont les trois régions les plus riches de France.
- La France se situe au **15e rang européen** en matière de pouvoir d'achat en 2021.

CULTURE+

L'Insee

Insee
Mesurer pour comprendre

L'Institut national de la statistique et des études économiques (Insee) est un organisme indépendant qui produit, analyse et diffuse des informations sur l'économie et la société françaises. Il établit la comptabilité nationale annuelle et trimestrielle, évalue la démographie nationale ainsi que le taux de chômage.

POUR RETENIR AUTREMENT

1 Qu'est-ce que le pouvoir d'achat ?

Pouvoir d'achat = ...quantité de biens et de services qu'un revenu permet d'acheter..........

Évolue en fonction des prix et des revenus.

- Si hausse des prix et des revenus = stagnation du pouvoir d'achat.
- Si hausse des prix et baisse des revenus = baisse du pouvoir d'achat.

Évolution des prix mesurés par l'**IPC** (..........indice des prix à la consommation..........).

2 Comment expliquer la répartition de la consommation ?

Structure de la consommation = ...répartition des dépenses de l'ensemble des ménages..........

Mesurée grâce au

Coefficient budgétaire : part d'un poste budgétaire dans le total de la consommation d'un ménage.

Il se calcule par la formule suivante :

$$\frac{\text{Dépense consacrée à un bien ou un service particulier}}{\text{Dépense totale}}$$

Évolue significativement depuis plusieurs années :

- Baisse du poids de l'alimentation et de l'habillement.
- Hausse du poids du logement, de la santé et des communications.

En raison notamment de la

Hausse des prix des services comparés à ceux des biens

OBJECTIF BAC

9 Lire un tableau économique

1 Je repère les caractéristiques générales du tableau

À partir de l'exemple donné, repérez puis analysez les différents éléments ci-dessous.

Taux d'équipement des ménages en biens durables selon l'âge

	16-24 ans	25-39 ans	40-59 ans	60 ans ou +	Ensemble
Lave-linge	79,1	95,7	97,6	96,8	96,3
Téléphone fixe	28,2	65,3	86,0	91,1	82,0
Téléphone portable	100,0	99,4	98,9	89,9	95,4
Connexion à Internet	96,6	96,6	94,4	69,7	84,9
Voiture	72,6	84,5	88,9	80,6	84,1

Insee, 2018

Le titre : choisi avec soin, il permet d'identifier le phénomène étudié.

Votre analyse :

Ici, il s'agit des taux d'équipement des ménages, en biens durables.

La source et la date : elles permettent de connaître l'auteur du tableau et son actualité.

Votre analyse :

La source du tableau est l'Insee, principale source de données économiques en France. Les phénomènes décrits datent de 2018.

Les unités utilisées : elles permettent d'évaluer l'ampleur du phénomène. Repérez bien s'il s'agit de données brutes ou de pourcentages.

Votre analyse :

Ici, il s'agit des taux d'équipements des ménages par types de biens. Ils sont exprimés en pourcentages.

Les critères de classement en ligne et en colonne : c'est le « sujet » du tableau.

Votre analyse :

Il s'agit ici d'étudier l'équipement des ménages en fonction de leur âge.

2 Je lis le tableau et sélectionne l'information utile

Lors de la lecture d'un tableau économique, il faut d'abord parvenir à dégager une grande tendance ou un phénomène important, puis repérer les valeurs extrêmes et/ou les ruptures.

Votre analyse :

- les types de biens : Dans le tableau, on peut d'abord repérer les biens dont le taux d'équipement est le plus élevé (téléphone portable, lave-linge) et ceux dont le taux d'équipement est le plus faible (voiture, téléphone fixe).
- les tranches d'âge : Par ailleurs, la consommation diffère selon les tranches d'âge pour un certain nombre d'équipements. Les jeunes sont par exemple presque 1,5 fois plus équipés avec Internet que les séniors.

Mini-cas d'entraînement

THÈME 3

JE SAIS : OUI ✓ NON ✗

- **identifier** les déterminants de l'épargne.
- **identifier** les déterminants de la consommation.

L'épargne en France

VOTRE MISSION

1. Présentez la situation de l'épargne en France en la comparant à celle de ses voisins européens.
2. Identifiez les raisons qui expliquent cette situation.
3. Décrivez et expliquez les dispositifs mobilisés par l'État pour y faire face.
4. Rédigez une argumentation qui vous permettra de répondre à la question suivante :
En quoi l'épargne affecte-t-elle l'activité économique ?

Objectif BAC
❶ à ❹ Comprendre les consignes
p. 30, 42, 54, 66

Objectif BAC
❿ Analyser un graphique
p. 154

Objectif BAC
⓬ Analyser un sujet d'argumentation
p. 184

Objectif BAC
⓭ Structurer son argumentation
p. 194

ANNEXE

1 Taux d'épargne en Europe

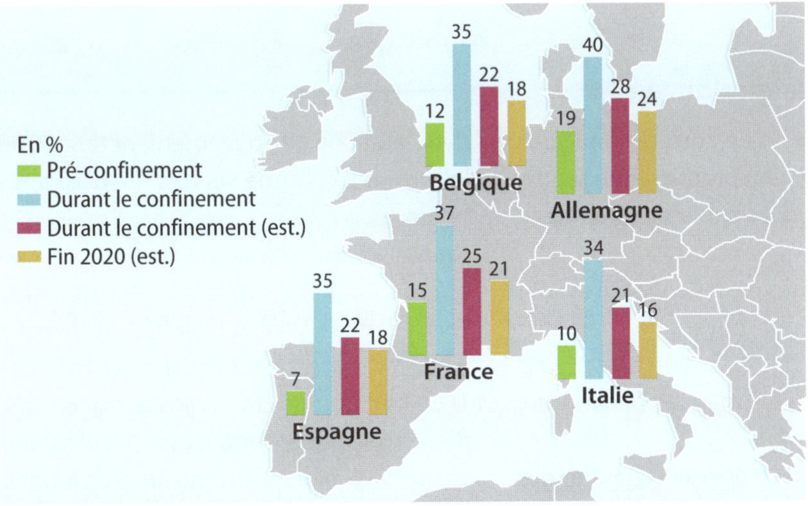

(est.) : estimation.

Club patrimoine, 29/04/2020

ANNEXE

2 Pourquoi l'épargne des Français atteint-elle un niveau record ?

L'épargne des Français atteindra à la fin de l'année un niveau record : on estime à 500 milliards d'euros l'argent sur les comptes courants ou en placements [...]. Cette sur-épargne ne s'explique pas uniquement par la consommation contrainte durant les trois confinements (largement compensée par le rattrapage rapide à chaque déconfinement, ainsi que par différents services à domicile mis en place durant la période).

La Banque de France explique aussi que cette épargne fut liée aux craintes de perdre son emploi durant la crise : face à un climat de défiance à l'égard des politiques, et malgré les aides aux entreprises, nombre de Français ont généré une épargne de précaution face au possible chômage. [...]

L'autre partie de l'épargne, la vraie épargne de placement, s'explique par des craintes sur notre État-providence et ce qu'on appelle en économie l'effet Barro-Ricardo : il s'agit de la théorie économique selon laquelle, lorsque l'État s'endette pour effectuer une relance budgétaire, les agents économiques sont capables d'anticiper rationnellement une future hausse des impôts et ainsi réduisent leur consommation. Face à une dette hors contrôle, un système de retraites déséquilibré, il est rationnel pour les ménages français de constituer cette sur-épargne.

Sébastien Laye, « Pourquoi l'épargne des Français atteint-elle un niveau record ? », *Le Figaro*, 21/09/2021

ANNEXE

3 Les enjeux de l'épargne

Cette épargne n'est pas nécessairement contreproductive [...]. Elle circule dans le système bancaire et participe en (faible) partie à l'activité de prêts des banques, même si en réalité une banque ne prête pas vraiment des dépôts, elle utilise plutôt ces dépôts comme levier de création monétaire. Mais les gouvernants et certains économistes en font une présentation pessimiste, au nom de deux arguments : le premier serait que cette épargne serait un prélèvement sur la consommation et le PIB (avec 160 milliards, on gagnerait 6 points de croissance !), le second que l'épargne favoriserait d'abord les plus nantis qui s'enrichiraient, creusant les disparités sociales.

Sébastien Lahaye, « Pourquoi l'épargne des Français atteint-elle un niveau record ? », *Le Figaro*, 21/09/2021

ANNEXE

4 Du bas de laine à la relance ?

La situation est cruelle : d'un côté, des milliards morts pour l'investissement productif ; de l'autre, des entreprises asphyxiées par le manque de financements. [...]

Les rendements proposés par les entreprises sont eux meilleurs mais ils sont souvent non garantis : « c'est le grand retour des liasses de billets dans les bas de laine et sous les matelas » écrit Anne de Guigné du Figaro.

<u>Plusieurs initiatives pour mobiliser l'épargne des Français vers les entreprises</u>

Bruno Le Maire l'affirmait en août aux Échos : « Ces 100 milliards d'euros d'épargne doivent s'ajouter aux 100 milliards d'euros du plan de relance pour soutenir notre économie. » À grand renfort de défiscalisation, le gouvernement tente d'orienter le surplus d'épargne vers les finances des entreprises. [...]

Deux dispositifs d'épargne « patriotique » ont déjà été mis en place : un label « Relance » pour les Fonds de placement qui investissent au moins 30 % dans des entreprises françaises et 10 % dans des TPE-PME ; il bénéficie aux entreprises qui œuvrent dans les « mégatendances » : vieillissement ou transition écologique ; mais aussi un fonds spécial « Bpifrance Entreprises 1 » qui permet à l'épargnant d'investir 5 000 € minimum pendant 5 ans dans les entreprises françaises.

Tiphaine de Rocquigny, « Entendez-vous l'éco ? », *France Culture*, 23/02/2021

THÈME 4

Quels modes de financement de l'activité économique ?

Charlie & Gus
La websérie STMG

VIDÉO
hachette-clic.fr/22ecocg4
Épisode #4
Gus veut monter sa boîte

1. Identifiez l'obstacle auquel est confronté Gus pour se lancer dans son projet.
2. Trouvez un moyen pour aider Gus face à cet obstacle.
3. Expliquez l'alternative envisagée par Gus.

Le **financement** est le moteur de l'activité économique. Il désigne l'ensemble des modalités par lesquelles **les agents économiques** se procurent les fonds nécessaires à la réalisation de leurs activités. Les **banques** jouent un rôle majeur en leur qualité d'intermédiaires.

Chaque agent économique connaît des **situations financières** différentes. Pour financer leurs activités, les entreprises peuvent s'**autofinancer** ou recourir à des moyens **externes** en passant par les **marchés financiers**. Ces modes de financement présentent chacun des avantages et des inconvénients.

CHAPITRE 10
Le financement de l'activité économique

Une des possibilités pour se financer est de se tourner vers les **marchés financiers**. L'autre possibilité est de faire appel **aux banques** qui accorderont des **crédits**, placés sous l'autorité de la **banque centrale**.

CHAPITRE 11
Le rôle des banques et des marchés financiers

10

CAPACITÉS

- Identifier les différentes situations de financement des agents économiques
- Identifier et comparer les divers modes de financement de la croissance de production
- Caractériser les différents circuits de financement

NOTIONS

- Les agents à besoins de financement
- Les agents à capacités de financement
- L'autofinancement
- L'emprunt

Le financement de l'activité économique

FICHE D'IDENTITÉ

Regardez la vidéo de présentation sur l'entreprise Tesla et complétez la fiche d'identité.

▶ Date de création :

2003.

▶ Créateurs :

Martin Eberhard, Marc Tarpenning et Elon Musk.

▶ Siège social (en 2020) :

Palo Alto, en Californie (États-Unis).

▶ Secteurs d'activité :

– Principal :

Construction de véhicules 100 % électriques.

– Secondaire :

Solutions de stockage d'énergie.

▶ Type de véhicules proposés :

Voitures haut de gamme, performantes, aux technologies embarquées novatrices.

VIDÉO

hachette-clic.fr/22eco062

Qui est l'entreprise Tesla ? (1 min)

SITUATION

Sous l'impulsion de son célèbre dirigeant, Elon Musk, l'entreprise Tesla poursuit une mission ambitieuse : « *Accélérer la transition mondiale vers un schéma énergétique durable.* »
En conséquence, Tesla porte de nombreux projets : développement de voitures électriques 100 % autonomes, construction de panneaux solaires et de batteries, lancement de nouveaux concepts liés à l'intelligence artificielle, etc. Pour soutenir l'ensemble de ces activités, l'entreprise doit trouver des financements.

1 Dans quelle situation financière se trouvent les agents économiques ?

Depuis sa création en 2003, l'entreprise Tesla cherche en permanence de nouvelles ressources financières pour se développer et financer ses activités : recherche et développement, production, communication, logistique… L'entreprise a pu compter sur les ressources d'Elon Musk, qui a réalisé un investissement personnel de 7,5 millions de dollars en 2004. En 2021, l'entreprise a enregistré un bénéfice d'environ 1,6 milliard de dollars.

A Les capacités et les besoins de financement

NOTIONS

- Lorsqu'un agent économique a des ressources (revenus, épargne) supérieures à ses dépenses, on qualifie ce dernier d'**agent à capacités de financement**. Une fois ses dépenses financées, il dégage une épargne qui peut être placée.
- Lorsqu'un agent économique voit ses dépenses excéder ses ressources, on parle dans ce cas-là d'**agent à besoins de financement**. Il doit faire appel aux agents en situation de capacité de financement.

1 Identifiez les mouvements de capitaux évoqués dans la mise en situation pour Tesla.

Rentrées de capitaux : investissement personnel d'Elon Musk en 2014, bénéfice dégagé en 2021.

Sorties de capitaux : financement de l'activité de l'entreprise avec des dépenses en R&D, dans la production, etc.

2 Caractérisez chacun des types d'agents en complétant les éléments manquants ci-dessous.

Si les ressources sont *supérieures* aux besoins → agent à capacités de financement.

Si les ressources sont *inférieures* aux besoins → agent à besoins de financement.

3 Reliez chaque élément à la situation financière correspondante.

La mairie de Troyes souhaite investir dans un nouveau complexe sportif. Elle ne possède que 50 % de la somme prévue.	Agent à besoins de financement
L'entreprise où Yasmine effectue son stage possède 120 000 € de ressources et a engagé 150 000 € de dépenses.	Agent à besoins de financement
Yasmine, étudiante en BTS, souhaite s'acheter une voiture. Elle a repéré un modèle à 25 000 €. Elle dispose de 3 000 € d'épargne.	Agent à besoins de financement
La sœur de Yasmine veut faire des travaux chez elle. Elle compte financer ses dépenses en puisant dans une partie de son épargne (30 % de la somme disponible sur son livret A).	Agent à capacités de financement

Pour être plus proche des consommateurs, Tesla a décidé d'ouvrir de nouveaux points de vente en France, les Tesla Stores. Début 2022, plus de 18 villes françaises disposent déjà d'un Tesla Store exploité directement par la marque.

B Des situations variées pour les secteurs institutionnels

DOC 1 La situation financière des secteurs institutionnels en France

Capacité et besoin de financement des différents secteurs institutionnels (milliards d'euros)

Banque de France, 2021

4 D'après les données du ▶ Doc. 1, identifiez la situation des différents secteurs en 2020.

	Secteurs à capacités de financement	Secteurs à besoins de financement
Sociétés non financières	☐	☒
Ménages	☒	☐
Administrations publiques	☐	☒
Sociétés financières	☐	☒

5 En analysant le ▶ Doc. 1, commentez la situation financière des administrations publiques en France. À votre avis, comment expliquer l'évolution observée en 2020 ?

Les administrations publiques sont structurellement en situation de besoin de financement. Le besoin s'est creusé en 2020 (plus de 200 milliards d'euros). La situation s'explique probablement par les effets de la crise sanitaire liée à la pandémie de la Covid-19.

Bilan

Commentez la situation des ménages en France au niveau national. D'après les données du ▶ Doc. 1, est-ce une bonne idée de vouloir développer la vente aux particuliers en France pour Tesla ?

En France, au niveau national, les ménages sont en situation de capacité de financement sur la période considérée, et ils ont fortement épargné en 2020. Ils ont ainsi les fonds pour financer d'éventuels projets, notamment l'achat d'une automobile. Il s'agit donc plutôt d'une bonne idée pour Tesla.

Vers la synthèse
JE ME TESTE
hachette-clic.fr/22eco063
Je révise l'essentiel p. 152-153

2 Quelles sont les solutions à disposition pour se financer ?

Pour ouvrir son prochain Tesla Store à Dijon, l'entreprise Tesla devra débourser la somme de 1,2 million d'euros. Somme à laquelle il faudra ajouter un coût supplémentaire de 20 % concernant les travaux, le recrutement du personnel... Pour financer ce projet, le groupe compte injecter 65 % de la somme depuis ses propres fonds.

A L'autofinancement

1 À l'aide de la ▶ Situation, calculez les différents montants en jeu dans le projet d'ouverture du Tesla Store à Dijon.

Montant total de l'investissement

1,2 + 0,20 × 1,2 = 1,44

1,44 million d'euros

Montant de l'apport personnel

0,65 × 1,44 = 0,936

936 000 euros

2 Comment l'entreprise Tesla réussit-elle à autofinancer une partie de ses investissements ?

À l'aide de ses bénéfices des années passées.

3 Proposez une définition de l'autofinancement, aussi appelé financement interne.

Le financement interne consiste, pour un agent économique, à puiser dans ses propres ressources financières dans le but de financer ses investissements.

4 Calculez le taux d'autofinancement pour le projet de Tesla à Dijon.

(936 000/1 440 000) × 100 = 65 %

NOTION

• **Taux d'autofinancement** = $\frac{\text{Épargne}}{\text{Investissement}} \times 100$

DOC 2 Gare à la mauvaise interprétation des chiffres !

Un taux d'autofinancement élevé signifie que les entreprises disposent de propres ressources pour financer en grande partie leurs investissements, mais cela dépend fortement de leurs projets. En effet, si l'activité économique est calme, l'entreprise, ayant peu d'investissements à réaliser, pourra alors entièrement les financer sur ses propres ressources. En revanche, si l'activité économique est très dynamique, l'entreprise pourra envisager de nombreux investissements. Dans ce cas, elle verra son taux d'autofinancement se réduire : ce ne seront pas ses propres ressources qui auront diminué, mais le montant de ses investissements qui aura augmenté !

Les auteurs

5 Un taux d'autofinancement élevé est-il nécessairement un bon signal concernant l'activité d'une entreprise ? Justifiez votre réponse. ▶ Doc. 2

Un taux d'autofinancement doit être apprécié en fonction des investissements qu'il permet de réaliser, compte tenu du contexte économique dans lequel évolue l'entreprise. Il peut s'apprécier très différemment selon que l'entreprise est en croissance ou non, selon que l'activité économique se porte bien ou non. Cet indicateur n'est pas nécessairement un bon signal.

En mars 2019, le constructeur américain a obtenu un prêt de plus de 520 millions de dollars pour son usine de Shanghai, où il compte produire ses véhicules électriques. Précédemment, l'entreprise avait annoncé un emprunt de plus de deux milliards de dollars, en émettant des titres financiers sous forme d'actions auprès d'investisseurs pour poursuivre ses activités.

B Le financement externe

DOC 3 Les deux circuits du financement externe

Deux grandes modalités de financement externe sont à distinguer [...]. Dans le premier cas, on parle de *financement indirect* ou intermédié et dans le second de *financement direct*. De manière générale, lorsque le financement est indirect ou intermédié, les intermédiaires financiers s'interposent entre les agents à capacité de financement, auprès desquels ils collectent des fonds, et les agents à besoin de financement, auxquels ils apportent leur concours financier. Le crédit bancaire constitue la forme la plus emblématique du financement intermédié. [...] Par financement direct, on entend en effet le plus souvent le cas où des agents à besoin de financement émettent des titres (actions, obligations...) souscrits « directement » sur le marché par les agents à capacité de financement et l'on parle à cet égard de financement de marché.

Jézabel Couppey-Soubeyran, *Monnaie, banques, finance*, Quadrige, PUF, 2015.

6 **À l'aide de la ▶ Situation et du ▶ Doc. 3, caractérisez les différentes modalités de financement chez Tesla pour investir dans son usine à Shanghai.**

Financement externe indirect : prêt de 520 millions de dollars auprès des banques chinoises.

Financement externe direct : emprunt de deux milliards de dollars sur les marchés financiers.

7 **À l'aide d'une recherche sur Internet, renseignez-vous sur la différence entre les actions et les obligations, et complétez le schéma ci-dessous.**

Action

Il s'agit d'un titre de propriété
(une fraction du capital).
Le porteur est rémunéré par des dividendes lorsque l'entreprise souhaite redistribuer une partie de ses bénéfices aux actionnaires.

Obligation

Il s'agit d'un titre de créance
(fraction de la dette).
Le porteur est rémunéré par des coupons, c'est-à-dire une somme d'argent versée à intervalles réguliers selon un taux d'intérêt.

Bilan

Présentez toutes les solutions de financement à disposition des entreprises en complétant le schéma ci-dessous avec les termes suivants :

actions et obligations/financement externe/financement externe indirect/ financement externe direct / emprunt bancaire/financement interne

- Financement des entreprises
  - → Financement interne
  - → Financement externe
    - → Financement externe direct → Actions et obligations
    - → Financement externe indirect → Emprunt bancaire

Vers la synthèse
JE ME TESTE
hachette-clic.fr/22eco064
Je révise l'essentiel p. 152-153

3 Comment choisir son mode de financement ?

M. Denis, retraité vivant dans le sud de la France, souhaite acheter une voiture Tesla d'occasion. Il se demande comment financer cette acquisition d'un montant de 30 000 €.

A Financement interne ou externe ?

1 Rappelez les possibilités qui s'offrent à M. Denis pour financer son projet.

Autofinancement (financement interne) ou financement externe (emprunt bancaire).

DOC 4 Échange entre M. Denis et sa conseillère bancaire

Conseillère bancaire : Pour financer votre projet, notre banque peut vous proposer un prêt sur une durée de trois ans. Le coût total de cet emprunt est de 1 420 euros, intérêts et frais de dossiers compris. Somme à laquelle il faut ajouter, bien sûr, les 30 000 € de remboursement.

M. Denis : *Que me conseillez-vous, sachant que j'ai cette somme à disposition sur mes comptes ?*

Conseillère bancaire : Il faut comparer ce que vous coûte votre crédit et ce que vous rapporte votre épargne. Si le coût de votre emprunt est supérieur à ce que votre épargne vous rapporte, il peut être intéressant, d'un point de vue financier, de vous autofinancer. Et inversement !
Voyons : à ce jour, votre épargne vous a rapporté ces trois dernières années 900 euros, sur la base d'un taux d'intérêt de 1 %.

Les auteurs

2 En l'état actuel des choses, que conseilleriez-vous à M. Denis quant à son choix de financement ? Justifiez votre réponse. ▶ Doc. 4

M. Denis devrait s'autofinancer, car son épargne rapporte moins que le coût du crédit : 900 euros contre 1 420 euros.

3 Les taux d'intérêt de l'épargne devraient remonter à un niveau de 2 %. Si cette remontée se confirmait, quelle décision préconiseriez-vous à M. Denis ? Justifiez votre réponse.

M. Denis devrait alors financer son projet par emprunt bancaire. En effet, selon cette hypothèse, l'épargne placée va plus que doubler (1 800 €). M. Denis a intérêt de ne pas toucher à cette somme et de la laisser fructifier. Il aura économisé environ 900 euros.

L'entreprise Bricodélec, une entreprise de taille internationale spécialisée dans la solution informatique à destination des professionnels, a décidé de procéder à de lourds investissements, d'un montant de 10 millions d'euros. La direction souhaite notamment changer l'ensemble de son parc automobile et passer commande auprès de Tesla.

B Financement direct ou indirect ?

DOC 5 — Solution A : émission d'obligations

Montant emprunté : 10 millions d'euros
Montant obligation : 100 €
Coupon unitaire : 3 %
Durée de vie de l'obligation : 1 an

DOC 6 — Solution B : emprunt bancaire

a) **Montant emprunté :** 5 millions d'euros
Taux d'intérêt : 3 % **Durée :** 1 an
b) **Montant emprunté :** 5 millions d'euros
Taux d'intérêt : 4 % **Durée :** 1 an

4 **L'entreprise Bricodélec étudie deux propositions de financement (▶ Doc. 5 et 6). Calculez le coût de chacune en complétant le tableau ci-dessous.**

Solution A. Émission d'obligations
Valeur d'un coupon :
100 × 0,03 = 3 €
Nombre d'obligations émises :
10 000 000/100 = 100 000
Coût total : 300 000 €

Solution B. Emprunt bancaire
Intérêts de l'emprunt a :
5 000 000 × 0,03 = 150 000 €
Intérêts de l'emprunt b :
5 000 000 × 0,04 = 200 000 €
Coût total : 350 000 €

5 **Concluez quant au choix que vous proposeriez pour financer les projets de l'entreprise.**

La solution A (emprunt obligataire) est la moins coûteuse pour l'entreprise.

DOC 7 — Interview avec un spécialiste du financement des entreprises

• *Quels sont les éléments à prendre en compte pour choisir un mode de financement externe ?*

Si l'emprunt bancaire permet d'obtenir des fonds en toute sécurité, sans que les propriétaires ne diluent le capital, il doit être remboursé avec des intérêts supplémentaires. Cela a un coût potentiellement important. Et la capacité d'endettement est limitée en fonction du type d'entreprise. Au-delà d'un certain seuil, les banques ne prêtent plus ! Quant à l'emprunt auprès d'investisseurs sur les marchés financiers, c'est une possibilité réservée aux grandes entreprises. La levée de fonds est rapide et peut atteindre des sommes conséquentes… Toutefois, il y a un risque de perte de contrôle de l'entreprise, si on finance par des actions. De nouveaux actionnaires peuvent entrer au sein de l'entreprise.

Les auteurs

En 2017, dans le contexte de lancement de sa voiture familiale Model 3, Tesla a émis pour 1,5 milliard de dollars d'obligations. Malgré une réserve d'environ 3 milliards de liquidités, l'entreprise a opté pour l'emprunt sur les marchés financiers. Elle estimait que cette solution lui apporterait un matelas confortable pour faire face à ses prochaines échéances.

6 **Discutez des raisons qui ont conduit Tesla à choisir ce mode de financement en 2017.** ▶ Doc. 7

L'émission d'obligations permet d'emprunter directement sur le marché, sans faire appel aux banques, et d'obtenir un taux « intéressant ». On évite aussi de faire appel à de nouveaux actionnaires.

Vers la synthèse — JE ME TESTE
hachette-clic.fr/22eco065
Je révise l'essentiel p. 152-153

Bilan

À l'aide d'une recherche sur Internet, préparez un argumentaire à l'oral présentant les avantages et les limites, pour une entreprise, d'avoir recours à l'autofinancement, au financement externe direct et au financement externe indirect (trois arguments à chaque fois).

À moi de jouer

1 Jouez avec *Kyushi* !

Quiz interactifs pour réviser en classe !

hachette-clic.fr/kyushi

2 Testez vos connaissances avec ces mots croisés

En compétition avec un(e) de vos camarades, remplissez la grille dans le temps imparti par votre professeur(e) à l'aide des indices donnés ci-après. Une bonne réponse = un point. Celui ou celle de vous deux qui a le plus de points remporte le challenge !

						1			
						B			
				2		A			
				F		N			
				I		Q			
				N		U			4
3	M	É	N	A	G	E			E
				N					M
				C					P
5		P	M	E					R
6				M	U	S	K		U
				E					N
7			I	N	T	É	R	Ê	T
				T					

Verticalement

1. Exemple d'une société financière.
2. Action consistant à se procurer des fonds.
4. Action d'obtenir une somme d'argent.

Horizontalement

3. Seul secteur institutionnel en capacité de financement en France pour l'année 2020.
5. Type d'entreprise principalement concernée par l'emprunt bancaire.
6. Nom du dirigeant de l'entreprise Tesla.
7. Rémunération d'un prêt d'argent.

3 Comparer les divers modes de financement de la croissance de la production

Félix Barbier dirige BatiEco, une petite PME spécialisée dans la rénovation de bâtiments publics. Son entreprise enregistre de nombreuses commandes et pour y faire face, l'entreprise doit investir.
Après avoir réuni ses économies (10 000 €), Félix décide d'utiliser une partie des bénéfices réalisés l'année dernière (20 000 €).
Pour compléter cette somme, il s'adresse à sa banque pour obtenir un prêt. Enfin, il envisage également de monter une opération de *crowdfunding*, en espérant récolter 5 000 € après déduction des chèques-cadeaux remis en contrepartie aux bailleurs de fonds.

1. **À l'aide d'une recherche sur Internet, définissez le terme de *crowdfunding*.**
2. **Caractérisez les différentes modalités de financement choisies par l'entreprise BatiEco pour se développer.**
3. **Quels sont les avantages et les inconvénients de l'appel au *crowdfunding* ?**

4 Identifier les différentes situations de financement

En France, quel avenir pour la dette Covid-19 ?

L'explosion des dépenses de l'État en 2020 pour faire face à la crise sanitaire a entraîné un alourdissement conséquent de la dette française. Un sujet de plus en plus présent dans le débat politique, et qui pourrait bien devenir l'un des thèmes majeurs des prochaines échéances électorales.

Les milliards d'euros dépensés pour aider la France ne sont pas sortis d'un chapeau, mais proviennent d'emprunts. Résultat : la dette française a explosé en 2020, passant d'environ 98 % du PIB fin 2019 à près de 120 % du PIB début 2021, soit une hausse d'environ 300 milliards d'euros.

Quelles options pour rembourser la dette ?

Si la dette française reste soutenable, les économistes jugent toutefois opportun d'envisager sa réduction une fois les crises sanitaire et économique passées. Les leviers sont connus : une dette se rembourse grâce aux impôts, à la baisse de la dépense publique et à la croissance du PIB.

France24.com, février 2021

Selon l'Insee, en 2021, la dette publique française s'élève à environ 2 830 milliards d'euros, et le PIB de la France à 2 300 milliards d'euros.

1. Le taux d'endettement correspond au montant de la dette par rapport au PIB :

$$\text{taux d'endettement} = \frac{\text{dette}}{\text{PIB}} \times 100.$$

Calculez le taux d'endettement de la France à partir des données fournies.

2. Expliquez les raisons qui ont conduit à cette hausse de l'endettement en 2020.

3. Préparez une argumentation orale de cinq minutes qui présentera les causes de l'évolution de l'endettement français, et qui envisagera les solutions que l'État pourrait mettre en œuvre pour déduire cet endettement.

Objectif BAC
13 Structurer son argumentation
p. 194

Fiche méthode BAC
16 Gérer à l'oral,
p. 202

5 Comparer l'autofinancement et l'emprunt bancaire

C'est la période des grands projets ! Vous souhaiteriez étudier le recours à un crédit à la consommation pour rénover votre salle de bain (pour une valeur de 5 000 €) ou bien acheter une moto neuve (valeur 10 500 €).

Vos revenus se montent à 1 500 € nets par mois. Vous ne voulez pas dépasser 30 % du taux d'endettement dans chacun des cas.

1. À l'aide du simulateur de crédit en ligne sur le site du groupe Cetelem (www.cetelem.fr), simulez séparément le coût des deux projets.

2. Indiquez la durée minimale de prêt dans chacun des cas.

3. Combien vous coûterait chaque projet par rapport à un achat avec paiement comptant, sans recourir au crédit ?

4. Discutez des avantages et des inconvénients de l'autofinancement par rapport au crédit à la consommation.

L'essentiel

hachette-clic.fr/22eco066

JE RÉVISE
- Le podcast du cours
- La synthèse en 1 clic
- Je manipule les notions

NOTIONS

- **Autofinancement :** ensemble des ressources internes qui permettent à un agent de financer un investissement.
- **Besoin de financement :** situation d'un agent économique dont les dépenses sont supérieures aux ressources.
- **Capacité de financement :** situation d'un agent économique dont les ressources dépassent les besoins.

COURS

1 Dans quelle situation financière se trouvent les agents économiques ?

- Pour fonctionner, l'économie a besoin de **capitaux**.
- Certains agents économiques **empruntent** pour financer leurs activités. C'est le cas des administrations publiques et des entreprises, qui ont traditionnellement besoin de financement.
- D'autres agents disposent d'une **épargne disponible**. En France, les ménages pris dans leur ensemble sont **en capacité de financement**. Cette épargne peut être placée et aider à répondre aux besoins des agents **en besoin de financement**.

2 Quelles sont les solutions à disposition pour se financer ?

- Certains agents sont capables d'**autofinancer** leurs investissements grâce à leur propre épargne. Dans le cas contraire, ils font appel à d'autres pour obtenir les fonds nécessaires.
- Une entreprise trouve des moyens financiers à l'extérieur en empruntant auprès de banques, ou sur les **marchés financiers** en émettant des titres financiers (actions et obligations).
- Une **action** est un titre de propriété (une fraction du capital d'une entreprise). Une **obligation**, quant à elle, représente un titre de créance (une part de dette) détenu par un investisseur.

3 Comment choisir son mode de financement ?

- Pour choisir un mode de financement, l'entreprise compare les solutions à sa disposition.
- Le choix final dépend de la conjoncture économique, de la volonté ou non de l'entreprise d'attirer de nouveaux investisseurs, de la rapidité de levée des fonds, de la durée et du taux des emprunts proposés par les banques, etc.

CHIFFRES clés

- **193 milliards d'euros**. C'est le montant des encours des crédits à la consommation aux particuliers en France, en 2021. Il représente 1 % de l'épargne totale des Français.
- **3 milliards d'euros**. C'est le plus gros investissement en France réalisé par une entreprise en 2021. Il a été effectué par l'entreprise Renault, accompagnée d'Envision (entreprise spécialisée dans l'énergie), pour la création d'une usine à Douai.

CULTURE+

Le *crowdfunding*, ou financement participatif, est une solution de financement, généralement utilisée en complément d'autres. Il vise à entrer en contact avec des financeurs, principalement des particuliers, par le biais d'une plateforme sur Internet.

POUR RETENIR AUTREMENT

1 Dans quelle situation financière se trouvent les agents économiques ?

Agent à besoins............. **de financement**

Besoins supérieurs à l'épargne :

Agent à capacités............ **de financement**

Épargne supérieure aux besoins :

Les agents à capacités de financement............... mettent à disposition des agents à besoins de financement................. leurs ressources excédentaires.

2 Quelles sont les solutions à disposition pour se financer ?

Les agents à besoins de financement

se financent par…

- Financement interne............ (autofinancement) → Épargne personnelle
- Financement externe........... direct.............. → Marché financier (actions/obligations)
- Financement externe........... indirect........... → Intermédiaire : banque → Emprunt

3 Comment choisir son mode de financement ?

Les agents à besoins de financement................. choisissent les modes de financement en fonction de plusieurs paramètres qui limitent le champ des possibilités :

- Coût du financement
- Montant des fonds souhaités
- Accessibilité ou non aux marchés financiers
- …

10 Analyser un graphique

En économie, les données chiffrées sont souvent présentées par des graphiques, une forme visuelle qui facilite leur compréhension.

1 Les grandes étapes d'analyse d'un graphique

1. **Repérer les caractéristiques générales du graphique** : le type de représentation, les grandeurs présentées et leurs unités.
2. **Étudier le contenu du graphique** : comparer les parts respectives, repérer une évolution dans le temps, une tendance, etc.
3. **Formuler une explication** en faisant appel à vos connaissances, aux documents proposés et au contexte.

2 Identifier les graphiques les plus courants

Reliez le nom de chaque type de graphique à la bonne définition.

Histogramme	Ce graphique représente l'évolution d'un phénomène dans le temps.
Diagramme circulaire	Ce graphique représente les séries continues dont les valeurs du caractère étudié ont été regroupées en différentes classes.
Courbes	Aussi appelé « camembert », ce graphique sert à représenter la répartition d'un phénomène, généralement exprimée en pourcentage.

Histogramme → Ce graphique représente les séries continues dont les valeurs du caractère étudié ont été regroupées en différentes classes.
Diagramme circulaire → Aussi appelé « camembert », ce graphique sert à représenter la répartition d'un phénomène, généralement exprimée en pourcentage.
Courbes → Ce graphique représente l'évolution d'un phénomène dans le temps.

3 En situation

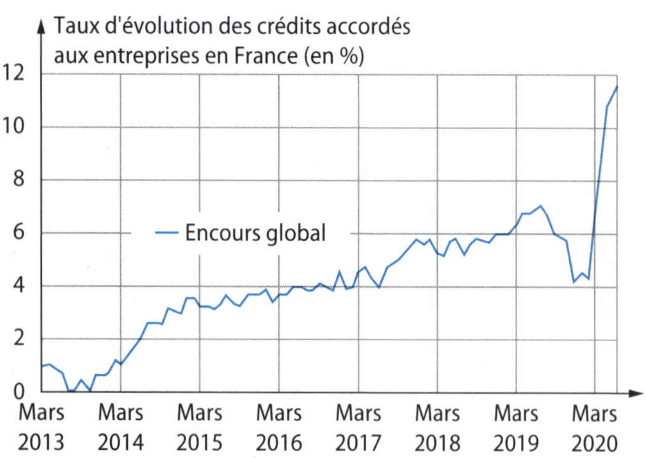

Une nouvelle mesure d'urgence pour faire face à la pandémie : une avance de trésorerie sous la forme d'un prêt garanti par l'État (PGE). Les entreprises peuvent le souscrire auprès de leur établissement bancaire habituel.

Analysez le graphique du document présenté.

1. Caractéristiques du graphique :
Le graphique illustre l'évolution des encours, c'est-à-dire le montant total des crédits accordés aux entreprises, en France, de mars 2013 à mars 2020, en pourcentage.

2. Étude du contenu du graphique :
On note une augmentation globale des encours sur la période considérée. Cette hausse est particulièrement spectaculaire peu avant mars 2020, avec une croissance de plus de 10 % en l'espace de quelques mois.

3. Interprétation/explication :
Cette hausse s'explique par le contexte de la pandémie de la Covid-19 : la mise en place du dispositif du prêt garanti par l'État (PGE) a stimulé fortement ce mode de financement bancaire.

11

CAPACITÉS

- Analyser les différentes fonctions des marchés financiers
- Caractériser et comprendre le rôle des banques dans le financement de l'activité économique
- Comprendre le rôle des banques centrales (et en particulier la Banque centrale européenne) par rapport au système bancaire

NOTIONS

- Le financement direct et le marché financier
- Le financement indirect et les banques
- Les actifs financiers

Le rôle des banques et des marchés financiers

FICHE D'IDENTITÉ Boursorama

➔ **Regardez la vidéo proposée et complétez la fiche d'identité de la banque Boursorama.**

Année de création de Boursorama Banque :

2005

Idée innovante à l'origine de Boursorama.com :

démocratiser l'accès à la Bourse et à l'information financière

Raisons du succès :

▶ Apparition de Google et explosion de l'e-commerce.

▶ Recherche de plus de rapidité, d'autonomie et de simplicité chez les clients

➔ **La famille Pradel (▶ Chap. 8 p. 113) est-elle éligible pour ouvrir un compte Boursorama ? Justifiez votre réponse.**

Voici quelques conditions pour devenir client Boursorama :
- être majeur ;
- résider fiscalement en France ;
- réaliser un versement initial minimal de 50 à 500 €.

VIDÉO

hachette-clic.fr/22eco067

Les 20 ans de Boursorama (2'38)

SITUATION

Thaïs et Jalil Pradel envisagent de changer de banque. Des amis leur ont recommandé Boursorama. Simple, rapide, efficace, cette banque en ligne semble présenter de nombreux avantages. Après mûre réflexion, ils décident de sauter le pas et entreprennent les démarches pour ouvrir un compte.

1 Comment fonctionnent les marchés financiers ?

À la suite d'un échange téléphonique avec un conseiller Boursorama, les Pradel ont décidé d'investir une partie de leur épargne sur les marchés financiers. Des amis bretons leur ont parlé de la société Entech, spécialisée dans les énergies renouvelables. Cette jeune entreprise prometteuse, installée à Quimper, projette de multiplier son chiffre d'affaires par treize en six ans.

A Les composantes des marchés financiers

DOC 1 La complémentarité du marché primaire et du marché secondaire

Un **marché financier** est un lieu de rencontre entre différents acteurs économiques qui s'échangent des titres financiers tels que des actions ou des obligations. Ces échanges s'effectuent à l'occasion d'opérations économiques particulières, telles qu'une augmentation de capital ou une introduction en Bourse. C'est parce qu'il existe sur le marché de l'occasion (**marché secondaire**) de nombreux acteurs qui ne font qu'acheter et vendre des titres précédemment émis sur le **marché primaire**, pour en tirer un bénéfice purement financier, que les marchés peuvent jouer un rôle important dans l'apport de nouveaux capitaux aux entreprises, à l'État et aux collectivités.

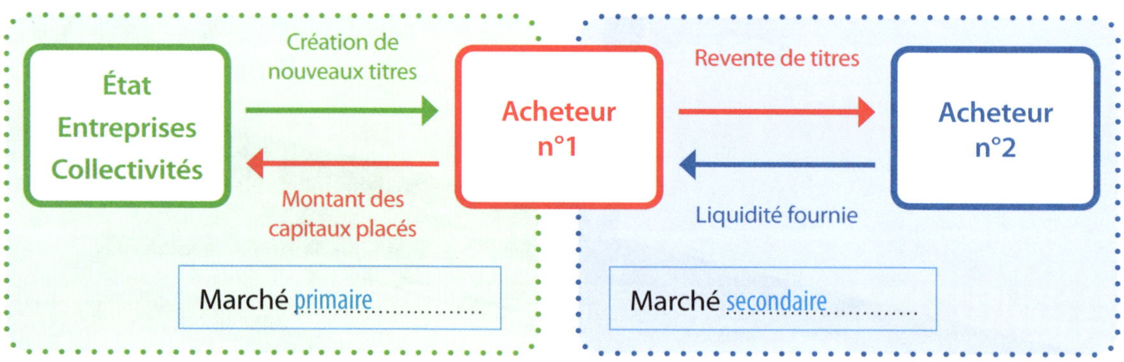

Les auteurs

1 Précisez les rôles du marché primaire et du marché secondaire en complétant le ▶ Doc. 1.

DOC 2 La valeur de l'action Entech

Date de l'introduction en Bourse, 04/10/2021 : **6,95 €**

28/01/2022 : **7,30 €**

NOTION

• **Cours d'une action**
Prix auquel s'échange l'action. Ce dernier résulte de la confrontation entre acheteurs et vendeurs. Si le nombre d'actions demandées est supérieur à l'offre, les acheteurs devront accepter de payer plus cher pour acquérir l'action, et inversement.

2 **Sur quel marché, primaire ou secondaire, les Pradel vont-ils investir ? Justifiez votre réponse.** ▶ Doc. 1 et 2

Les Pradel investiront sur le marché secondaire, où ils rachèteront des actions Entech. Des titres ont déjà été émis lors de l'introduction en bourse en octobre 2021.

3 **Comparez le cours de l'action d'Entech le 28 janvier 2022 à celui de son entrée en Bourse.** ▶ Doc. 2

Le cours de l'action Entech a progressé entre octobre 2021 et janvier 2022 (+ 5 %).

4 **Les Pradel vont-ils financer l'entreprise Entech au travers de leur opération ? Justifiez.**

Les Pradel ne financeront pas l'entreprise, puisqu'ils investissent sur le marché secondaire et rachèteront les actions à d'autres. Ce compartiment de marché n'apporte aucune nouvelle source de financement à Entech.

B L'encadrement des marchés financiers

DOC 3 Les hauts et les bas du CAC 40

En France, l'indice boursier le plus connu est le CAC 40, qui regroupe les 40 entreprises cotées en Bourse jugées les plus représentatives de l'économie française. Le CAC 40 est mesuré en points : son évolution est comptée par rapport à une valeur d'origine de 1 000 points qui date de 1987. Si l'indice atteint 6 000 points, par exemple, cela signifie que si vous aviez acheté en 1987 un portefeuille d'actions du CAC 40, votre investissement aurait été multiplié par six.

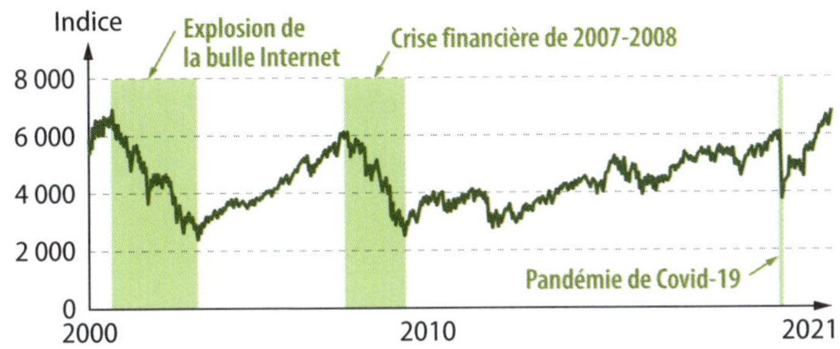

NOTION

- **Indice boursier**
Indicateur utilisé pour indiquer la tendance globale de l'économie et du marché.
- **Bulle spéculative**
Situation où les prix sur un marché sont maintenus artificiellement à un niveau excessif.

Statista, 2021

5 À l'aide d'une recherche sur Internet, donnez trois exemples d'entreprises composant le CAC 40 :

Air Liquide, Danone, Renault, Alstom, Airbus, Bouygues, Carrefour, Michelin...

6 Expliquez le risque pris en achetant des titres sur le marché financier. ▶ Doc. 3

L'indice CAC 40 connaît des hausses et des baisses rapides. Des événements tels que la pandémie affectent sensiblement l'indice. L'investissement est donc risqué : l'investisseur peut voir sa mise de départ fortement réduite.

DOC 4 Quand l'Autorité des marchés financiers (AMF) intervient sur les réseaux sociaux

Le gendarme boursier a réagi sur les réseaux sociaux après qu'une influenceuse, Nabilla, a fait la publicité des investissements dans les cryptomonnaies sur Snapchat. L'AMF a posté plusieurs avertissements, dont : « *Le bitcoin n'est pas régulé. Très forte volatilité. Prudence absolue !* » et renvoie vers la page de son site mettant en garde les particuliers.

D'après *Libération*.fr, 2018

VIDÉO
hachette-clic.fr/22eco068
Rôle de l'AMF
(2 min)

7 Repérez la métaphore utilisée pour qualifier l'AMF dans le ▶ Doc. 4 en la soulignant.

8 Expliquez pourquoi l'AMF est intervenue sur les réseaux sociaux. ▶ Doc. 4

L'AMF a souhaité alerter sur la dangerosité du placement en bitcoins en raison d'une forte volatilité des prix. C'est en effet son rôle de veiller à la bonne information des investisseurs.

Bilan

Analysez les effets des marchés financiers sur l'économie, en montrant en quoi le marché primaire et le marché secondaire sont complémentaires.

Le marché primaire permet de financer les entreprises par l'émission d'actions et d'obligations. Ces titres permettent aux investisseurs de placer une partie de leur épargne. Un agent économique ne va acheter des titres neufs que s'il sait qu'il va pouvoir les revendre en cas de besoin sur le marché secondaire, marché de l'occasion.

Vers la synthèse
JE ME TESTE
hachette-clic.fr/22eco069
Je révise l'essentiel p. 164-165

2 Quels rôles jouent les banques dans le financement de l'économie ?

Depuis son lancement en 2005, la banque Boursorama offre la possibilité aux clients d'ouvrir un compte courant avec une carte de paiement associée. Parallèlement, la banque propose de nombreux services financiers pour satisfaire les besoins multiples de ses clients.

A La mise à disposition de moyens de financement

1 **Citez les deux activités principales proposées par toute banque pour ses clients.**

L'activité de crédit (mise à disposition de fonds), et celle de collecte de l'épargne (dépôt des clients).

DOC 5 Le financement du crédit par les banques

Pour financer un crédit, une banque peut utiliser ses propres ressources : ses revenus, et l'épargne de ses clients. Elle accorde un crédit et crédite du même montant le compte de l'emprunteur, qui la remboursera avec des intérêts. On dit que les « *dépôts font les crédits* ».

La seconde façon pour une banque de proposer des crédits consiste… à créer de la monnaie ! Grâce à ce pouvoir, une banque prête sans avoir les montants correspondants : par un simple jeu d'écriture, elle crédite le compte de son client. On dit alors que les « *crédits font les dépôts* ».

Les auteurs

2 **Repérez les deux possibilités dont dispose toute banque pour financer les crédits proposés à ses clients, en les soulignant dans le ▶ Doc. 5.**

DOC 6 Les banques s'adaptent !

Avec le développement des marchés financiers, les banques ont fait évoluer leurs activités. Elles servent désormais d'intermédiaires pour le compte de leurs clients sur les Bourses mondiales, ou y interviennent pour leur propre compte. Les banques conseillent leurs clients professionnels à besoin de financement, notamment sur le montage financier à adopter. Par ailleurs, elles proposent des services payants (« frais de courtage ») incluant l'ouverture d'un compte-titres, le passage d'ordre d'achat et de vente de titres, etc., à ceux qui souhaitent investir.

Les auteurs

DOC 7 Les frais de courtage chez Boursorama

Boursorama propose différentes formules à ses clients pour s'essayer à la Bourse :

Pour débuter en bourse*	Si vous passez des ordres supérieurs à 3 300 €	Pour les Traders actifs
DÉCOUVERTE	**TRADER**	**ULTIMATE TRADER**
0,50% jusqu'à 398€ inclus	0,50% jusqu'à 3 330€ inclus	0,50% jusqu'à 1 980€ inclus
1,99€ de 398€ à 500€	16,65€ de 3 330€ à 7 750€	9,90€ de 1 980€ à 10 000€
0,50% au-dessus de 500€	0,22% au-dessus de 7 750€	0,12% au-dessus de 10 000€

*Tarif pour plan d'épargne en actions.

Brochure tarifaire Boursorama applicable au 02/12/2021

3 **Les Pradel choisissent la formule Découverte chez Boursorama et passent un ordre d'achat d'actions de 800 €. Calculez le montant des frais de courtage. ▶ Doc. 6 et 7**

$398 \times 0{,}50 + 1{,}99 + 299 \times 0{,}50 = 5{,}5$ €

4 **Montrez l'interdépendance entre les marchés financiers et les banques. ▶ Doc. 6**

D'une part, les banques émettent elles-mêmes des titres et sont des investisseurs actifs sur les marchés financiers. D'autre part, les banques servent d'intermédiaire financier pour leurs clients. En effet, les banques interviennent en amont, pendant et en aval de l'opération de levée de fonds sur le marché financier (conseil aux entreprises, vente des titres et gestion des portefeuilles d'actifs financiers). Les banques y jouent donc un rôle essentiel et concourent au financement par le marché.

B La gestion du risque client

DOC 8 Obtenir un prêt immobilier : pas si simple !

VIDÉO
hachette-clic.fr/22eco070
Prêts immobiliers : les banques de plus en plus exigeantes
(1 min 35)

Début 2020, le premier confinement a mis un coup d'arrêt au marché immobilier. Selon France Info, les transactions ont finalement redémarré quelques mois plus tard ! Hélas pour les acquéreurs, les banques sont désormais plus frileuses pour accorder des prêts immobiliers. Elles épluchent les dossiers pour s'assurer que les emprunteurs ne se surendettent pas, et demandent plus de garanties.

Les auteurs

5 Expliquez pourquoi les banques sont plus exigeantes pour accorder un prêt. ▶ Doc. 8

Les banques ont augmenté leurs exigences pour éviter le risque de surendettement : un emprunteur surendetté ne serait plus en mesure de rembourser les prêts qu'il a souscrits. Le risque s'est accru avec la pandémie et le ralentissement économique : les pertes d'emploi sont plus fréquentes.

6 Les Pradel envisagent de devenir propriétaires de leur logement grâce à un prêt. Quels critères seront pris en compte par Boursorama pour leur accorder ou non ce prêt ? ▶ Doc. 8

La solidité des revenus, les dépenses régulières, et le taux d'endettement (rapport entre les dettes et les revenus) des Pradel seront les principaux critères pris en compte pour leur accorder ce prêt.

DOC 9 Mise en place d'un crédit immobilier chez Boursorama

Deux éléments sont obligatoires pour souscrire un emprunt immobilier chez Boursorama.

- L'*assurance emprunteur* : elle protège les emprunteurs en cas d'événement malheureux (décès, invalidité permanente, incapacité totale de travail ou perte d'emploi) pour éviter qu'eux, ou leurs descendants, se retrouvent dans l'incapacité d'honorer le remboursement de l'emprunt.
- La *garantie de prêt* : chez Boursorama, il s'agit de la caution de Crédit Logement, une société financière qui propose une garantie de prêt alternative à l'hypothèque. En échange d'une contribution en début de prêt, elle s'engage à se substituer à l'emprunteur en cas de défaut de paiement. »

Service client Boursorama Banque

7 Repérez les risques que couvre l'assurance emprunteur en les soulignant dans le texte du ▶ **Doc. 9.**

8 Expliquez pourquoi la banque exige une garantie de prêt. ▶ Doc. 9

La banque se prémunit du risque de non-remboursement de la part de l'emprunteur.

Bilan

Après avoir rappelé comment Boursorama pourra financer le crédit proposé aux Pradel, vous expliquerez les éléments qu'elle attendra pour se prémunir du risque de non-remboursement.

La banque financera le prêt à partir de ses propres ressources financières, ou par le biais de la création monétaire. Pour se prémunir du risque de non remboursement, la banque étudiera soigneusement le dossier de la famille (revenus, dépenses, etc.). Par ailleurs, elle exigera une assurance et une caution adossées au crédit.

Vers la synthèse
JE ME TESTE
hachette-clic.fr/22eco071
Je révise l'essentiel p. 164-165

3 Comment la Banque centrale européenne encadre-t-elle le marché bancaire ?

Les Pradel s'interrogent sur la sécurité de leur épargne chez Boursorama, et d'une manière plus générale quant à la confiance à accorder à leur banque : comment être sûrs que ses activités sont bien contrôlées ?

A Le rôle de la Banque centrale européenne

DOC 10 La Banque centrale européenne et l'Eurosystème

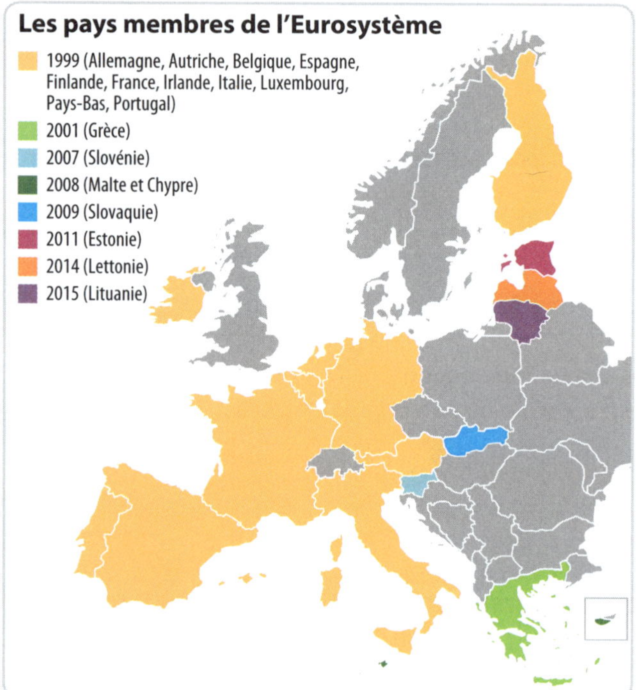

La Banque centrale européenne (BCE) est la principale institution monétaire de l'Union européenne. Depuis 1999, dix-neuf pays membres (voir la carte ci-contre) ont adopté l'euro comme leur monnaie légale.

VIDÉO
hachette-clic.fr/22eco072
La BCE et l'Eurosystème
(3 min)

1 **À l'aide de la vidéo proposée, complétez la fiche d'identité de la BCE ci-dessous.** ▶ Doc. 10

Où se situe le siège de la BCE ?	☒ Francfort (Allemagne) ☐ Strasbourg (France) ☐ Bruxelles (Belgique)
Qu'appelle-t-on Eurosystème, et à quoi sert-il ?	Eurosystème = BCE + ensemble des banques centrales nationales. Son rôle : - Définir et mettre en œuvre la politique monétaire de la zone Euro (contrôle de l'inflation, maintenue à un niveau proche mais inférieur à 2 %) - Assurer le bon fonctionnement des systèmes de paiement - Détenir et gérer les réserves de change et d'autres actifs (titres) - Élaborer des statistiques et autoriser l'émission de monnaie fiduciaire
Par qui et comment sont prises les décisions en matière de politique monétaire ?	C'est le conseil des gouverneurs de la BCE qui prend les décisions. La banque centrale est indépendante (comme dans la plupart des pays) et les décisions sont prises de manière collégiale par les personnes siégeant au conseil.

2 **Expliquez les conséquences de l'inflation pour les ménages.**

L'inflation affecte le pouvoir d'achat des ménages. En effet, la hausse généralisée des prix accroît leurs dépenses de consommation. L'inflation est perçue comme une hausse du coût de la vie.

B La régulation du marché bancaire par la BCE

DOC 11 Le lien entre le niveau du taux d'intérêt et le volume des crédits

Quand une banque ne dispose pas de ressources suffisantes, elle peut emprunter auprès des autres banques ou de la Banque centrale européenne (BCE), qui lui prêtera alors à un taux appelé **taux directeur**.

Claire Fumat et Maude Hopsie, *Toute l'éco et la socio en BD T1 : la monnaie*, La Boîte à bulles/Belin Éducation, 2018

3 **Expliquez comment la BCE encadre l'activité des banques placées sous son autorité.** ▶ Doc. 11

La BCE, en fixant un taux d'intérêt directeur, impose un prix aux banques commerciales pour se refinancer. Pour être rentables, ces dernières devront répercuter ce coût auprès de leurs clients, et fixer un taux d'intérêt supérieur.

4 **Quelles sont les conséquences d'une hausse du taux directeur sur le volume des crédits accordés et l'activité économique ?** ▶ Doc. 11

Quand le taux directeur augmente, la hausse se répercute sur le taux d'intérêt accordé par les banques commerciales. Ménages et entreprises sont alors découragés à emprunter, et le volume de crédits accordés diminue. Le niveau de consommation et d'investissement des agents économiques diminue également.

DOC 12 Face à l'inflation, la BCE craque

Alors qu'en zone euro, les risques sur les perspectives d'inflation sont orientés à la hausse, la BCE durcit le ton ! La porte est clairement ouverte pour une hausse de taux dès 2022. Difficile pour la BCE de maintenir une politique très accommodante : avec des taux bas et l'accès au crédit ouvert à un grand nombre, trop d'argent circule et les prix grimpent.

D'après B. Drut, « Taux d'intérêt : "face à l'inflation, la BCE a fini par craquer" », *Capital*, 06/02/2022

DOC 13 L'inflation en zone euro

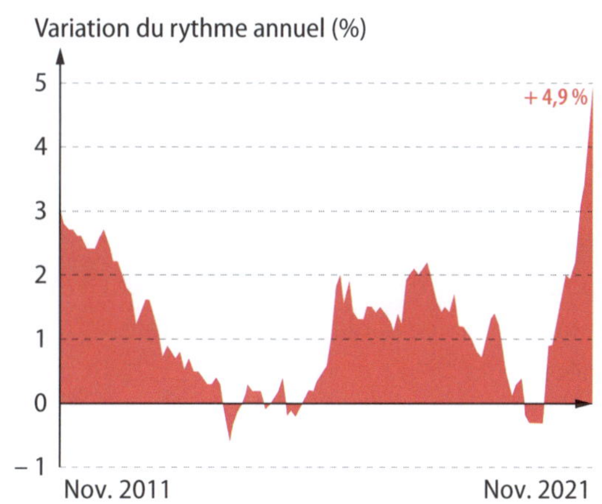

5 **Justifiez l'intérêt, pour la BCE, d'augmenter le taux directeur début 2022.** ▶ Doc. 12 et 13

En contexte de forte inflation, du point de vue de la BCE, il est utile de réduire le recours aux crédits pour limiter la masse monétaire en circulation et ainsi contrôler la situation.

Bilan

Préparez une argumentation orale de moins de cinq minutes pour rassurer les Pradel quant à la confiance qu'ils peuvent accorder à leur banque.

Vers la synthèse
JE ME TESTE
hachette-clic.fr/22eco073
Je révise l'essentiel p. 164-165

À moi de jouer

1 Jouez avec *Kyushi* !

Quiz interactifs pour réviser en classe !

hachette-clic.fr/kyushi

2 Analysez les fonctions des marchés financiers

Pour chaque situation, indiquez si le mode de financement a lieu sur le marché primaire ou sur le marché secondaire, et quel type de titre (action ou obligation) est concerné.

Situations	Marché concerné	Type de titre
EDF émet un emprunt obligataire de 50 millions d'euros au taux de 1,90 %.	Marché primaire	Obligation
Après la vente massive d'actions Tesla, le cours de l'action a chuté de 15 %.	Marché secondaire	Action
Air France-KLM a lancé une augmentation de capital sous la forme de nouvelles actions en 2022.	Marché primaire	Action
La Société générale prévoit un programme de rachat de ses propres actions.	Marché secondaire	Action
L'État français souhaite emprunter 5 milliards d'euros sur les marchés financiers.	Marché primaire	Obligation

3 Comprendre le rôle des banques centrales

Laurie souhaite refaire sa cuisine dans un futur plus ou moins proche.
Elle rencontre son banquier pour envisager un prêt de 5 000 € sur 12 mois. La banque lui propose un prêt à un taux de 2 %. Avec un tel taux, elle devra rembourser 425 € par mois. Tandis que Laurie hésite, son banquier l'informe que ce taux de 2 % pourrait évoluer pour atteindre 4 % si une hausse des taux était annoncée par la Banque centrale européenne…

1. Dans un tableur, reconstruisez le tableau ci-dessous :

Capital emprunté	Taux d'emprunt	Intérêts	Mensualité de remboursement	Montant total remboursé
5 000 €	2 %	100 €	425 €	5 100 €
5 000 €	…	…	…	…

2. Dans les lignes suivantes, insérez les formules qui permettent de calculer automatiquement le montant des intérêts, la mensualité de remboursement ainsi que le montant total remboursé pour les taux d'emprunt suivants : 2,5 %, 3 %, 3,25 %, 3,5 %, 3,75 % et 4 %.

3. À partir de quel taux la mensualité de remboursement dépassera-t-elle 430 euros ?

4. Quel effet souhaite la BCE lorsqu'elle décide de relever son taux d'intérêt directeur ?

4 Caractériser et comprendre le rôle des banques dans le financement de l'activité économique

VIDÉO

hachette-clic.fr/22eco074

La banque, ça sert à quoi ?
(2 min 50)

Le lundi 15 septembre 2008, la banque new-yorkaise Lehman Brothers dépose le bilan, en laissant une ardoise de 691 milliards de dollars. Sa chute a plongé l'économie mondiale dans la pire crise économique qu'elle ait connue depuis les années trente.

Dix ans plus tard, tout ce que la crise a changé

Longtemps jugée *too big to fail* (« trop grosse pour faire faillite »), Lehman Brothers démontre qu'aucune banque, quelle que soit sa taille, n'est à l'abri. La confiance recule et le manque de transparence accroît l'aversion pour le risque. Les banques cessent d'alimenter les lignes de crédit, ouvrant la voie à une crise de liquidités.

L'effet de contagion est rapide : les intervenants sur les marchés anticipent les conséquences économiques de cette crise financière. Les conditions d'accès au crédit se durcissent. L'épargne de précaution se développe, la consommation des ménages chute, les entreprises freinent leurs investissements. Le commerce mondial subit un coup de frein et le monde entier entre en récession.

Les Échos, 10/09/2018

1. **À l'aide de la vidéo, distinguez la banque de détail de la banque d'investissement.**
2. **À l'aide d'une recherche sur Internet, renseignez-vous sur l'affaire de la banque Lehman Brothers, et résumez-la en une dizaine de lignes.**
3. **Décrivez les conséquences de cette faillite et les effets que celle-ci a eu sur l'économie mondiale.**

5 Comprendre le rôle des banques centrales

Un autre levier de la BCE : le taux des réserves obligatoires

Les banques ne peuvent pas créer de la monnaie et la prêter indéfiniment : elles sont contraintes par des réglementations et par la politique monétaire de la Banque centrale européenne. La BCE impose notamment à toutes les banques commerciales de « déposer » sur leur compte (auprès d'elle) un pourcentage des dépôts qu'elles collectent. Quand le taux des réserves obligatoires est de 1 %, cela signifie que si une banque accorde un crédit de 1 000 €, elle crédite le compte de dépôt de son client d'autant et doit alors déposer 10 € à la BCE.

Site du ministère de l'Économie, des finances et de la relance, 2022

1. **Indiquez la conséquence d'une hausse du taux des réserves obligatoires.**
2. **Calculez le montant que devra une banque à la BCE si elle accorde un prêt de 10 000 € avec un taux des réserves obligatoires de 2 %.**
3. **Faites le même calcul avec un taux à 0,5 %. Quelle conclusion pouvez-vous en tirer ?**
4. **Montrez en quoi le taux des réserves obligatoires est un moyen de réguler l'activité des banques.**

L'essentiel

JE RÉVISE
hachette-clic.fr/22eco075
- Le podcast du cours
- La synthèse en 1 clic
- Je manipule les notions

NOTIONS

• **Actif financier :** contrat ou titre financier (comme une action ou une obligation) qui est négociable sur les marchés financiers.

• **Indice boursier :** indicateur qui renseigne les investisseurs sur la tendance globale de l'économie, du marché (ex. : CAC 40).

• **Taux directeur :** taux d'intérêt qu'une banque centrale appliquera aux banques commerciales pour les prêts.

COURS

1 Comment fonctionnent les marchés financiers ?

- Le **marché primaire** est le marché où les titres sont émis et souscrits pour la première fois par les investisseurs (marché du neuf). C'est le seul moment où l'émetteur des titres reçoit un financement.
- Les titres sont ensuite revendus et échangés sur le **marché secondaire** (la Bourse, ou marché de l'occasion).

2 Quels rôles jouent les banques dans le financement de l'économie ?

- Un établissement bancaire remplit deux missions traditionnelles : **collecter l'épargne** de ses clients, et **distribuer des crédits** à ses clients.
- Les banques commerciales financent les projets de leurs clients en utilisant les dépôts existants, ou par le biais de la création monétaire.
- En intervenant comme **intermédiaire** entre agents à besoin de financement et agents à capacité de financement, les banques prennent en charge les risques liés aux opérations de prêt.
- Le rôle des banques a évolué : celles-ci ont développé des activités d'intermédiaire sur les marchés financiers.

3 Comment la Banque centrale européenne encadre-t-elle le marché bancaire ?

- La **Banque centrale européenne** (BCE), qui siège à Francfort, est la banque centrale responsable de la monnaie unique européenne, l'euro. Sa principale mission consiste à maintenir le pouvoir d'achat des ménages et la stabilité des prix dans la zone euro.
- La BCE fixe le **taux d'intérêt directeur** qui détermine le prix à payer par les banques de la zone euro pour se financer auprès d'elle.

CHIFFRES clés

- Les **3** plus grands indices boursiers mondiaux :

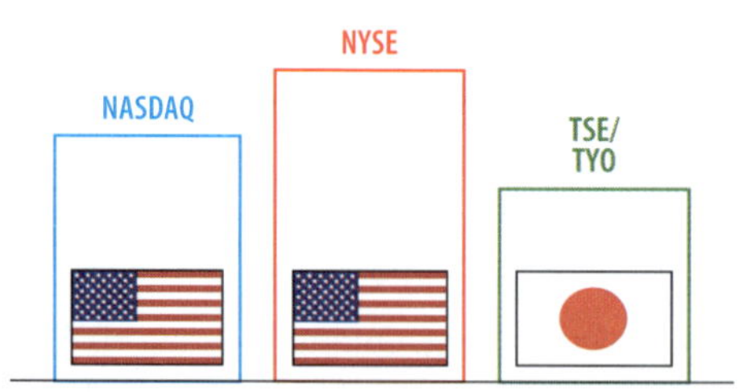

- L'activité des banques en France représente près de **2 % du PIB**.
- En France, le secteur bancaire emploie environ **366 200 personnes**.

CULTURE+

• Pour la première fois en plus de deux cents ans, **la Bourse de New York** a mené ses activités de manière totalement électronique en mars 2020, sans aucun des opérateurs qui transmettent habituellement les ordres de leurs clients à la criée !

• Un **krach boursier** est une chute brutale des cours des actions sur une ou plusieurs places financières. Le plus célèbre est celui qui s'est produit à la Bourse de New York en octobre 1929, et qui a entraîné la plus grande crise économique du siècle dernier.
Plus récemment, le krach de l'automne 2008 a secoué les places financières et précipité l'économie mondiale dans une crise économique majeure.

POUR RETENIR AUTREMENT

1 Comment fonctionnent les marchés financiers ?

Marché primaire	**Marché** secondaire **(Bourse)**
émission de nouveaux titres financiers	achat et revente de titres déjà émis

Les deux marchés sont complémentaires : un agent économique ne va acheter des titres neufs que s'il a la garantie de pouvoir les revendre, en cas de besoin de liquidités.

L'émetteur des titres (État, entreprise, collectivité) se finance uniquement sur le marché primaire.

Le cours des titres fluctue selon l'offre et la demande.

2 Quels rôles jouent les banques dans le financement de l'économie ?

Le rôle des banques commerciales

- Collecter l'épargne

- Distribuer des crédits

  - À partir de ses ressources.
  - Par création monétaire.
- Conseiller ses clients et servir d'intermédiaire sur les marchés financiers.

3 Comment la Banque centrale européenne encadre-t-elle le marché bancaire ?

BANQUE CENTRALE EUROPÉENNE

Encadre et coordonne l'activité des banques de la zone euro.

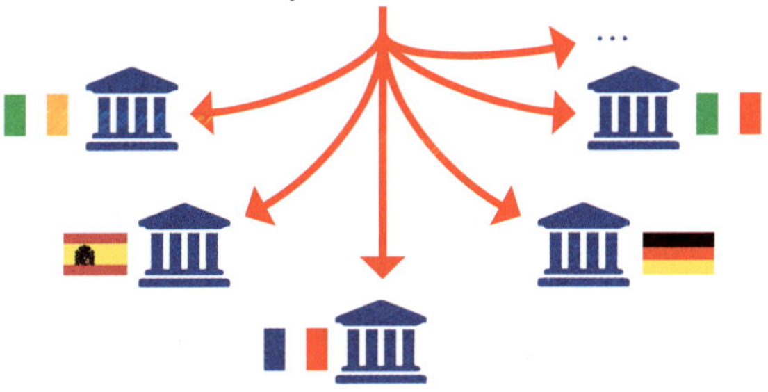

Objectifs principaux

Définir la politique monétaire de la zone euro.
Assurer la stabilité des prix.

Mécanisme

Par exemple, fixation du taux d'intérêt directeur pour indirectement relancer ou ralentir l'économie.

OBJECTIF BAC

11 Analyser un dessin de presse

Les problématiques économiques, qui font régulièrement la une de la presse, font souvent l'objet de dessins satiriques. Le dessin de presse a trois fonctions : faire rire, réagir et réfléchir.

1 Je lis un dessin de presse en deux étapes

1 Décrire (dénotation)

Il s'agit ici de décrire les personnages présents, les objets visibles, le lieu de l'action et les éléments textuels (notamment les bulles et les dialogues).

2 Interpréter (connotation)

Il s'agit d'interpréter les symboles présents sur le dessin afin de décrypter le message transmis : qu'a voulu dire, montrer le dessinateur ? Quelle problématique soulève-t-il ?

2 Je distingue la description de l'interprétation

Identifiez, pour chaque élément, s'il s'agit d'une description ou d'une interprétation.

Description •

Interprétation •

• Au centre, un monsieur obèse, en équilibre périlleux sur un pied, se tient sur une balance. Il tient une pancarte sur laquelle est écrit « AUSTÉRITÉ ». Sa tête s'entoure de gouttes de sueur.

• L'homme obèse symbolise les États européens qui ont tous opéré des décisions économiques afin de réduire le chômage (la graisse représentant les déficits publics et la dette).

• En haut de l'image est écrite la phrase : « France, LE CHÔMAGE À SON PLUS HAUT DEPUIS DÉCEMBRE 2018. »

3 En situation

Analysez le dessin de presse présenté.

Document **Derrière la crise sanitaire, la crise économique**

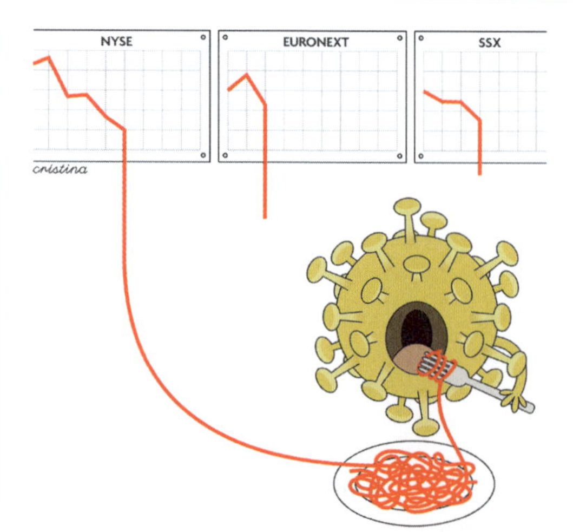

Público, 04/2020

1 Description :

On observe un virus en train de manger des spaghettis… qui proviennent de trois courbes en arrière-plan. Ces graphiques représentent l'évolution de trois indices boursiers : NYSE, EURONEXT et SSX.

2 Interprétation :

Le virus représente l'épidémie de covid-19. Son effet sur l'économie, et plus particulièrement sur les marchés financiers, a été important : il a provoqué la chute brutale des principaux indices boursiers mondiaux. La crise sanitaire déclenche également une crise économique.

Mini-cas d'entraînement

THÈME 4

JE SAIS : OUI ✓ NON ✗

- **identifier** et **comparer** les divers modes de financement de la croissance et de la production. ☐ ☐
- **caractériser** les différents circuits de financement. ☐ ☐
- **comprendre** le rôle des banques centrales (et en particulier la Banque centrale européenne) par rapport au système bancaire. ☐ ☐

Le financement de l'État

VOTRE MISSION

1. **Décrivez la façon dont l'État se finance grâce aux emprunts en caractérisant ce type de financement.**
2. **Commentez l'évolution des taux d'intérêt des emprunts des États.**
3. **Expliquez la raison et les effets attendus de la hausse des taux envisagés par la BCE.**
4. **Rédigez une argumentation qui vous permette de répondre à la question suivante :**
   En quoi la hausse des taux d'intérêt affecte-t-elle l'activité économique ?

Objectif BAC ❶ à ❹ Comprendre les consignes p. 30, 42, 54, 66

Objectif BAC ❿ Analyser un graphique p. 154

Objectif BAC ⓬ Analyser un sujet d'argumentation p. 184

Objectif BAC ⓭ Structurer son argumentation p. 194

ANNEXE

1 Taux d'emprunt des États en Europe

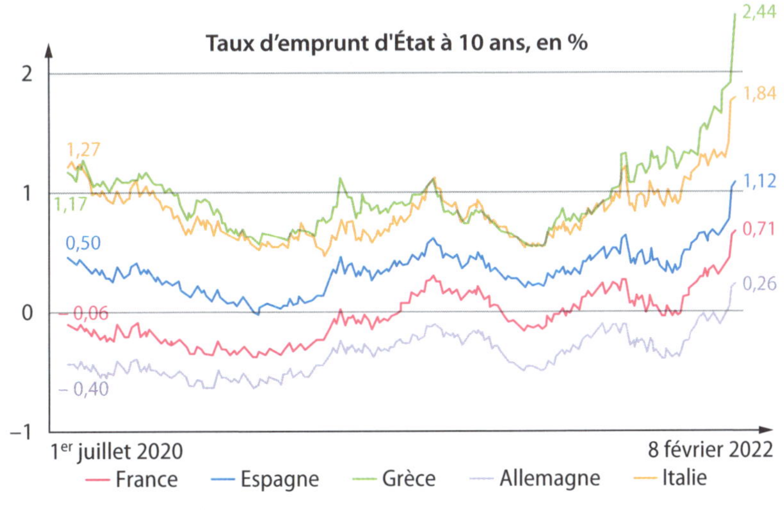

Florentin Collomb, « Alerte sur la hausse des taux d'intérêt en Europe », *Le Figaro*, 8/02/2022

ANNEXE 2 Comment l'État emprunte-t-il ?

Il émet des titres de dettes à court terme, ou long terme (deux à cinquante ans). Ils sont acquis par quinze banques. Et ces dernières les revendent à des investisseurs : fonds de pension, assureurs… Lesquels peuvent ensuite céder ces titres. Aujourd'hui, ils trouvent acquéreur à un taux moyen de 0,7 % (pour les prêts à dix ans), contre – 0,1 % en juillet 2021.

[…]

Quelles conséquences ?

L'État risque de payer davantage d'intérêts (38 milliards l'an dernier).

Que faire ?

Freiner l'inflation. Pour cela, les banques centrales peuvent augmenter leurs taux d'intérêt à court terme, ce qui restreint les crédits aux entreprises. Mais diminuer le crédit, c'est brider la croissance. De quoi inquiéter les marchés. Vendredi 11 février 2022, la Bourse de Paris perdait 1,2 %.

Jacques Sayagh, « Pourquoi les taux d'emprunt de la France grimpent-ils ? », *Ouest France*, 14/02/2022

ANNEXE 3 Alerte sur la hausse des taux d'intérêt en Europe

La BDE sera amenée à relever ses taux plus tôt que prévu, peut-être dès cette année. […] En conséquence, les investisseurs ajustent leurs valorisations des taux longs auxquels les États empruntent sur les marchés. […]

Les économies les plus endettées - Grèce, Portugal, Espagne, Italie ou France - sont les plus vulnérables face à ce resserrement monétaire, qui renchérit le coût de leur dette, pesant sur leurs marges de manœuvre budgétaires.

Florentin Collomb, « Alerte sur la hausse des taux d'intérêt en Europe », *Le Figaro*, 08/02/2022

ANNEXE 4 Nouvelle hausse des taux pour les crédits immobiliers

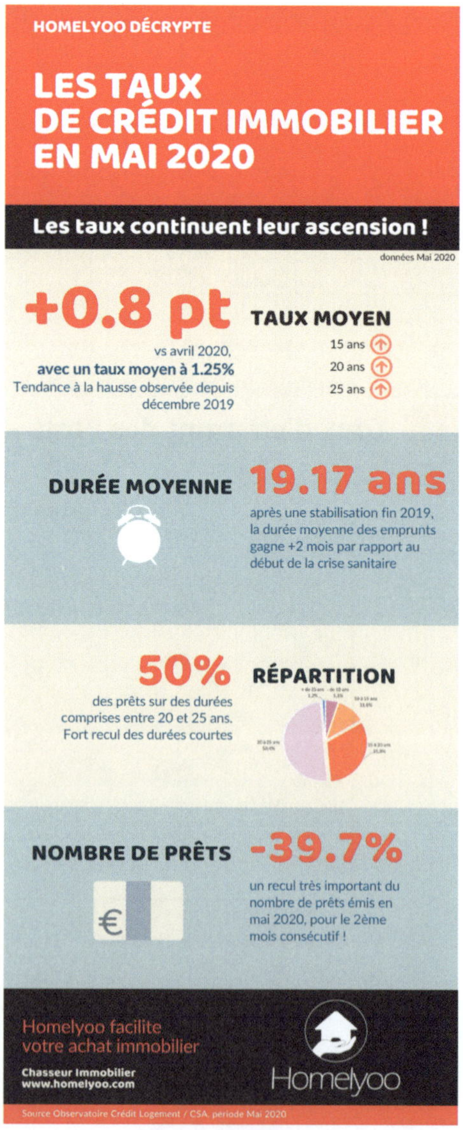

Infographie Homelyoo, mai 2020

THÈME 5

Les marchés des biens et services sont-ils concurrentiels ?

Charlie & Gus
La websérie STMG

1 Identifiez le problème auquel sont confrontés Charlie et Gus pour leurs prochaines vacances.

2 Mentionnez les conséquences de cette situation.

3 Pensez-vous que le projet envisagé par Gus est pertinent ?

VIDÉO
hachette-clic.fr/22ecocg5

Épisode #5

Les vacances tombent à l'eau

Pour faire face à la **concurrence**, les entreprises doivent analyser **leur marché pertinent**, afin d'identifier l'ensemble des produits qui permettent de répondre à un même **besoin**, et donc leurs véritables concurrents.

Mais la **structure du marché** peut révéler des **situations de concurrence** plus ou moins intenses comme dans le cadre d'un **oligopole** ou d'un **monopole**.

CHAPITRE 12
Le degré de concurrence selon les marchés

Si cette concurrence peut favoriser **l'innovation** et l'apparition de nouveaux produits, elle peut également être une source de **baisse des prix** pour les consommateurs.

CHAPITRE 13
Les stratégies pour dépasser l'intensité concurrentielle

CAPACITÉS

- Définir un « marché pertinent »
- Identifier les intervenants sur un marché
- Calculer un degré de concentration des marchés et caractériser la structure des différentes formes de concentration : concurrence, oligopole et monopole
- Déterminer la fixation du prix sur un marché concurrentiel
- Calculer et interpréter une élasticité-prix de la demande

NOTIONS

- L'offre et la demande • Le prix d'équilibre • L'élasticité-prix demande • L'élasticité-prix croisée • Le coût marginal • La concurrence, oligopole, monopole, cartel • La concurrence imparfaite • Les barrières à l'entrée • Les produits substituables, produits complémentaires • L'indice de concentration sur un marché

12 Le degré de concurrence selon les marchés

NETFLIX

VIDÉO
hachette-clic.fr/22eco077
10 faits sur Netflix
(1'56 min)

« ***See what's next !*** » (Voyez ce qui arrive ensuite !) La plateforme de vidéo à la demande Netflix offre l'accès direct à l'intégralité d'une saison d'une série, contrairement aux chaînes de télévision qui diffusent un épisode après l'autre chaque semaine.

FICHE D'IDENTITÉ NETFLIX

Regardez la vidéo de présentation de Netflix et complétez la fiche.

Que signifie Netflix ?

Film sur Internet.

Quelle a été l'activité première de Netflix ?

La location de DVD par voie postale.

Comment l'idée de Netflix est-elle venue à Reed Hastings ?

L'idée lui est venue à cause des amendes qu'il payait aux vidéo-clubs quand il rendait les cassettes vidéo en retard. Avec un abonnement, on peut garder le film autant que l'on veut.

SITUATION

Créée à Scotts Valley en 1997 par Reed Hastings et Marc Randolph, Netflix est une entreprise multinationale américaine appartenant au secteur d'activité des industries créatives (▶ Doc. 3 p. 173).
Initialement, l'entreprise offrait un service en ligne de location et d'achat de DVD livrés à domicile. Elle a ensuite proposé la location moyennant un abonnement mensuel.

- En 2007, Netflix lance son service de vidéo à la demande par abonnement, puis de distribution d'un grand nombre de films et de séries télévisées.
- En 2020, Netflix a dépassé la barre des 200 millions d'abonnés, un chiffre d'affaires frôlant les 25 milliards de dollars (+ 24 % sur un an), et un bénéfice net de 2,8 milliards (+ 47 %).

Mais la concurrence ne compte pas laisser Netflix seule sur ce marché…

1 Quels sont les intervenants d'un marché pertinent ?

Face à la montée en puissance de Netflix, les acteurs historiques du marché de la télévision s'organisent pour rester dans la compétition.
Pour l'ensemble des acteurs du marché de la télévision, il s'agit d'analyser leur marché pour être capable de concurrencer des entreprises comme celles du secteur des jeux vidéo. Selon le journal *Le Monde*, le jeu coopératif de tir et de survie Fortnite représente un plus grand rival pour Netflix qu'une chaîne cablée comme HBO !

A Les différents intervenants sur un marché

DOC 1 Les principaux acteurs du marché de la VOD en 2021

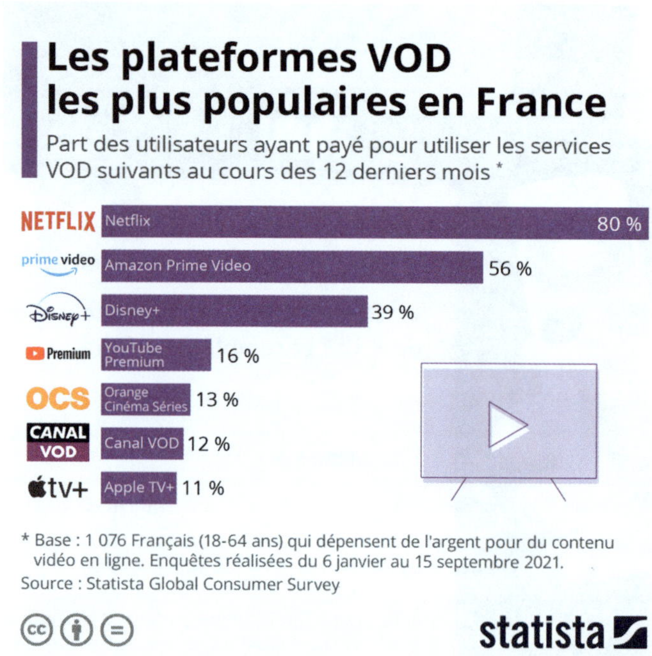

1 Identifiez les principaux offreurs sur le marché de la VOD à partir du ▶ Doc. 1.

Les principaux offreurs sont Netflix, Amazon Prime vidéo et Disney+.

2 Identifiez les demandeurs. Pourquoi le pourcentage d'utilisateurs est-il supérieur à 100 % ?

Les demandeurs sont les utilisateurs de service de vidéo à la demande. Le pourcentage est supérieur à 100 car certains utilisateurs sont clients de plusieurs plateformes.

3 Comparez le pourcentage d'utilisateurs de Netflix par rapport à ses deux principaux concurrents.

Avec 80 % d'utilisateurs, Netflix dispose de plus d'utilisateurs qu'Amazon Prime et Disney+ réunis.

DOC 2 Salto, la riposte des chaînes traditionnelles

Simple curiosité ou véritable engouement ? La plateforme de streaming française Salto a réussi son lancement et espère s'imposer durablement grâce à son arrivée sur la TNT.

Des débuts plus qu'encourageants. La plateforme de *streaming* française Salto lancée en octobre dernier compte déjà 200 000 abonnés. Financée à hauteur de 135 millions d'euros par les groupes rivaux TF1, M6 et France Télévisions, Salto propose 12 000 heures de programmes (séries télé, émissions, divertissements des chaînes françaises…) ainsi qu'une vingtaine de chaînes françaises.

Frédéric Bianchi, *BFMTV*. com, le 15 février 2021

4 Identifiez les acteurs à l'origine de la création de Salto. Pourquoi se sont-ils alliés selon le ▶ Doc. 2 ?

Salto a été créée par TF1, M6 et France Télévisions avec un financement commun de 135 millions d'euros. En s'alliant, ces groupes peuvent apporter une offre plus large de contenus ainsi que des moyens financiers plus importants, ce qui est nécessaire pour contrer l'avance de Netflix.

B Identifier son marché pertinent

L'ensemble des acteurs du marché des industries culturelles et créatives sont des concurrents potentiels de Netflix puisque, comme la plateforme de vidéo, ces acteurs répondent aux besoins de divertissement des consommateurs.

NOTION

- **Un marché pertinent :** c'est un marché qui comprend l'ensemble des produits qui permettent de répondre à un même besoin.

DOC 3 Le marché des industries créatives en France avant la crise sanitaire

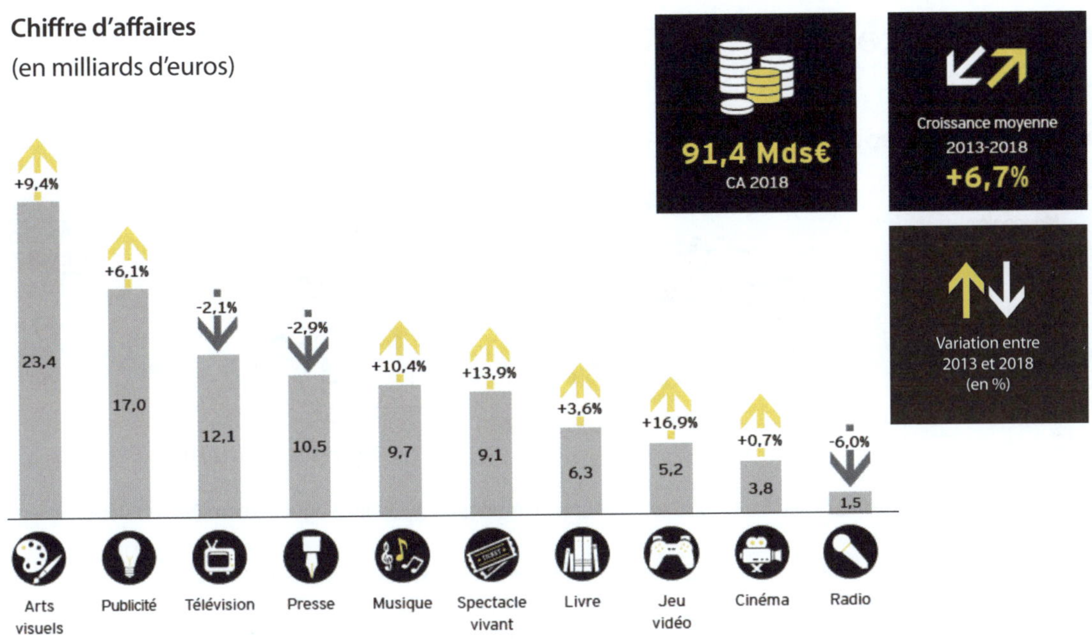

Site du ministère de la Culture, 2018

5 **Pourquoi est-il important de définir son marché pertinent ?**

Définir son marché pertinent permet de mieux cibler ses concurrents, surtout s'ils proposent des produits différents qui, malgré tout, vont répondre à un même besoin.

6 **Quel est le marché pertinent de Netflix ? Discutez de son évolution entre 2013 et 2018.** ▶ Doc. 3

Le marché pertinent de Netflix est celui des industries culturelles et créatives, qui était en croissance entre 2013 et 2018.

Bilan

Expliquez pourquoi Netflix doit considérer le secteur des jeux vidéo et le secteur de la musique comme des concurrents qui font partie de son marché pertinent.

Les abonnés Netflix peuvent décider de quitter la plateforme pour s'abonner à une offre de musique en ligne ou à un jeu vidéo, car ce sont également deux secteurs en forte croissance. Les consommateurs répondent ainsi à leur besoin de divertissement par un autre produit. Mais Netflix peut également développer des contenus qui vont lui permettre d'attirer des clients des autres secteurs.

Vers la synthèse
JE ME TESTE
hachette-clic.fr/22eco078
Je révise l'essentiel p. 182-183

2 Comment les différentes formes de concentration se caractérisent-elles ?

Avec 68 % de parts de marché en France, selon une étude du CSA et Hadopi, Netflix domine le marché de la VOD. Les autres acteurs se mobilisent pour contrer Netflix et l'empêcher de disposer d'un pouvoir trop important. Les barrières à l'entrée peuvent également limiter la possibilité de voir de nouveaux concurrents apparaître dans le jeu concurrentiel. Face aux enjeux économiques, la tentation de former des ententes illégales pour ne pas avoir à se faire concurrence demeure un risque important…

A Les différentes structures d'un marché

DOC 4 Monopoles et oligopoles

Dessine-moi l'éco, 2018

VIDÉO
hachette-clic.fr/22eco079
Monopoles et oligopoles
(3'35)

Note : depuis le 18 décembre 2021, la SNCF n'est plus en situation de monopole en France pour la première fois depuis quatre-vingt-trois ans.

1 Définissez le modèle de la concurrence parfaite selon le ▶ Doc. 4.

Un grand nombre d'entreprises proposent un même produit à un prix identique et aucune d'entre elles ne dispose individuellement d'un pouvoir suffisant pour modifier les prix du marché.

2 À partir de la vidéo du ▶ Doc. 4 et de la situation, complétez le tableau suivant en précisant les caractéristiques des types de concurrence imparfaite.

	Marché concurrentiel	Monopole	Oligopole
Nombre d'offreurs	Nombreux offreurs.	Un seul offreur.	Très peu d'offreurs.
Nombre de demandeurs	Nombreux demandeurs.	Nombreux demandeurs.	Nombreux demandeurs.
Exemples	Netflix.	SNCF (jusqu'en décembre 2021).	Airbus et Boeing.

NOTION

Quelles sont les barrières à l'entrée d'un marché ?

On distingue :
- **les barrières réglementaires** qui sont des règles limitant l'entrée sur le marché de nouveaux concurrents (exemple : les pharmacies doivent obtenir une licence délivrée par l'agence régionale de santé) ;
- **les barrières économiques** (exemple : lorsque le coût d'entrée sur le marché est élevé).

3 À partir d'une recherche sur Internet, identifiez les barrières à l'entrée sur le marché de la VOD.

On peut citer une barrière réglementaire qui est de disposer de l'exclusivité de certains films ou séries, et une barrière économique : un coût de financement des films et de la plateforme assez important.

DOC 5 La répression des cartels

En 2020, l'Autorité de la concurrence a sanctionné un cartel concernant 12 entreprises opérant dans le secteur du jambon et de la charcuterie. Elles se coordonnaient pour acheter moins cher les pièces de jambon auprès des abatteurs et/ou s'entendaient par ailleurs sur les hausses de prix des produits charcutiers qu'elles entendaient pratiquer auprès des enseignes de la grande distribution.

Site de l'Autorité de la concurrence, 2022

NOTION

• **Un cartel** est une entente illégale entre des entreprises différentes qui s'entendent sur les prix ou sur le partage du marché pour ne pas se livrer de concurrence tout en maintenant l'illusion de la concurrence.

4 Pourquoi les entreprises sont-elles tentées de former des cartels ? ▶ Doc. 5

En formant des cartels, les entreprises ne se concurrencent plus. Elles peuvent donc maintenir des prix élevés, obtenir des conditions de vente des fournisseurs moins chères, et se partager le marché sans avoir à se concurrencer.

5 Identifiez les conséquences pour les consommateurs si un cartel des plateformes vidéos advenait.

Pour les consommateurs, la principale conséquence serait de payer les produits plus cher que si la concurrence s'appliquait. Ils subiraient également une réduction de la variété des produits disponibles.

B La mesure de la concentration d'un marché

DOC 6 La concentration sur le marché de la VOD

Avec une part de marché de 68 %, Netflix continue de dominer le marché, très loin devant les services de Canal+ (12 %), Amazon Prime Video (11 %), Disney+ (5 %) et les autres plateformes (4 %).

Les auteurs

NOTION

• **L'indice Herfindahl-Hirschmann ou IHH** est un indice utilisé pour mesurer la concentration d'un marché et identifier la possibilité d'une position dominante. Il se calcule en additionnant les parts de marché au carré de toutes les entreprises du secteur.

IHH inférieur à 1 000	IHH compris entre 1000 et 1800	IHH supérieur à 1800
Faible concentration	Concentration moyenne	Concentration élevée

6 Formulez le calcul de l'indice de concentration. ▶ Notion

Indice de concentration = addition des parts de marché au carré.

7 Quel est l'intérêt de cet indice ?

Cet indice permet de mesurer la concentration d'un marché et d'identifier des situations de position dominante.

Bilan

À partir du ▶ Doc. 6, calculez l'indice de concentration du marché de la VOD. Interprétez le résultat obtenu et identifiez le type de structure du marché de la VOD.

Indice de concentration = $68^2 + 12^2 + 11^2 + 5^2 + 4^2 = 4\,624 + 144 + 121 + 25 + 16 = 4\,930$.

Avec un indice de concentration supérieur à 1 800, on peut considérer que le marché de la VOD est très concentré : Netflix a 68 % de parts de marché. Il s'agit d'un oligopole.

Vers la synthèse
JE ME TESTE
hachette-clic.fr/22eco080
Je révise l'essentiel p. 182-183

3 Comment est déterminé un prix sur un marché concurrentiel ?

Malgré une concurrence qui commence à gagner des parts de marché, Netflix a annoncé en août 2021 une augmentation de ses tarifs pour l'ensemble de ses abonnés.
Selon Netflix, cette hausse de prix, qui varie de 1 € à 2 € en fonction de l'offre d'abonnement, se justifie par la nécessité de réaliser de plus grands investissements et par l'arrivée de nouveaux services comme les jeux vidéo sur la plateforme.

A La fixation du prix

DOC 7 La loi de l'offre et de la demande

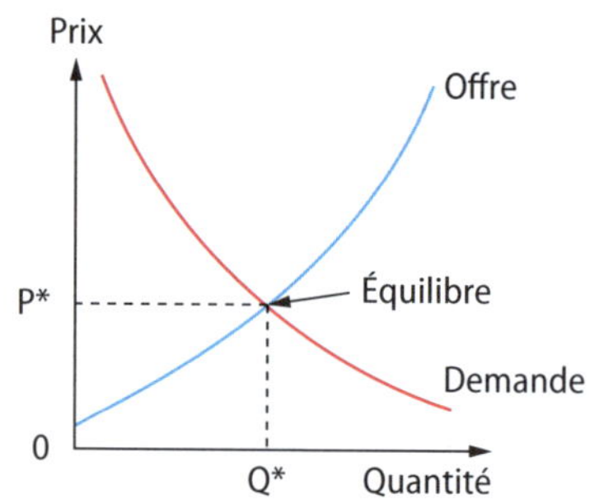

Sur un marché concurrentiel, le prix négocié d'un bien ou d'un service varie jusqu'au moment où la quantité demandée sera égale à la quantité offerte.
Si l'offre est supérieure à la demande, le prix va baisser et, inversement, si la demande est supérieure à l'offre, le prix va évoluer à la hausse jusqu'au prix d'équilibre P* entre l'offre et la demande.

Article « Offre et demande » de *Wikipédia* en français

1. **À quel moment un prix d'équilibre peut-il être atteint selon le ▶ Doc. 7 ?**

Un prix d'équilibre peut être atteint lorsque les quantités demandées deviennent égales aux quantités offertes.

2. **Que se passe-t-il si la demande d'un produit baisse ?**

Si la demande d'un produit baisse, le prix va baisser pour établir un nouvel équilibre entre les quantités demandées et les quantités offertes.

3. **Et si c'est l'offre qui baisse ?**

Si l'offre baisse, le prix va augmenter pour obtenir également un nouvel équilibre.

DOC 8 Augmentation de tarifs : en 2019, Netflix perd des abonnés…

Alors que jusqu'à présent les hausses de prix de Netflix ne semblaient pas avoir de conséquences sur ses utilisateurs, cette fois la plateforme a perdu des abonnés aux États-Unis.
Non seulement Netflix n'a enregistré que 2,7 millions de nouveaux abonnements payants entre avril et juin (+ 1,8 % par rapport à fin mars), là où il en attendait 5 millions, mais il en a même perdu aux États-Unis (où se concentrent encore près de 40 % de ses abonnés). 126 000 Américains ont déserté la plateforme entre avril et juin de cette année. Une première depuis le lancement du service de vidéo en ligne du groupe en 2007.

Frédéric Bianchi et AFP, BFMTV. com, 18 juillet 2019

4. **Identifiez la conséquence de la hausse des tarifs pour Netflix. ▶ Doc. 8**

La hausse de tarif a eu une double conséquence : moins de nouveaux clients recrutés que prévu, mais également une perte de 126 000 clients aux États-Unis.

5. **Analysez les conséquences de cette hausse si Netflix était en situation de monopole sur le marché.**

En situation de monopole, la hausse des tarifs aurait eu moins d'effet sur le recrutement et la perte de clients. Les clients auraient été contraints d'accepter cette hausse des prix car aucune offre concurrente n'existait.

B Coût marginal et coût moyen

DOC 9 Rappels sur le coût marginal et le coût moyen

- **Le coût marginal** permet de mesurer combien va coûter la production d'une unité supplémentaire. Il permet de vérifier si produire cette unité supplémentaire est rentable ou non pour l'entreprise, et donc d'optimiser son niveau de production par rapport à son profit.
En effet, produire plus ne signifie pas automatiquement gagner plus. Il peut arriver que la production d'une unité supplémentaire engendre plus de coûts que de profits (car elle nécessite plus de machines, l'embauche de managers…)
- Le **coût moyen** est le coût total divisé par le nombre d'unités produites. Il permet de mesurer comment le coût total se divise entre les unités produites et de mesurer le profit en fonction du prix de vente envisagé.

Les auteurs

6 **Quel est l'intérêt de calculer un coût marginal ?** Chapitre 3 pp. 43-54

Le calcul du coût marginal permet de vérifier si la production d'une unité supplémentaire est rentable.

7 **Pourquoi un producteur peut-il s'intéresser au coût moyen ?** ▶ Doc. 9

Le coût moyen permet de mesurer la façon dont se répartit le coût entre les unités produites et donc le profit par unité.

DOC 10 Chiffres-clés de Netflix en 2019

	Annuel	Mensuel
Chiffre d'affaires	20 160 millions de dollars	1 680 millions de dollars
Bénéfices	1 867 millions de dollars	155,58 millions de dollars
Nombre d'abonnés	167 millions	
Profit par abonné	11,18 €	0,932 €
Coût moyen par abonné	109,54 €	9,128 €

8 **Complétez le tableau rassemblant des chiffres-clés sur Netflix en calculant les éléments manquants.** ▶ Doc. 10

9 **Commentez le profit mensuel par abonné.** ▶ Doc. 10

Ce profit semble faible (moins d'un euro), mais les abonnés sont très nombreux. De plus, chaque nouveau client va regarder des films et séries déjà existantes. Plus les abonnés seront nombreux, plus le profit par abonné va augmenter.

Bilan

Par quel mécanisme le prix est-il fixé sur un marché concurrentiel ?

Sur un marché concurrentiel, le prix d'un bien ou d'un service varie jusqu'au moment où la quantité demandée sera égale à la quantité offerte.
Une fois cet équilibre entre l'offre et la demande atteint, le prix est fixé. C'est pourquoi on parle de prix d'équilibre.

Vers la synthèse
JE ME TESTE
hachette-clic.fr/22eco081
Je révise l'essentiel p. 182-183

4 Comment calculer et interpréter une élasticité-prix de la demande ?

Avant de pratiquer une augmentation ou une baisse de ses tarifs, Netflix doit pouvoir être en mesure de calculer l'effet que cette variation de prix aura sur la demande. Pour cela Netflix va mesurer l'élasticité-prix de la demande…

A L'élasticité-prix de la demande

DOC 11 L'élasticité-prix de la demande

VIDÉO
hachette-clic.fr/22eco081b
L'élasticité-prix de la demande
(4'41)

NOTION

• L'interprétation de l'élasticité-prix de la demande

L'élasticité-prix de la demande est une mesure de la sensibilité de la demande par rapport à une variation de prix. On cherche ainsi à mesurer l'effet d'une hausse ou d'une baisse du prix sur les quantités demandées.

Elle se calcule ainsi :

$$\frac{\dfrac{\text{Variation de la demande}}{\text{Demande initiale}} \times 100}{\dfrac{\text{Variation du prix}}{\text{Prix initial}} \times 100}$$

Élasticité inférieure à -1	La demande est très élastique puisque toute variation du prix entraînera une variation de la demande.	Les biens ordinaires comme une télévision, une paire de chaussures…
Élasticité proche de 0	La demande est inélastique. Toute variation du prix n'entraînera aucun changement de la demande.	Les biens de première nécessité appelés biens de Giffen, comme le café ou la farine.
Élasticité supérieure à 1	La demande va augmenter avec une hausse du prix. On parle d'élasticité-prix positive.	Les biens de luxe appelés biens de Veblen, comme un sac à main de marque.

1 Définissez l'intérêt de calculer une élasticité-prix de la demande pour un produit.

L'élasticité-prix de la demande permet de mesurer les variations des quantités demandées par rapport à une évolution du prix à la hausse ou à la baisse.

2 Calculez l'élasticité prix de la demande d'un produit dont le prix passe de 50 à 60 € et les quantités demandées de 110 à 80. Interprétez les résultats.

Variation de la demande = (80 – 110) / 110 × 100 = –27,27 %

Variation du prix = (60 – 50) / 50 × 100 = 20 %

Élasticité de la demande = –0,2727 / 0,2 = –1,36

L'élasticité est inférieure à –1, elle est donc très élastique, ce qui se retrouve dans les faits puisqu'une hausse de 20 % du prix a provoqué une baisse de –27 % des quantités demandées.

B L'élasticité-prix croisée

NOTION

• L'interprétation de l'élasticité-prix croisée

L'élasticité-prix croisée permet de mesurer la variation relative de la consommation d'un bien X suite à la variation relative du prix d'un bien Y. Elle permet de quantifier l'impact du prix d'un bien sur un autre bien. Par exemple, quel impact aura le prix des consoles de jeux vidéo sur le nombre d'abonnements à la VOD ?

Elle se calcule ainsi : $\dfrac{\textbf{Variation en \% de la quantité du produit X}}{\textbf{Variation en \% du prix du produit Y}}$

Élasticité-prix croisée négative	L'augmentation du prix du produit Y provoque une baisse de la demande du produit X.	Ce sont des produits complémentaires.
Élasticité-prix croisée nulle	L'augmentation du prix du produit Y n'a aucun effet sur la demande du produit X.	Ce sont des produits indépendants.
Élasticité-prix croisée positive	L'augmentation du prix du produit Y entraîne une augmentation de la demande de produit X.	Ce sont des produits substituables.

3 À partir de la définition fournie dans ▶ Notion, expliquez l'intérêt de calculer une élasticité-prix croisée.

Calculer une élasticité-prix croisée permet de mesurer le lien entre deux produits différents et les effets d'une hausse ou d'une baisse de prix d'un produit sur la demande de l'autre produit.

4 Proposez d'autres exemples de produits complémentaires et substituables.

Le prix de l'essence et la quantité demandée de vélos sont des produits substituables. Une hausse du prix de l'essence provoquera une hausse de la demande de vélo.

5 Calculez l'élasticité croisée du prix des consoles et de la demande d'abonnement à la VOD si le prix des consoles baissait de 20 % et la demande de VOD de 8 %. Interprétez les résultats.

L'élasticité croisée se calcule en divisant les variations de la demande d'abonnement à la VOD par la variation du prix des consoles.

L'élasticité-prix croisée vaut donc –8 % / –20 % = 0,4. L'élasticité est positive, les consoles et la VOD sont donc des produits substituables.

Bilan

Comment peut-on anticiper les effets d'une hausse des prix de la VOD sur la demande d'abonnements ? Et sur les autres secteurs de son marché pertinent ?

On peut anticiper les effets d'une hausse des prix de la VOD sur la demande d'abonnements en calculant l'élasticité-prix de la demande. Elle permettra de mesurer la sensibilité de la demande par rapport à une variation de prix.

Pour calculer l'effet d'une hausse des prix de la VOD sur les autres secteurs de son marché pertinent, on va calculer l'élasticité prix-croisée qui permet de mesurer la variation relative de la consommation d'un bien X suite à la variation relative du prix d'un bien Y. Elle va ainsi permettre de savoir quel sera l'effet sur la demande de console de jeux vidéo suite à la hausse de prix de la VOD.

Vers la synthèse
JE ME TESTE
hachette-clic.fr/22eco082
Je révise l'essentiel p. 182-183

À moi de jouer

1 Jouez avec *Kyushi* !

Quiz interactifs pour réviser en classe !

hachette-clic.fr/kyushi

2 Testez vos connaissances

Retrouvez le mot correspondant aux définitions suivantes.

- Structure de marché avec un seul offreur et de nombreux demandeurs.
- Entente illégale entre des entreprises concurrentes.
- Indice utilisé pour mesurer la concentration d'un marché.
- Permet de mesurer les variations des quantités demandées par rapport à une évolution du prix.
- Mesure du coût de production d'une unité supplémentaire
- Ensemble des produits qui permettent de répondre à un même besoin.

- Marché pertinent
- Coût marginal
- Cartel
- Monopole
- Indice de concentration
- Élasticité-prix demande

3 Calculer un coût moyen et un coût marginal de production

Joanna, Walid et Brice sont trois passionnés de jeux vidéo. Il y a six mois, ils se sont lancés dans la création de leur premier jeu de stratégie en temps réel sur mobile ! La maintenance des serveurs étant coûteuse, ils s'interrogent sur la quantité optimale de jeux vidéo à vendre.

Nombre de jeux vendus	1 000	2 000	3 000	4 000	5 000	6 000
Coût total (en euro)	13 000	25 000	36 000	50 000	65 000	78 000
Coût moyen (en euro)	13	12,5	12	12,5	13	13
Coût marginal (en euro)		12 000	11 000	14 000	15 000	13 000
Chiffre d'affaires (en euro)	14 000	28 000	42 000	56 000	70 000	84 000
Bénéfice total (en euro)	1 000	3 000	6 000	6 000	5 000	6 000
Bénéfice moyen par jeu (en euro)	1	1,5	2	1,5	1	1

$$\text{Coût moyen} = \frac{\text{Coût total}}{\text{Nombre de jeux vendus}}$$

Coût marginal = Coût total – Coût total pour l'unité précédente

1. **Complétez le tableau ci-dessus en calculant le coût moyen, le coût marginal, le bénéfice total et le bénéfice en fonction du nombre de jeux vendus.**
2. **Commentez les résultats : quel est le niveau de production optimal ?**
3. **Quel conseil donneriez-vous aux trois créateurs pour maximiser leur profit ?**
4. **Expliquez les raisons pour lesquelles le marché du jeu vidéo sur mobile ne présente pas de barrière à l'entrée.**

4 Identifier les différents intervenants et la concentration d'un marché

Le marché français du jeu vidéo

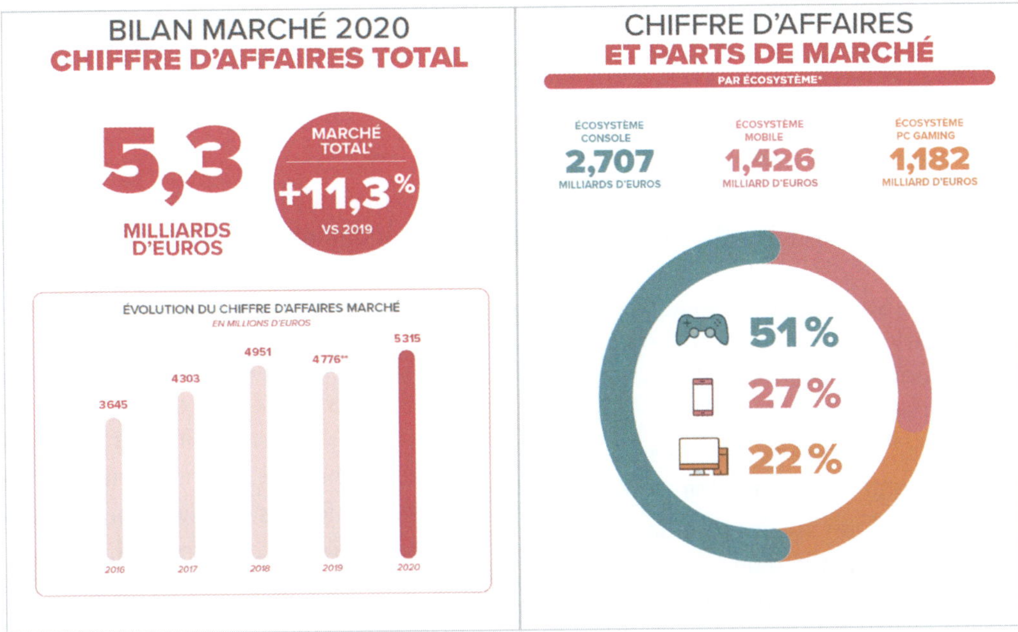

En 2020, les dépenses des consommateurs du *gaming* sur consoles auraient établi un nouveau record, pour atteindre 53,9 milliards de dollars ; une augmentation de 19 % par rapport à l'année précédente, réalisée en temps de pandémie. Cette croissance concernerait aussi bien le *hardware* que les jeux – en version numérique notamment – et les services d'abonnement. De manière globale, Sony conserverait sa première place sur le marché mondial avec des dépenses représentant 46 % du marché, contre 49 % en 2019. Nintendo aurait de son côté augmenté sa part à 31 %, avec plus de 26 millions de Switch vendues et des productions toujours plus populaires. En baisse de 1 %, Microsoft maintient sa part de marché à 23 %.

leclaireur.fnac.com, mars 2021

1. **Identifiez les différents secteurs du jeu vidéo présentés sur le diagramme circulaire.**
2. **Déterminez la raison de la hausse des dépenses des consommateurs sur ce marché.**
3. **Quels sont les différents acteurs du jeu sur console cités dans le texte ?**
4. **Calculez l'indice de concentration du marché des consoles. Interprétez le résultat et précisez le type de structure du marché des consoles.**

5 Calculer une élasticité-prix

Le prix de la console Nintendo Switch (modèle OLED) est en baisse et passe de 365 € à 320 €. Cette baisse de prix a permis de voir le nombre de consoles vendues augmenter de 10 % et le nombre de jeux vidéo de 15 %.

1. **Calculez l'élasticité-prix de la demande et l'élasticité-prix croisée.**
2. **Interprétez les résultats.**
3. **Préparez une argumentation orale de cinq minutes qui présentera les effets d'une baisse de prix sur la demande de console et de jeux vidéo et les raisons de ces effets.**

L'essentiel

hachette-clic.fr/22eco083

JE RÉVISE
- Le podcast du cours
- La synthèse en 1 clic
- Je manipule les notions

NOTIONS

- **Barrières à l'entrée :** obstacles qui rendent difficiles l'entrée sur un marché.
- **Cartel :** entente illicite entre des entreprises pour fausser le jeu de la concurrence.
- **Concurrence :** structure de marché qui se caractérise par la rivalité entre des entreprises pour obtenir la préférence des consommateurs.
- **Coût marginal :** mesure du coût de production d'une unité supplémentaire.
- **Élasticité-prix croisée :** mesure de la variation de la demande d'un produit X suite à une variation du prix d'un produit Y.
- **Élasticité prix-demande :** mesure de la sensibilité de la demande par rapport à une variation de prix.
- **Indice de concentration sur un marché :** indice permettant de mesurer la concentration d'un marché, c'est-à-dire le nombre d'entreprises à produire un même bien.
- **Oligopole :** structure de marché avec quelques offreurs et de nombreux demandeurs.
- **Marché pertinent :** ensemble des produits qui permettent de répondre à un même besoin.
- **Monopole :** structure de marché avec un seul offreur et de nombreux demandeurs.
- **Prix d'équilibre :** prix qui se forme lorsque les quantités demandées deviennent égales aux quantités offertes.

COURS

1 Quels sont les intervenants d'un marché pertinent ?

- Pour déterminer les intervenants sur un marché pertinent, il est essentiel d'identifier l'ensemble des produits qui permettent de répondre à un **même besoin**.

2 Comment les différentes formes de concentration se caractérisent-elles ?

- Sur un marché, la concurrence peut prendre différentes formes comme le **monopole**, l'**oligopole** ou le **marché concurrentiel**.

3 Comment est déterminé un prix sur un marché concurrentiel ?

- Sur un marché concurrentiel, le prix d'un bien ou d'un service est déterminé par l'**offre et la demande**.

4 Comment calculer et interpréter une élasticité-prix de la demande ?

- L'**élasticité-prix de la demande** permet de mesurer la sensibilité de la demande par rapport à une variation de prix et donc les conséquences de cette hausse ou baisse de prix sur les quantités demandées.

CULTURE+

La Commission européenne contrôle les pratiques anticoncurrentielles, les concentrations et les aides d'État et enquête sur ces opérations, afin de garantir des conditions de concurrence équitables aux entreprises de l'UE, ainsi qu'un vaste choix et des prix justes aux consommateurs.

FORMULES clés

$$\text{Élasticité prix-demande} = \frac{\text{Variation de la demande/Demande initiale} \times 100}{\text{Variation du prix/Prix initial} \times 100}$$

$$\text{Élasticité-prix croisée} = \frac{\text{Variation en \% de la quantité du produit X}}{\text{Variation en \% du prix du produit Y}}$$

POUR RETENIR AUTREMENT

1 Quels sont les intervenants d'un marché pertinent ?

Marché pertinent : ensemble des produits............... qui permettent de répondre à un même besoin................ (produits similaires, produits substituables)

2 Comment les différentes formes de concentration se caractérisent-elles ?

- Une multitude d'offreurs → Marché concurrentiel......
- Quelques offreurs → Oligopole....................
- Un seul offreur → Monopole....................

Multitude de demandeurs

3 Comment est déterminé un prix sur un marché concurrentiel ?

Offre → Prix d'équilibre...................... ← Demande

4 Comment calculer et interpréter une élasticité-prix de la demande ?

Variation du prix d'un produit X

- Élasticité-prix croisée............ : mesure la variation de la demande d'un produit X suite à une variation de prix d'un produit Y
- Élasticité-prix de la demande.. : mesure la variation de la demande d'un produit X suite à une variation de prix

OBJECTIF BAC

12 Analyser un sujet d'argumentation

Avant de pouvoir répondre à une question d'argumentation, il est essentiel d'analyser la question posée. Cette analyse permettra d'apporter une réponse vraiment argumentée et non pas simplement illustrée.

1 L'analyse : comment procéder ?

1 Relever les mots importants de la question	Ici, il s'agit d'identifier tous les mots importants de la question : les verbes directeurs qui vont préciser le type de réponse attendu, mais également les termes qui précisent les notions que vous allez devoir mobiliser.
2 Poser la notion économique	Une fois la notion identifiée, il est utile de l'écrire au brouillon pour l'utiliser comme base de votre réponse argumentée.
3 Rechercher les notions économiques voisines	Derrière une notion économique principale se cache souvent d'autres notions qui pourront également nous servir. Par exemple la notion de marché pertinent peut faire appel aux notions économiques sur la concurrence, les barrières à l'entrée, l'élasticité prix…
4 Analyser les documents	Ce n'est qu'après avoir suivi toutes les étapes précédentes que l'on peut commencer à lire les documents et surligner toutes les parties qui ont un lien avec les notions dont il est question.

2 À chaque question sa réponse !

Analysez la question suivante :

« Expliquez pourquoi la concentration sur le marché des moteurs de recherche et de la publicité sur Internet est problématique. »

1 Relever les mots importants de la question	Le terme « expliquez » nous invite à faire comprendre pourquoi. Le terme « concentration » nous renvoie à la notion économique principale. Le groupe de mots « marché des moteurs de recherche et de la publicité » nous renseigne sur le sujet sur lequel nous allons devoir travailler. Le terme « problématique » nous indique un sens dans lequel nous allons devoir construire notre réponse. Ici, il va falloir expliquer pourquoi la concentration crée des problèmes.
2 Poser la notion économique	La notion principale est la concentration sur un marché qui fait référence à l'indice IHH.
3 Rechercher les notions économiques voisines	Les notions économiques voisines sont la concurrence, le monopole, l'oligopole, les barrières à l'entrée…

CAPACITÉS

- Analyser les stratégies des entreprises pour réduire l'intensité concurrentielle
- Analyser les stratégies de fixation des prix par les entreprises en fonction de la structure des coûts et de la concentration du marché
- Déterminer si une modification des prix s'accompagne d'une évolution des caractéristiques des produits

NOTIONS

- L'innovation
- La différenciation des produits

13 Les stratégies pour dépasser l'intensité concurrentielle

VIDÉO
hachette-clic.fr/22eco084
TikTok, l'application qui fait chanter et danser les ados
(1'58)

FICHE D'IDENTITÉ

Regardez la vidéo et répondez aux questions.

1. Quelles sont les entreprises concurrencées par TikTok ?

- [x] Instagram
- [ ] Netflix
- [x] Facebook
- [ ] Pinterest

2. Que permet l'application ?

- [ ] De prendre des photos
- [x] De chanter en *playback* et de s'enregistrer
- [x] De filmer des vidéos de 6 secondes
- [ ] D'enregistrer ses images préférées

3. D'où vient TikTok ?

- [ ] Des États-Unis
- [ ] De Russie
- [x] De Chine
- [ ] De France

SITUATION

« **Inspirer la créativité et apporter la joie.** » C'est dans ces termes que TikTok se présente en affirmant que l'application est la meilleure destination pour les vidéos mobiles au format court.
Lancée en septembre 2016, TikTok est une application propriété de l'entreprise chinoise ByteDance.
En septembre 2021, l'entreprise a annoncé : « Plus d'un milliard de personnes dans le monde viennent sur TikTok chaque mois pour se divertir, apprendre, s'amuser ou découvrir quelque chose de nouveau. Nous sommes très heureux du chemin parcouru aux côtés de nos utilisateurs, des marques et bien entendu de nos créateurs. »

1 Quelles stratégies pour limiter l'intensité concurrentielle ?

Avec l'arrivée de l'application TikTok sur le marché des réseaux sociaux, les autres acteurs comme Facebook, Instagram ou Snapchat doivent réagir pour ne pas la laisser les concurrencer. Mais le modèle de TikTok qui permet de diffuser de courtes vidéos est très apprécié des utilisateurs qui laissent ainsi libre cours à leur créativité !
Musique, danse, cuisine ou gastronomie, beauté ou mode, humour, art, causes particulières : tout est source d'inspiration sur TikTok.

A Se différencier pour dépasser la concurrence

DOC 1 Classement des sept applications de réseaux sociaux les plus téléchargées sur téléphone

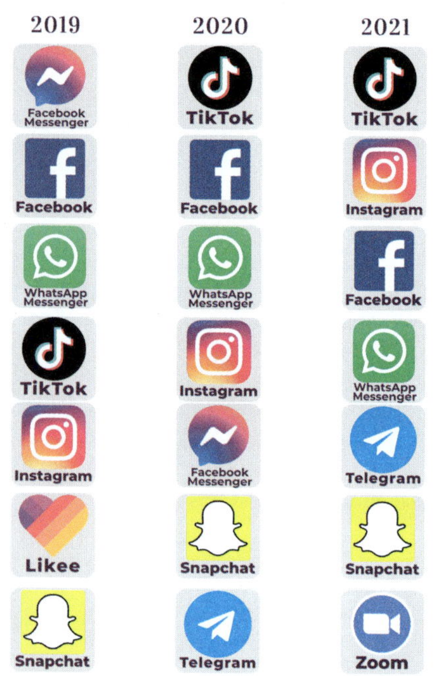

ohtasri.com, 2022

1 **À partir du ▶ Doc. 1, identifiez l'application qui a le plus progressé et celle qui a le plus reculé dans le classement des applications les plus téléchargées en 2020 et en 2021.**

C'est principalement TikTok qui a progressé en passant de la quatrième place à la première place, et Facebook Messenger qui a le plus reculé en passant de la première place à la cinquième place, en 2020, puis à la septième place en 2021.

2 **Décrivez le type d'activité proposé par ces deux applications.**

TikTok s'appuie sur un format de vidéos courtes alors que Messenger est une application de messagerie.

3 **Selon vous, pourquoi ce format de vidéos courtes a-t-il autant de succès ?**

Les vidéos courtes permettent de visionner du contenu divertissant, mais aussi de développer l'esprit créatif des utilisateurs sur des thèmes qui les passionnent et qu'ils peuvent ensuite partager.

NOTIONS — Vu en Management

Les stratégies de différenciation

- Une **stratégie de différenciation** est une stratégie dont l'objectif est de se différencier de la concurrence par une offre qui est reconnue et valorisée par le client.

On distingue deux formes de stratégies de différenciation :
- la **différenciation par sophistication** qui consiste à proposer une offre de meilleure qualité que la concurrence ;
- la **différenciation par épuration** qui va offrir le produit le plus simple possible et souvent avec un prix plus faible.

4 **Identifiez la stratégie de différenciation mise en place par TikTok, puis justifiez votre réponse à l'aide de l'encadré ▶ Notion et du ▶ Doc. 1.**

☒ Différenciation par sophistication ☐ Différenciation par épuration

Justification : TikTok s'appuie sur une stratégie de sophistication en offrant à ses utilisateurs de nombreuses options de filtre ou de montage qu'on ne retrouve pas chez les concurrents.

B Innover pour contrer la concurrence

DOC 2 Des clones de TikTok chez Google et Facebook ?

Shorts

Instagram REELS

Initialement construite sur le principe de vidéos durant 15 secondes au maximum, TikTok a fait passer la limite à 60 secondes, puis à 3 minutes début juillet pour attirer un public plus large et rivaliser avec YouTube.
La filiale de Google a malgré tout préparé une contre-attaque face à l'insolent succès de la plateforme et a récemment lancé YouTube Shorts. Ce nouveau service, déployé dans plus de 100 pays mi-juillet, vise à concurrencer TikTok sur le segment des formats courts.
C'est également la stratégie adoptée par Facebook et ses 3,51 milliards d'utilisateurs mensuels dans sa famille d'applications (Facebook, Instagram, WhatsApp). L'été dernier, la société a lancé un clone de TikTok, Instagram Reels, une nouvelle fonctionnalité de vidéos courtes.

AFP, 27 septembre 2021

5 Indiquez comment TikTok intensifie sa concurrence vis-à-vis de YouTube. ▶ Doc. 2

TikTok a augmenté la durée des vidéos en passant de 15 secondes à 3 minutes.

6 Quelle a été la réaction de YouTube (filiale de Google) et de Facebook (filiale de Meta) selon le ▶ Doc. 2 **?**

Google et Facebook ont lancé des applications similaires à TikTok pour contrer l'application et limiter son succès.

DOC 3 Qu'est-ce que le « métavers », cet univers numérique parallèle ?

« La qualité essentielle du métavers sera la présence – le sentiment de vraiment être là avec les gens », expliquait Mark Zuckerberg en juillet sur son profil Facebook.
Le « métavers », contraction de méta-univers, est une sorte de doublure numérique du monde physique, accessible via internet. Grâce notamment à la réalité virtuelle et augmentée, il devrait permettre de démultiplier les interactions humaines, en les libérant des contraintes physiques, via internet.
Il pourrait par exemple offrir la possibilité de danser dans une boîte de nuit avec des personnes situées à des milliers de kilomètres, mais aussi d'acheter ou de vendre des biens ou services numériques, dont beaucoup restent encore à inventer.

Caroline Pain avec AFP, *La Dépêche*, 18 octobre 2021

7 Identifiez les raisons pour lesquelles Mark Zuckerberg (Meta) a créé le métavers en examinant les différences entre les réseaux sociaux actuels et ce nouvel univers. ▶ Doc. 3

Face au recul de l'application Facebook, Messenger et WhatsApp, Meta est contraint de surenchérir dans l'innovation en proposant un type de réseau social totalement différent. Alors que les réseaux sociaux actuels nécessitent de disposer d'un écran, avec le métavers, l'interaction se fait sans aucune contrainte physique : on passe du stade de spectateur à celui d'acteur de la réalité virtuelle.

Vers la synthèse
JE ME TESTE
hachette-clic.fr/22eco085
Je révise l'essentiel p. 192-193

Bilan

Identifiez les formes de stratégies adoptées par les différentes organisations pour limiter le succès de TikTok. Comment TikTok organise-t-elle sa riposte ?

Pour contrer TikTok, les entreprises utilisent des stratégies de différenciation et plus particulièrement de sophistication en proposant des produits avec des fonctionnalités différentes pour séduire les utilisateurs. TikTok, de son côté, modifie son offre avec des vidéos plus longues et de nouvelles fonctionnalités.

2 Quels sont les avantages de l'innovation ?

L'arrivée de nouveaux concurrents rime souvent avec une baisse des prix. Mais pour TikTok, l'application est gratuite : les concurrents vont donc devoir trouver d'autres leviers d'action pour se faire une place. L'innovation constitue un bon moyen pour attirer les utilisateurs en quête de nouveautés… et aussi pour générer de nouveaux revenus pour l'entreprise !

A De nouvelles fonctionnalités pour les utilisateurs

NOTION

Qu'est-ce que l'innovation ?

- L'**innovation** désigne l'introduction sur le marché d'un produit ou d'un procédé nouveau ou significativement amélioré par rapport à ceux précédemment élaborés.

Deux types d'innovation sont distingués :
- les **innovations de produits** (biens ou services) ;
- les **innovations de procédés** (incluant les innovations d'organisation et de marketing).

Insee, 2020

1 Distinguez les deux types d'innovation indiquées dans l'encadré ▶ Notion.

On distingue les innovations de produits (biens ou services) et les innovations de procédés (nouvelles manières de produire ou de s'organiser).

DOC 4 Achats directs sur TikTok : bientôt une nouvelle fonctionnalité

C'est annoncé ce 24 août 2021 par la firme TikTok. Les achats directs sur TikTok arrivent à grands pas pour tous les utilisateurs de l'application chinoise. Le principe est simple, les TikTok *users* pourront acheter directement des produits proposés par les créateurs de contenu sur sa plateforme.
Il s'agit en réalité d'un partenariat entre TikTok et Shopify, lancé en 2020. Cette nouvelle fonction constitue la continuité de cette collaboration entre le réseau de vidéos courtes et la plateforme de boutiques en ligne. Une nouveauté TikTok qui donne envie de créer sa propre boîte, non ?
Globalement, les créateurs pourront créer leur propre boutique en ligne sur TikTok et renvoyer vers des produits *via* un lien directement intégré aux vidéos.
La première utilisatrice à tester cette fonction d'achats directs sur TikTok sera la star de téléréalité Kylie Jenner avec sa gamme de cosmétiques.

Eleysiss, buzzwebzine.fr, 25 août 2021

2 Identifiez le type de nouveauté proposée par TikTok dans le ▶ Doc. 4 en qualifiant le type d'innovation dont il s'agit.

TikTok va permettre aux créateurs d'intégrer des liens dans leurs vidéos : ces liens renverront les utilisateurs sur le site de vente en ligne Shopify. Il s'agit d'une innovation de produit.

3 Montrez en quoi l'innovation proposée par TikTok est favorable aux utilisateurs.

Le premier intérêt est de permettre aux producteurs de contenus de mieux vendre leurs produits en offrant un accès direct à leur boutique en ligne. Le second est de simplifier l'acte d'achat des consommateurs qui pourront ainsi accéder en un seul clic aux produits qu'ils souhaitent commander.

B De nouvelles sources de revenus pour les entreprises

DOC 5 Comment TikTok fait-elle pour gagner tellement d'argent ?

Si TikTok gagne autant d'argent en « in-app », c'est grâce à sa monnaie virtuelle, appelée les *Coins*, ou pièces en français. Convertible entre autres en euros (100 pièces valent 1,09 euro, 10 0000 valent 109,99 euros), elle permet de réaliser des achats sur l'application.

Perrigne Signoret, Numera.fr, 24 juillet 2019

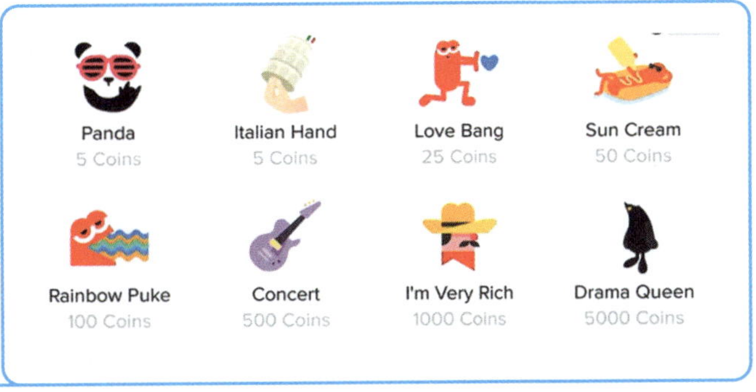

4 **Identifiez l'intérêt pour TikTok de créer sa propre monnaie virtuelle.** ▶ Doc. 5

TikTok a créé sa propre monnaie virtuelle pour permettre à ses utilisateurs de réaliser des achats sur l'application.

5 **Quelle est l'utilité financière de cette monnaie ?**

Elle permet à TikTok de gagner de l'argent en prélevant une commission sur les achats de monnaie, mais aussi aux créateurs de gagner de l'argent en recevant des cadeaux des utilisateurs qu'ils peuvent ensuite reconvertir en euros.

DOC 6 Les incroyables rémunérations des influenceurs TikTok

En publiant des contenus sponsorisés par des marques, certains influenceurs perçoivent des rémunérations à quatre chiffres pour chacune de leurs vidéos.

Les tarifs des publications de ceux qu'on appelle désormais les TikTokeurs varient diamétralement selon leur nombre d'abonnés. Ceux qui comptent moins de 5 000 *followers* perçoivent en moyenne 153 euros par vidéo, une rémunération qui passe à 204 euros pour les influenceurs suivis par 5 000 à 10 000 abonnés. Et ces tarifs peuvent vite grimper pour les plus populaires. Ainsi, un Tiktokeur avec plus de 25 000 abonnés peut être rémunéré près de 900 euros par publication. Bien loin des 2 250 euros perçus pour ceux qui dépassent le million de *followers*.

Claire Domenech, Capital.fr, 19 septembre 2021

6 **Identifiez l'origine des rémunérations des Tiktokeurs à partir du** ▶ Doc. 6.

Ce sont les marques qui rémunèrent les producteurs de contenus pour parler de la marque.

7 **Pourquoi cette rémunération varie-t-elle en fonction du nombre d'abonnés ?**

Plus le nombre d'abonnés est élevé, et plus la vidéo sera vue par un nombre important de personnes. Il est donc naturel que les marques payent en fonction du nombre de vues de leurs produits.

Bilan

Énumérez les avantages pour TikTok de continuer à innover.

Pour TikTok, continuer à innover lui permet d'augmenter ses revenus, de fidéliser ses abonnés, de se différencier des concurrents, d'attirer les influenceurs et donc d'attirer les entreprises qui souhaitent communiquer sur leur marque.

Vers la synthèse
JE ME TESTE
hachette-clic.fr/22eco086
Je révise l'essentiel p. 192-193

À moi de jouer

1 Jouez avec *Kyushi* !

Quiz interactifs pour réviser en classe !

hachette-clic.fr/kyushi

2 Testez vos connaissances avec ces mots croisés

Retrouvez les mots correspondant aux définitions suivantes.

Verticalement

1. Stratégie offrant le produit le plus simple possible.
2. Rivalité entre des entreprises pour obtenir la préférence des clients.
3. Application permettant la diffusion de courtes vidéos.

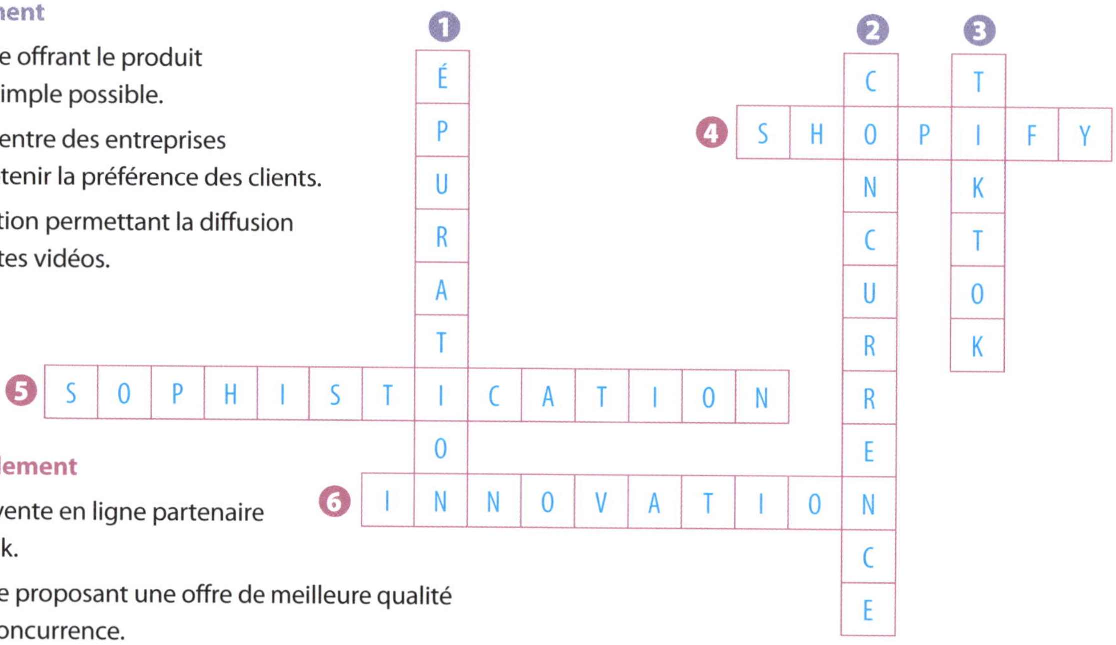

Horizontalement

4. Site de vente en ligne partenaire de TikTok.
5. Stratégie proposant une offre de meilleure qualité que la concurrence.
6. Introduction sur le marché d'un produit ou d'un procédé nouveau.

3 Analyser la stratégie de prix d'une organisation

EasyJet : comment un *low cost* est-il devenu leader avec le digital ?

EasyJet, compagnie aérienne britannique créée en 1995, a été précurseur du *low cost* aérien en Europe, sur les traces de son inventeur Southwest Airlines, et a révolutionné l'aviation. Cette compagnie est aujourd'hui un acteur leader du voyage court et moyen courrier, leader en termes de réseau en Europe et la deuxième compagnie en France. La stratégie choisie par EasyJet était radicalement innovante à l'époque, c'était une véritable rupture, basée sur un service à la carte, opposé au tout inclus. Le digital est un élément essentiel compris dans sa stratégie d'innovation.[…]

EasyJet a démocratisé le voyage par son modèle *low cost*, grâce à la généralisation du digital et la simplification de son *business model*. Dans la compagnie aérienne, il n'existe ainsi que deux types d'avions, un seul type de classe à bord, formant un produit unique à bas prix. Cette stratégie était révolutionnaire il y a vingt ans. Les clients sont devenus fidèles, en effet 74 % des clients d'EasyJet ont voyagé plusieurs fois avec la compagnie. Cela est rendu possible entre autres par le succès du programme de fidélité nommé Flight Club, un programme central dans la stratégie de la compagnie *low cost*. L'objectif, dans le futur, est d'optimiser l'expérience client et de renforcer la personnalisation du service.

Yann Gourvennec, visionarymarketing.com, 10 novembre 2016

1. Identifiez la stratégie de différenciation d'EasyJet.
2. Quels sont les indicateurs qui permettent de savoir si cette stratégie a été un succès ?
3. Comment EasyJet a-t-elle prévu de développer son offre ?

4 Analyser une évolution des caractéristiques des produits et des prix

La BMW série 3 : 40 ans d'évolution

Évolution des prix en fin de série de la version haut de gamme sur le marché suisse

	Prix en CHF	Prix en EUR de 2014
E21 : 323i (mars 1982)	23 800	27 720
E30 : 325i 4p (mars 1990)	37 050	30 592
E36 : 328i (mars 1998)	49 700	40 016
E46 : 330i (mars 2005)	56 800	42 070
E90 : 335i (mars 2011)	64 700	52 043
F30 : Active Hybrid 3 (mars 2015)	65 700	61 771

En quarante ans et six générations, le prix de la 316 de base a augmenté de 123 %. Mais il ne faut pas paniquer parce que cela correspond à une hausse moyenne de prix de 2,5 % par an. C'est le prix du progrès. Mais là encore, les prestations ont été à l'avenant avec une Active Hybrid 3 138 % plus puissante que la 323i E21, accélérant 44 % plus vite et consommant 39 % de moins. Ainsi, le prix au cheval est passé de 194 € à 182 € entre les deux versions.

Site d'Auto Forever, 2015

1. Analysez l'évolution du prix de la BMW série 3 et de ses caractéristiques. Quelles conclusions pouvez-vous en tirer ?

2. La puissance d'un véhicule désigne la puissance de son moteur, elle est estimée en chevaux (CV). Expliquez la phrase « le prix au cheval est passé de 194 € à 182 € entre les deux versions ».

5 Identifier les bénéfices de l'innovation

Le pneu connecté : la nouvelle révolution en marche !

Track Connect pour Michelin ou Cyber Tyre pour Pirelli : les fabricants de pneus se sont lancés dans l'avenir en développant des nouvelles gammes de pneus connectés. Équipés de puces RFID, ces pneus futuristes transmettent des informations en temps réel au conducteur : température du pneu, limite de vitesse, usure du pneu, mais aussi présence de verglas ou risque d'aquaplaning… Autant d'informations précieuses qui vont permettre aux conducteurs de mieux adapter leur conduite en fonction de l'environnement et de l'état des routes, et d'anticiper les dangers.
Avec la technologie 5G, les informations pourront même être transmises à l'ensemble des véhicules à proximité ; les autres usagers de la route, par l'intermédiaire de solutions connectées payantes, seront ainsi prévenus de la présence d'une chaussée glissante.
Si toutes ces technologies améliorent la sécurité routière, elles promettent également des économies pour les propriétaires de véhicules qui verront la longévité de leurs pneus augmenter.
Cette révolution ouvre la voie à l'émergence d'encore plus de nouvelles fonctionnalités, et participe en outre au développement des véhicules autonomes.

Les auteurs

1. Listez les bénéfices, pour les consommateurs, du développement de pneus connectés.

2. Comment les fabricants vont-ils pouvoir dégager de nouvelles sources de revenus grâce à cette technologie ?

L'essentiel

JE RÉVISE

hachette-clic.fr/22eco087

- Le podcast du cours
- La synthèse en 1 clic
- Je manipule les notions

NOTIONS

- **Innovation :** introduction sur le marché d'un produit ou d'un procédé nouveau ou significativement amélioré par rapport à ceux précédemment élaborés par l'unité légale.
- **Intensité concurrentielle :** représente le degré de la rivalité qui oppose les concurrents sur un marché.
- **Stratégie de différenciation :** stratégie dont l'objectif est de se différencier de la concurrence par une offre qui est reconnue et valorisée par le client.
- **Stratégie de différenciation par sophistication :** consiste à proposer une offre de meilleure qualité que la concurrence.
- **Stratégie de différenciation par épuration :** permet d'offrir le produit le plus simple possible et souvent avec un prix plus faible.

COURS

1 Quelles stratégies pour limiter l'intensité concurrentielle ?

- Face à la **concurrence**, les entreprises vont mettre en œuvre des stratégies, c'est-à-dire des actions qui vont leur permettre d'atteindre leurs objectifs ce qui pourra affecter la structure du marché et conduire à des situations d'oligopole, et dans les cas extrêmes de monopole.
- Pour se différencier de la concurrence, les entreprises peuvent opter soit pour une **stratégie de sophistication**, soit pour une **stratégie d'épuration** ; cette modification des caractéristiques de produits pourra s'accompagner d'une modification des prix.

2 Quels sont les avantages de l'innovation ?

- Pour les entreprises, l'**innovation** leur permet de développer leurs offres, de se distinguer de la concurrence et ainsi d'améliorer leur performance économique.
- Pour le consommateur, l'innovation va lui permettre de profiter de prix plus bas, de bénéficier de produits de meilleure qualité ou de technologies dernier cri.

CHIFFRES clés

- En France, **les dépenses de recherche et de développement** ont représenté 51 milliards d'euros soit **2,2 % du PIB**.
- À titre de comparaison, **Amazon** y a consacré **22,5 milliards de dollars** pour l'année 2020, loin devant **Sanofi, la première entreprise française en termes de recherche** avec 6,6 milliards de dollars.

CULTURE+

Joseph Aloïs Schumpeter (1883-1950). Il met en avant le rôle de l'entrepreneur dans le développement de l'innovation qui, selon lui, peut prendre cinq formes (nouveaux produits, nouveaux procédés, nouveaux débouchés, amélioration de la qualité et satisfaction de besoins nouveaux).

Facebook change de nom !

Meta

Le 28 octobre 2021, le groupe Facebook a été rebaptisé Meta. Ce groupe possède plusieurs réseaux sociaux et applications de messagerie : Facebook, Instagram, Messenger, Whatsapp, et est à l'origine d'un nouveau type de réseau social, peut-être amené à se développer ces prochaines années : le métavers… De quoi peut-être lutter contre TikTok (groupe ByteDance) et YouTube (de Google).

POUR RETENIR AUTREMENT

1 Quelles stratégies pour limiter l'intensité concurrentielle ?

Stratégies de différenciation

- ……Sophistication…… : offre de meilleure qualité que la concurrence.
  Exemple : réponse libre de l'élève
- ……Épuration…… : offre proposant le produit le plus simple possible.
  Exemple : réponse libre de l'élève

2 Quels sont les avantages de l'innovation ?

……Innovation…… : introduction sur le marché d'un produit ou d'un procédé nouveau

- Innovation de ……produit…….
  Exemple : réponse libre de l'élève
- Innovation de ……procédé…… ou d'organisation.
  Exemple : réponse libre de l'élève

Les avantages pour les consommateurs :

- Baisse de prix……
- Meilleure qualité……
- Technologies améliorées……

OBJECTIF BAC

13 Structurer son argumentation

Après avoir analysé la question et mis en évidence les notions et les idées des documents qui vont vous servir à y répondre, vous allez pouvoir construire votre argumentation.

Là où une réponse illustrée se contentera de citer les documents, une réponse argumentée va mobiliser des notions et se servir des documents pour appuyer vos arguments et convaincre le lecteur de la qualité de votre raisonnement.

1 L'argumentation : comment la construire ? Objectif Bac p. 184

Rechercher des idées	L'analyse de la question permet de commencer à délimiter le sujet, mais pour être certain de ne rien oublier, il va falloir rechercher des idées. Se servir du QQOQCCP (Qui, Quoi, Où, Quand, Combien, Comment, Pourquoi) peut être d'une grande utilité pour être certain(e) de ne pas oublier des éléments majeurs !
Introduire sa thèse	La thèse est l'idée avancée dans l'argumentation et que vous allez défendre.
Apporter des arguments	Les arguments vont servir à soutenir votre thèse. On peut utiliser les notions, des données, des faits…
Justifier par des faits	Ce sont les preuves qui viennent illustrer vos arguments et démontrer votre thèse. Trouvez-les dans les documents ou puisez-les dans votre expérience.

2 L'argumentation : comment la structurer ?

Une bonne argumentation doit être structurée pour apporter de la cohérence aux idées que vous allez défendre.

Introduction	L'introduction commence par un rappel du sujet, puis l'énoncé de la thèse et enfin l'annonce du plan que vous allez suivre.
Les arguments et les faits	Chaque argument doit être suivi de faits et correspond à un paragraphe.
Utiliser des connecteurs logiques	Chaque paragraphe doit commencer par un connecteur (tout d'abord, ensuite, en outre, enfin, mais, en revanche). Les faits doivent également commencer par un connecteur (ainsi, en effet, par exemple…) tout comme la conclusion (en somme, pour conclure…).
Conclusion	Elle reprend de manière brève votre thèse et vos arguments.

3 En situation

À partir d'une recherche sur Internet et de vos connaissances, préparez une argumentation écrite qui répondra à la problématique suivante :
L'innovation sera-t-elle suffisante pour permettre à Amazon Go de s'imposer dans le commerce physique ?

Mini-cas d'entraînement

THÈME 5

JE SAIS :

	OUI ✓	NON ✗
calculer un degré de concentration du marché.	☐	☐
caractériser la structure concurrentielle d'un marché.	☐	☐
déterminer si une modification des prix s'accompagne d'une évolution des caractéristiques des produits.	☐	☐

La concurrence sur le marché de la grande distribution

VOTRE MISSION

1. **Calculez l'indice de concentration des centrales d'achat en France. À partir du résultat de vos calculs et de l'annexe 1, caractérisez la situation concurrentielle sur ce marché.**
2. **Identifiez les différentes innovations sur lesquelles repose le concept Amazon GO.**
3. **Décrivez la manière dont Carrefour riposte face à la concurrence d'Amazon.**
4. **Identifiez la raison pour laquelle les magasins Amazon Go génèrent 50 % de chiffre d'affaires de plus qu'un supermarché traditionnel.**
5. **Rédigez une argumentation qui permettra de répondre à la question suivante :**
L'innovation sera-t-elle suffisante pour permettre à Amazon de s'imposer dans le commerce traditionnel ?

Objectif BAC ❶ à ❹ Comprendre les consignes p. 30, 42, 54, 66

Objectif BAC ❿ Analyser un graphique p. 154

Objectif BAC ⓬ Analyser un sujet d'argumentation p. 184

Objectif BAC ⓭ Structurer son argumentation p. 194

ANNEXE 1 Part de marché des centrales d'achat communes des distributeurs en France

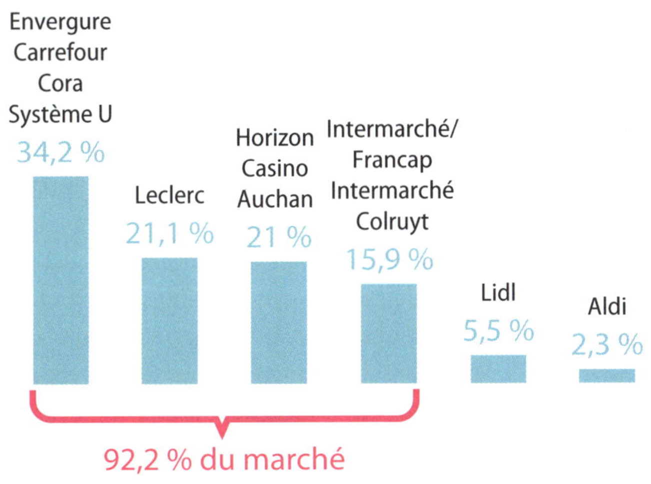

Quechoisir.fr, 19/11/2020

ANNEXE 2 Amazon Go, le magasin sans caisse, fait son entrée en Europe

C'est une première en Europe. Amazon Go s'implante pour la première fois hors des États-Unis, dans la capitale londonienne. L'enseigne, qui existe depuis trois ans maintenant aux États-Unis, inaugure cette semaine un point de vente à Ealing, dans l'ouest de Londres.

Selon Forbes, il s'agit du premier Amazon Go d'une longue série, puisqu'au moins 30 points de vente sont prévus en Grande-Bretagne.

La particularité du magasin, c'est de ne pas avoir de caisse. Tout passe donc par une application mobile, associée à un compte Amazon. Il suffit d'ouvrir l'application Amazon Go depuis un iPhone ou un téléphone Android, de scanner un QR code sur le tourniquet, et de regarder les portes électroniques s'ouvrir pour laisser sortir le client. Amazon Go s'apparente beaucoup au commerce en ligne, sauf que l'acheteur se rend dans un magasin physique. L'ensemble du processus d'achat se veut rapide et fluide, et donne aussi en un sens l'illusion de la gratuité.

La technologie « *Just Walk Out* » équipe les magasins Amazon Go sans caisse. Introduite pour la première fois en 2016 aux États-Unis, cette technologie repose sur la vision par ordinateur, la fusion de capteurs et le *deep learning** pour éliminer les files d'attente aux caisses.

**Deep learning* : utilisation de l'intelligence artificielle pour assimiler de nouvelles connaissances.

ZDNet.fr, Clarisse Treilles, 4/03/2021

ANNEXE 3 « Carrefour flash », le supermarché autonome sans caisse

Ouverte fin novembre, cette supérette de 50 m^2 est assez commune, avec des produits frais derrière de grandes portes vitrées et d'autres présentés dans des devantures. Seule nouveauté, aucune caisse classique n'y est installée. Pour payer, deux solutions : soit une caisse automatique où l'on peut payer par espèces ou par carte, soit deux tablettes connectées installées au fond du magasin où l'on ne peut utiliser qu'une carte sans contact.

En outre, 60 caméras quasi-invisibles intégrées aux murs et au plafond ne quittent pas le client des yeux, détectant tous ses mouvements. Grâce à ces données, un algorithme développé par une start-up californienne – associé à des capteurs de poids disposés un peu partout – conceptualise le panier de ce client et envoie l'information à l'ordinateur central.

Pour payer, pas besoin de scanner les produits donc, il suffit de les poser devant l'une des deux tablettes et celle-ci affiche automatiquement la liste des articles que le client a choisis. Ce dernier n'a plus qu'à valider le panier et à payer avec sa carte bleue sans contact.

CNEWS, 7/12/2021

ANNEXE 4 Amazon Go pourrait générer 4,5 milliards de dollars de CA en 2021

Amazon Go, la chaîne de magasins sans caisse ni self check out qu'Amazon déploie en ce moment aux USA, générerait en moyenne 50 % de chiffre d'affaires de plus qu'une supérette classique, selon des estimations de RBC Capital Markets. […] En utilisant leurs propres achats dans les neuf magasins futuristes ouverts à date par le géant du net comme données de référence, les analystes du cabinet ont calculé que le montant moyen d'un achat chez Amazon Go est de 10 dollars environ. Ils ont également compté le nombre de visiteurs moyen par jour, qui est de 550. Chaque magasin Amazon Go générerait, selon ces estimations, 1,5 million de dollars de chiffre d'affaires par an (ces résultats évoluent évidemment en fonction de la taille de ces espaces de ventes, qui vont de 42 à 185 mètres carrés). En comparaison, une supérette de taille équivalente à la moyenne de celle des neuf Amazon Go ouverts aujourd'hui génère 1 million de dollars de ventes par an, selon des données de l'association nationale américaine des magasins de proximité.

Lélia de Matharel, 7/01/2019

Aujourd'hui, j'apprends à...

- Enfin un dossier exclusivement dédié à développer tes capacités d'élève et de futur(e) étudiant(e) !
- Tu vas découvrir tout au long de ces pages des méthodes, des conseils et des astuces pour développer tes compétences professionnelles et personnelles. Des conseils bienvenus en cette première année du cycle terminal !

... identifier et comprendre ma mémoire !

Avant de me lancer

Comment fais-tu pour apprendre ? Liste les méthodes que tu emploies.

- ....
- ....
- ....
- ....
- ....

L'intérêt de la méthode

Depuis ce matin, combien de fois as-tu fait appel à ta mémoire ?
Impossible de compter ? C'est normal !
Ta mémoire est sollicitée toute la journée : à la maison, à l'école, dans tes activités extrascolaires, dans une conversation... Il n'y a pas que lorsque tu apprends que tu travailles réellement ta mémoire.

Mais quelle est TA mémoire ?
Question intéressante et utile ! En effet, en fonction de ta capacité de mémorisation, va découler des méthodes d'apprentissage différentes et plus efficaces pour toi.

➔ Premier pas incontournable pour mieux mémoriser :
être actif(ve) en cours !

J'écoute le cours + Je participe + Je prends des notes
= Je comprends
= Je mémorise plus vite !

À moi de jouer

1 Je découvre mon type de mémoire.

TEST « Quelle est ma mémoire ? »

Question à choix unique ou multiple.
Si tu coches plusieurs réponses, classe-les de la plus à la moins importante.

Le jour d'un devoir sur table, lorsque tu réfléchis à la réponse, est-ce que tu ...

☐ a. te vois écrire le cours, les mots sur ta fiche de révision ?
☐ b. vois ce que le professeur avait écrit au tableau, vois ton cours/ta fiche de révision ?
☐ c. entends le professeur parler du sujet lors de son cours ?

➔ Tu as coché plusieurs réponses ? Tu as donc une mémoire dominante et une ou deux mémoires secondaires. Tant mieux, cela multiplie les méthodes d'apprentissage !

Réponses au test

Réponse « a »	Réponse « b »	Réponse « c »
MÉMOIRE KINESTHÉSIQUE Axée sur les autres sens : **toucher, goût, odorat**	**MÉMOIRE VISUELLE** Axée sur la vue	**MÉMOIRE AUDITIVE** Axée sur l'ouïe
Pour apprendre, tu as besoin : • de faire / refaire un exercice ; • de manipuler ; • d'écrire / réecrire ta leçon.	**Pour apprendre, tu as besoin :** • de faire des fiches de révision à ton goût ; • de créer des schémas, de voir des images, de faire un dessin.	**Pour apprendre, tu as besoin :** • d'écouter, de lire et de reformuler ta compréhension à voix haute ; • de chuchoter les consignes pour mieux les comprendre.
Pour savoir si tu as retenu : tu réecris.	**Pour savoir si tu as retenu :** tu fermes les yeux et tu vois le cours.	**Pour savoir si tu as retenu :** tu récites la leçon à voix haute.
Solutions à privilégier : • Transformer ta leçon en fiche de révision (voir fiche outil 4). • Recopier ta leçon. • Refaire tes exercices (surtout les calculs !)	**Solutions à privilégier :** • Imaginer tes propres cartes mentales. • Constituer des fiches de révision avec ton propre code couleur. • Utiliser des schémas, des tableaux.	**Solutions à privilégier :** • Apprendre à voix haute. • T'enregistrer lorsque tu relis ta leçon, et écouter ton podcast dans le bus, la voiture… • Expliquer la leçon à quelqu'un.

Combien de techniques utiliser ? Une, deux... toutes ! Prends ce qui te convient, à toi et à ta mémoire.

2 Je comprends le fonctionnement de la mémoire.

Apprendre n'est que la première étape d'un processus en trois phases :

Apprendre pour assimiler	Réviser pour consolider	Utiliser pour maîtriser
Le savoir se mémorise à court et moyen termes.	Le savoir devient une connaissance personnelle à long terme.	La connaissance devient alors une compétence… Waouh !

3 J'organise mon apprentissage.

Liste les méthodes que tu penses employer à partir de maintenant.

- ....
- ....
- ....
- ....
- ....

... apprendre !

Avant de me lancer

Connais-tu la différence entre « apprendre » et « réviser » ?

« Apprendre » revient à acquérir les savoirs, alors que « réviser » revient à les revoir.
Il faut donc apprendre avant de réviser !

L'intérêt de la méthode

Le jour du devoir sur table approche… L'heure est à apprendre !

Apprendre, c'est quoi ?
C'est assimiler des savoirs sur le long terme pour pouvoir les réutiliser au besoin. Faisons simple et comparons l'apprentissage à des dossiers rangés dans des tiroirs… Apprendre revient à ranger la bonne information dans le bon tiroir et à la ressortir quand on en a besoin !

Apprendre te décourage ? Tu ne sais pas comment t'y prendre ?
Un peu de méthode va t'aider…

CONSEILS DE PROF
- Aie confiance en toi.
- Sois motivé(e) à apprendre.
- Concentre-toi pour aller plus vite.

À moi de jouer

La technique des 5 B
Créée et validée par… nous !

1 Le Bon moment

À définir selon :
- **L'enjeu** → Devoir sur table ou épreuve terminale ? Le travail d'apprentissage sera complémentaire : apprends bien pour le devoir et tu n'auras plus qu'à réviser pour les épreuves terminales !
  Ce qui est bien appris n'est plus à apprendre !
- **Le temps disponible** → Les devoirs s'amoncellent, les épreuves terminales approchent mais les cours se poursuivent… Le temps n'est pas extensible !
  As-tu fait ton planning ?
- **Le temps nécessaire** → Selon la matière, la fatigue, la période de l'année… on apprend avec plus ou moins de rapidité.

EXEMPLE DE PLANIFICATION

Mon ou ma (super) prof de SDGN nous a annoncé un devoir sur les indicateurs de la performance. Chapitre long avec des formules de calculs.
Tout ce que j'aime ! La date est dans un peu moins de quinze jours…

! Date du DS
Oups, trop tard !

Dès l'annonce	une semaine avant	deux jours
JE RÉALISE	**JE REFAIS MES EXERCICES (surtout les calculs)**	**JE RÉVISE LE TOUT RAPIDEMENT !**
Ma fiche de révision, mon *mind mapping*, mon podcast… ce qui me convient.	Cela me prend peu de temps car j'ai déjà réalisé mon support d'apprentissage.	Mais en fait, je sais déjà tout…

- **Ses propres habitudes !** → Matin, après-midi, soir : quand suis-je le/la plus performant(e) ?
  Il paraît que c'est le matin pour apprendre et le soir pour relire.

2 Le Bon lieu

Pour bien travailler, il faut être dans de bonnes conditions ! Tu le sais, tu l'as appris en cours.

1. Isole-toi dans un endroit où tu te sens bien et où tu ne seras pas dérangé(e).
   Chambre, cuisine, salon, bibliothèque municipale, CDI, salle de permanence, couloir, jardin sous un parasol…
2. Bannis toutes les sources de distraction.
   Smartphone, télévision, famille, musique forte…

3 La Bonne durée

La juste durée : **ni trop, ni trop peu.**
À toi de voir ce que tu préfères : de temps en temps ou à fond ?

La technique « Pomodoro », (« tomate » en italien)

25 minutes, timer en route :
Je travaille 1 tâche en mode « Concentration maximale »

5 minutes de repos
Au bout de 5 Pomodoros,
je prends un repos de **15 ou 20 minutes.**

4 Le Bon nombre

Seul(e) pour apprendre les notions mais aussi **en petit groupe** pour éclaircir certains points, s'entraider, se motiver, se tester…

5 La (ou les) Bonne(s) méthode(s) !

→ **Apprendre**

Avec la/les méthode(s) que tu auras choisie(s).

→ **Vérifier que l'on sait**

Technique de l'autotest

1. Le jour où j'apprends, je rédige sur une feuille des questions, un QCM, un texte à trous, un plan vierge…
2. Le (sur)lendemain, je reprends cette feuille et je réponds aux questions, je complète le texte à trous…
3. Je m'autoévalue :
   - si j'y arrive, je connais mon cours !
   - si j'hésite, cela me permet d'identifier les points sur lesquels je ne suis pas encore à l'aise…

→ **Réviser** (veut dire « revoir »)

- Relire les titres des chapitres et laisser sa mémoire faire le reste.
- Refaire les exercices (sans la solution !)
- Refaire son *mind mapping*
- Chanter sa petite chanson
- Relire son podcast
- Refaire ses autotests
- …

→ **Se projeter**

Imagine les situations dans lesquelles tu auras besoin des notions.
Dans quel problème peut intervenir cette formule ? Quelles peuvent être les questions du sujet sur ce chapitre ?
Exemple : si le devoir me présente des chiffres d'affaires sur plusieurs années, je peux calculer des taux d'évolution…

CONSEILS DE PROF

Organise-toi des devoirs « en situation réelle » : temps, conditions matérielles…

Quelle que soit la méthode, tu vas vite te rendre compte qu'apprendre, et surtout savoir, c'est gratifiant !

DOSSIER

AUJOURD'HUI, J'APPRENDS À…

… gérer l'oral !

Avant de me lancer

Si tes camarades et toi deviez présenter un exposé dans quinze jours devant toute la classe avec une prise de parole pendant dix minutes, comment réagirais-tu ?

a. Super ! Je vais pouvoir être actif/active !
b. On va se préparer pour ne pas faire de bêtises…
c. Où est la sortie ? Je peux me cacher sous le bureau ?

Lecture du résultat

Pas de bonne ou de mauvaise réponse !
L'oral est un exercice qui peut être perçu comme difficile pour les personnes timides (et donc peut-être toi…)
Mais, une prestation orale reste un exercice comme un autre. Et tu le sais : si c'est un exercice, il suffit de pratiquer pour s'améliorer…
Alors sois rassuré(e) : **pas de panique, juste de la technique !**

L'intérêt de la méthode

• Exposé, Étude de Gestion de SDGN, oral de français, oral de langue, grand oral de terminale… Les prestations orales vont être nombreuses durant ces deux années, ainsi que dans tes études supérieures et ta vie professionnelle future.

Un oral réussi repose sur :

50 % DE PRÉPARATION + 50 % DE GESTION DE COMPORTEMENT

À moi de jouer

La méthode QQOQCPC
Qui ? Quoi ? Où ? Quand ?
Comment ? Pourquoi ? Combien ?
peut t'aider !

1 J'élabore le contenu de mon oral.

1. Je réfléchis à tous les aspects du sujet.
Je me demande quelles informations je veux transmettre à mon auditoire.

2. J'effectue mes recherches.
Je vérifie la validité de mes sources : fiabilité du site, de l'auteur, actualité, pertinence…

3. Je structure mon oral en créant un plan.
C'est la colonne vertébrale de mon exposé. Il doit être clair et cohérent.

4. Je résume et organise l'essentiel de mes recherches selon mon plan.
Attention, mon temps de parole sera chronométré et mon exposé ne doit donc être ni trop long, ni trop court !

5. Si besoin, je prépare un support pour mon auditoire.
Diaporama, carte mentale, dossier, fiche mémo… Je peux créer un support pour mes interlocuteurs, si cela est utile.

* CF. Les recommandations du guide de l'évaluation dans le cadre de la réforme du lycée général et technologique, rentrée 2021.

2 Je prépare mon oral.

1. Je prépare un support personnel pour me soutenir

L'information doit me sauter aux yeux !

CONSEILS POUR CRÉER MON SUPPORT PERSONNEL

Fond

NE PAS FAIRE DE PHRASES

Plan détaillé avec idées / exemples…

+

Guide dans la marge :
Pauses, lancement vidéo / slide suivante, annexes à montrer, sourire (!)…

Forme

- Plan écrit en deux ou trois couleurs (pas un arc-en-ciel !)
- Mots-clés surlignés
- Utilisation de flèches, de symboles
- Taille de police importante (minimum 14)

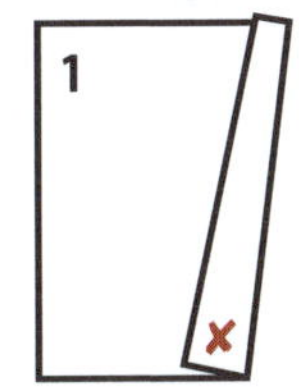

Uniquement le recto des feuilles
que je numérote <u>et</u> ordonne

2. J'anticipe les questions éventuelles.

3. Je m'entraîne !

Devant mes parents, mes frères et sœurs, un(e) ami(e), un(e) camarade, mon miroir…

Maîtrise à fond les deux premières minutes de ton exposé.

Si tu les réussis, ton oral sera un succès !
Deux minutes = temps nécessaire pour que :
- **le stress retombe ;**
- **la confiance s'installe ;**
- **tu te sentes à l'aise.**

3 Je réussis mon oral !

1. Je réussis ma première impression.

Je souris, je respire, je me détends…

2. J'adopte le meilleur comportement possible !

Verbal	Paraverbal	Non verbal
• Je ne panique pas si ma voix tremble : ***je respire tout simplement.*** *Qui n'a jamais bafouillé ?* • Pas d'expressions parasites : *« euh », « donc », « voilà », « genre »…*	• J'adopte un ton dynamique et varié. • Je mesure mon débit. • Je fais des pauses aux moments stratégiques.	• Je ne replace pas une mèche de cheveux imaginaire. • Je ne m'appuie pas contre le mur. • Je sors les mains de mes poches. • Je regarde l'auditoire (ou leurs cheveux ! Technique de chef 😉). • Je souris, c'est important !

3. Je soigne mes réponses.

Je prends le temps de comprendre la question (si je n'y arrive pas, je demande des explications…).
Je réfléchis à ma réponse :
arguments + mots techniques + exemples concrets

4. Je réussis ma sortie.

Pas de soupir de soulagement (« ouf ! ») mais je remercie mes interlocuteurs de m'avoir écouté(e).

4 Je fais le bilan.

Points positifs, points à améliorer et je n'oublie pas de me féliciter !

JE L'AI FAIT !

L'épreuve d'économie au Bac

1 La place de l'économie dans l'examen du Bac

Pour la série STMG comme dans les autres filières de l'enseignement technologique et général, le baccalauréat repose pour une part sur un **contrôle continu** et pour une autre part sur des **épreuves terminales**.

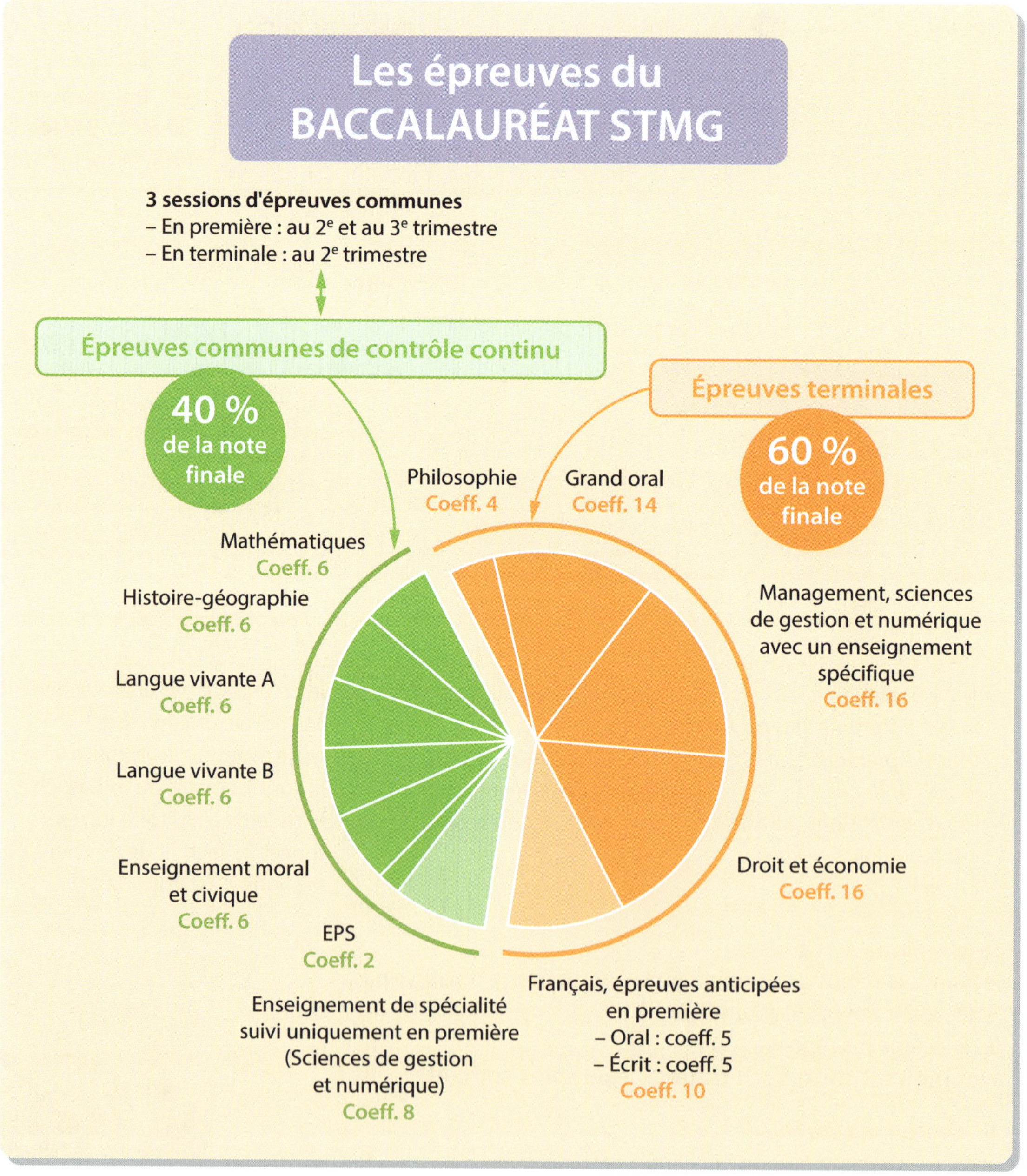

L'économie est intégrée à l'épreuve « Droit et économie ». Elle constitue un des enseignements de spécialité de la filière en classe de 1re et de terminale.

L'épreuve d'économie au Bac

2 Présentation de l'épreuve écrite

- **Intitulé de l'épreuve :** Droit et économie
- **Coefficient :** 16 (ce qui représente plus de 25 % des épreuves terminales)
- **Durée de l'épreuve :** 4 heures
- **Contenu :** épreuve écrite avec un questionnement équilibré entre le droit et l'économie.
  – Pour le droit : quatre ou cinq questions sont posées autour d'une situation concrète juridique ;
  – Pour l'économie : quatre ou cinq questions sont posées autour d'un corpus documentaire et répondant à un problème économique d'actualité.

Chaque partie est notée sur 10 points, et l'ensemble de l'épreuve est évalué sur 20 points.

3 Présentation de l'épreuve orale

Cette épreuve concerne les élèves qui devront passer au rattrapage pour obtenir le baccalauréat.

- **Durée de l'épreuve :** 20 minutes de préparation + 20 minutes de passage
- **Contenu :** programme de droit et d'économie (1re et Terminale)
- **Choix du thème :** tirage au sort d'un sujet de droit ou d'économie
- **Organisation de l'épreuve :**
  – Pendant les 10 premières minutes, l'élève répond aux questions posées dans le sujet.
  – Pendant les 10 autres minutes suit une phase d'entretien avec l'examinateur pour expliciter, approfondir voire justifier les réponses fournies.

4 Lien avec le Grand oral

L'enseignement de droit et économie peut servir de base à l'une des deux problématiques développées dans le cadre de la préparation au Grand oral. C'est le cas, en particulier, du thème 9 d'économie qui sera abordé en classe de terminale.

Crédits iconographiques

Couverture : Buena Vista Images Créatif n°1144481550 ; **Pictogramme de couverture :** The Noun Project By Chattapat

17 : Too Good To Go ; **18 :** iStockphotos/derketta ; **19-a** : Too Good To Go ; **19-b** : iStockphotos/SStajic ; **19-c** : © Eric Bascol/Istock ; **19-d** : iStockphotos/nerudol ; **19-e** : iStockphotos/ozanuysal ; **19-f** : USGS ; **20-a** : Yuka ; **20-b** : © Lee Young Ho/Sipa USA/SIPA ; **21-a** : Agriculture Biologique ; **21-b** : Label Rouge ; **21-c** : Indication Géographique Protégée ; **21-d** : Too Good To Go ; **23-a** : Cetelem ; **23-b** : Formulaire de déclaration des revenus, Cerfa n° 10330, Ministère chargé des finances.; **24 :** iStockphotos/dragana991 ; **25 :** Le bon coin ; **26 :** iStockphotos/Irina Cheremisinova ; **27 :** iStockphotos/drogatnev ; **28-a** : **28-b** : iStockphotos/MHJ ; **29-a** : iStockphotos/bortonia ; **29-b/c** : iStockphotos/yuoak ; **29-d** : iStockphotos/Daria Sokolova ; **29-e/f** : iStockphotos/bortonia ; **29-g** : iStockphotos/artvea ; **29-h** : iStockphotos/cnythzl ; **29-i** : iStockphotos/Steppeua ; **31-a** : iStockphotos/artserdam ; **31-b** : SDI Productions/Istock ; **31-c** : Photo12/7e Art/20th Century Fox Television ; **32-a** : Olivier Jobard/MYOP ; **32-b** : EllenMoran/Istock ; **32-c** : KFC ; **32-d** : iStockphotos/karandaev ; **32-e** : iStockphotos/scanrail ; **32-f** : iStockphotos/Dontstop ; **32-g** : iStockphotos/PicturePartners ; **32-h** : iStockphotos/greenp ; **33 :** iStockphotos/DrAfter123 ; **34 :** iStockphotos/BRO Vector ; **35 :** laurent/Istock ; **36-a** : Burger King ; **36-b** : iStockphotos/Blueastro ; **37 :** iStockphotos/Floortje ; **38** : Ornikar ; **39-a** : iStockphotos/JGalione ; **39-b** : iStockphotos/SurfUpVector ; **40-a** : iStockphotos/Godruma ; **40-b** : © Keystone Press/Alamy/Hemis ; **40-c** : © Keystone Press/Alamy/Hemis ; **41-a** : iStockphotos/DrAfter123 ; **41-b/c** : iStockphotos/Maike Hildebrandt ; **41-d** : iStockphotos/marchmeena29 ; **41-e** : iStockphotos/bortonia ; **43-a** : RicardoImagen/Istock ; **43-b** : iStockphotos/bortonia ; **44-a** : Peugeot ; **44-b** : pôle emploi ; **44-c** : MACIF ; **44-d** : Les Restaurants du Cœur ; **44-e** : biocoop ; **44-f** : Ville de Nantes ; **44-g** : Finances Publiques ; **45 :** iStockphotos/AnnaGarmatiy ; **46-a** : iStockphotos/OlgaObolenskaya ; **46-b** : Dutch TTF Gas Futures ; **47-a/b** : iStockphotos/DenPotisev ; **47-c** : iStockphotos/askmenow ; **48 :** iStockphotos/mountainbrothers ; **49** : iStockphotos/ojogabonitoo ; **50 :** office allemand de la statistique ; **51-a** : stock-direct-chr.com ; **51-b** : Istock ; **52-a** : iStockphotos/bymandesigns ; **52-b** : ©Photo12/Alamy/FLHC 1C ; **53-a** : iStockphotos/ONYXprj ; **53-b** : iStockphotos/bortonia ; **53-c** : iStockphotos/tommy ; **53-d** : iStockphotos/mountainbrothers ; **55-a** : ESTAC ; **55-b** : © Norbert Scanella/Panoramic ; **56 :** Observatoire du football CIES ; **57-a** : Estac ; **57-b** : Estac ; **58 :** BFM avec RMC sport et Statista ; **60-a** : RS STOCK IMAGES/Istock ; **60-b** : © akg/Bible Land Pictures ; **61-a** : iStockphotos/Katlim ; **61-b** : iStockphotos/Nadezhda ; **61-c** : iStockphotos/olegback ; **62 :** iStockphotos/Ljupco ; **63-a** : Manchester City ; **63-b** : ESTAC ; **63-c** : Dessine-moi l'éco ; **63-d** : iStockphotos/Nataliia Prachova ; **63-e** : iStockphotos/robuart ; **64-a** : iStockphotos/Olga Kurbatova ; **64-b** : iStockphotos/Yanotai Khamchak ; **64-c** : iStockphotos/wenmei Zhou ; **65-a** : iStockphotos/sesame ; **65-b** : iStockphotos/Katlim ; **65-c** : iStockphotos/Olga Kurbatova ; **65-d** : iStockphotos/Mykyta Dolmatov ; **65-e** : iStockphotos/Nadezhda ; **65-f** : iStockphotos/olegback iStockphotos/Olga Kurbatova ; **67 :** Le parisien ; **71-a/b/e/g** : Ferrero ; **71-c/f** : DR ; **71-d** : alenkadr/Istockphoto ; **72a** : DR ; **72-b** : Ferrero France ; **74-a** : Bruno Murialdo/Ropi/Rea/ Ferrero ; **74-b/c** : © Tesson/Andia ; **75-a** : DR ; **75-b** : DR ; **76** : Statista ; **77** : DR ; **79-a** : DR ; **79-b** : iStockphotos/MediaProduction ; **79-c** : iStockphotos/pinstock ; **80** : iStockphotos/Yanotai Khamchak ; **83-a** : Dubai ; **83-b** : Stefan Tomic /Istock ; 84 : Jannarelly ; **85** : DR ; **86-a** : FMI et Banque Mondiale ; **86-b** : Statista ; **87** : FMI ; **88 :** © Jobard/Sipa ; 89 : PopulationData.net ; **91-a** : INSEE ; **91-b** : DR ; **92-a** : © The History Collection/Alamy/Hemis ; **92-b** : DR ; **93-a** : DR ; **93-b** : DR ; **95-a** : LVMH ; **95-b** : cjp/Istockimage ; **95-b** : © Christophe Morin/IP3/MAXPPP ; **96** : franckreporter/Istockimage ; **98** : Enregistrement universel de LVMH ; **99** : Direction générale du trésor 2019 ; **100** : iStockphotos/akindo ; **101** : INSEE ; **102** : Ministère de l'éconimie des finances et de la relance ; **103** : Plan loi finances, 2022 ; **104** : iStockphotos/wenmei Zhou ; **105-a** : Banque de France ; **105-b** : © Observatoire des inégalités ; **106-a** : iStockphotos/bymandesigns ; **106-b** : iStockphotos/Olga Kurbatova ; **107-a** : iStockphotos/tommy ; **107-b** : iStockphotos/LisLud ; **109-c** : iStockphotos/wenmei Zhou ; **109-d** : iStockphotos/PCH-Vector ; **110-a** : OCDE ; **110-b** : © Courrier international ; **113-a** : TarikVision/Istock ; **113-b** : Ridofranz/Istock ; **114** : VioletaStoimenova/Istock ; **116** : DR ; **117-a** : iStockphotos ; **117-b** : iStockphotos ; **117-c** : iStockphotos ; **118** : DR ; **119-a** : INSEE ; **119-b** : Lafinancepourtous ; **121** : Nalo.fr ; **122** : damircudic/Istock ; **123-a** : iStockphotos/mihailomilovanovic **123-b** : vie-publique.fr ; **124-a** : akg-images/TT News Agency/TT NYHETSBYRÅN ; **124-b** : hetwebsite.net ; **125-a** : iStockphotos ; **125-b** : iStockphotos ; **125-c** : iStockphotos ; **127-a** : Iuliia Kanivets/Istock ; **127-b** : katleho Seisa/Istock ; **128** : ipopba/Istock ; **130** : INSEE ; **131** : INSEE ; **133-a** : INSEE ; **133-b** : Svitlana Hruts/Istock ; **134** : Stone1952/ Logo de l'Union nationale des associations familiales (Unaf) ; **135-a** : INSEE ; **135-b** : CentralITAlliance/Istock ; **136** : INSEE ; **137-a** : Iuliia Kanivets/Istock ; **137-b** : rambo182/Istock ; **138** : INSEE ; **139** : Club Patrimoine ; **143-a** : Tesla ; **143-b** : © Dylan Stewart/Image of Sport/Sip/SIPA ; **144** : iStockphotos/Rudzhan Nagiev ; **145** : Banque de France ; **147** : ©Lu Hongjie/Costfoto/Sipa USA/SIPA ; **148** : iStockphotos/seb_ra ; **150** : iStockphotos/Lacheev ; **151-a** : iStockphotos/sorbetto ; **151-b** : iStockphotos/TopVectors ; **152-a** : iStockphotos/SurfUpVector ; **152-b** : iStockphotos/bymandesigns ; **152-c** : iStockphotos/Olga Kurbatova ; **152-d** : iStockphotos/Tashatuvango ; **153-a** : Valentyn Lishchynskyi/Istock ; **153-b** : tommy/Istock ; **153-c** : iStockphotos/Glopphy ; **155-a** : Boursorama ; **155-b** : © SEBASTIEN SALOM GOMIS/SIPA ; **157-a** : Statista ; **157-b** : Libération ; **160** : iStockphotos/Firn ; **161** : Toute l'éco et la socio en BDT1 : la monnaie, La Boîte à Bulles/Belin éducation, 2018 ; **162** : iStockphotos/Lyudinka ; **163-a** : © Le Figaro ; **163-b** : iStockphotos/Alfieri ; **164-a** : iStockphotos/Ekaterina Usoltseva ; **164-b** : © Angelillo John/UPI/ABC/Andia.fr ; **164-c** : © Underwood Archives/UIG/Coll. Christophel ; **165-a/b/f** : iStockphotos/bortonia ; **165-b** : ; **165-c** : iStockphotos/Olga Kurbatova ; **165-d** : iStockphotos/MicrovOne ; **165-e** Banque Centrale Européenne ; **165-g** : iStockphotos/amtitus ; **166** : ©cristinasampaio.com ; **167** : Le Figaro ; **168** : Homelyoo ; **171-a/c** : Netflix ; **171-b** : mphillips007/Istock ; **172** : Statista ; **173** : Panorama des Industries Culturelles et Créatives en France ; **174** : vidéo conçue et réalisée par Sydo, société de conseil en pédagogies innovantes ; **176** : Wikipédia ; **178** : https://up2school.com/bac/ ; **181-a** : SELL ; **181-b** : leclaireur.fnac.com ; **182** : DR ; **183** : iStockphotos/yuoak ; **185-a** : Tiktok ; **185-b** : ©Dmitrii Melnikov/Alamy/Hemis ; **186** : ohtasri.com ; **187-a** : You tube ; **187-b** : Instagram ; **188** : Tiktok ; **189-a** : ©Tiktok ; **189-b** : iStockphotos/NoSystem images ; **190** : iStockphotos/Jetlinerimages ; **191-a** : iStockphotos/THEPALMER ; **191-b** : iStockphotos/Talaj ; **192-a** : © The Granger Collection, New York/The Granger Collection/ Coll. Christophel ; **192-b** : Meta ; **193-a** : iStockphotos/sorbetto ; **193-b** : iStockphotos/erhui1979 ; **192-b** : ; **197** : Quechoisir.fr

Illustrations de maquette : Freepik/vectorjuice

Achevé d'imprimer en Italie par Grafica Veneta en mars 2022
Dépôt légal : Mars 2022 - édition 01 - 86/1425/6